Das große
Kinder
Lexikon

Das große Kinder Lexikon

Von Norbert Landa
Illustriert von Ludwig Winkler

Loewe

Die Deutsche Bibliothek – CIP-Einheitsaufnahme

Das große Kinderlexikon / von Norbert Landa.
III. von Ludwig Winkler. – Bindlach : Loewe, 2000
ISBN 3-7855-3679-8

ISBN 3-7855-3679-8 – 1. Auflage 2000
© 1996 Loewe Verlag GmbH, Bindlach
Überarbeitete Neuauflage
Umschlaggestaltung: Andreas Henze

Vorwort

Liebe Kinder,

vor 300 Jahren passte noch alles, was die Fachleute über ihre verschiedenen Fachgebiete wussten, in ein einziges Lexikon. Das hatte dann zwar 68 dicke Bände und hieß zum Beispiel „Zedlers großes vollständiges Universallexikon aller Wissenschaften und Künste", aber wer so ein umfangreiches Werk zu Hause stehen hatte, brauchte keine Fachbücher. Er konnte nachschlagen und überall mitreden. Deshalb nannte man solche „Wälzer" auch Konversationslexika.

100 Jahre später war das Wissen über die Welt schon enorm gewachsen. Nun umfasste ein Lexikon allein zum Thema Technik und Wirtschaft schon über 242 Bände. Heute würde man dafür eine ganze Bibliothek mit kilometerlangen Regalen benötigen. Das Wissen der Menschheit verdoppelt sich etwa alle zehn Jahre. Niemand auf der Welt kann über alle Dinge Bescheid wissen.

Deshalb ist ein Lexikon unentbehrlich. Hier findet man das Wichtigste zu einem Thema auf einen Blick. Das Stichwort „Vogel" kann längst nicht alles sagen, was es über Vögel zu sagen gibt. Denn es gibt tausende von Vogelarten, und viele von ihnen haben nicht mal deutsche Namen. Im Lexikon werden daher nur die wichtigsten Merkmale der Vögel beschrieben – das eben, was einen Vogel von allen anderen Tieren unterscheidet, etwa dass Vögel ⇨ Federn haben. (Dieses „⇨ Feder" bedeutet, dass es beim Stichwort „Feder" weitergeht und dass man dort erfährt, was eine Feder ist.)

Zu vielen Stichwörtern gibt es auch Bilder, die zeigen, wie ein bestimmtes Lebewesen aussieht oder wie ein Ding funktioniert.

Dabei ist die alphabetische Reihenfolge der Stichwörter wichtig, obwohl die Dinge, die dadurch nebeneinander stehen, meistens nichts miteinander zu tun haben. Eine Ameise ist schließlich ganz etwas anderes als ein Auto. Doch Ameise und Auto haben denselben Anfangsbuchstaben, und deshalb stehen sie nebeneinander. Wenn sie mit demselben Buchstaben anfangen, vergleicht man den zweiten und dritten Buchstaben. So hat jedes Stichwort seinen Platz. (Man könnte die Artikel eines Lexikons natürlich auch ganz anders ordnen, zum Beispiel nach der Länge eines Wortes, doch dann würde man nie etwas darin finden.)

Schließlich darf eines nicht vergessen werden: Ein Lexikon für Kinder soll die Dinge nicht nur erklären und beschreiben. Es soll auch Spaß machen, darin zu schmökern und die Bilder anzugucken.

Aal

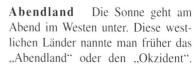

Aal Aale sind schlangenförmige Fische, die in unseren Gewässern kleine Fische und Frösche jagen. Sie können anderthalb Meter lang werden. Zweimal im Leben unternehmen sie eine Reise um die halbe Welt. Sie kommen nämlich im warmen Meer vor der Küste von Florida und Kuba zur Welt. Als Jungaale schwimmen sie durch den Atlantik Richtung Europa und wandern die Flüsse hinauf. Nach ungefähr zehn Jahren kehren sie zurück nach Amerika und legen genau dort ihren Laich ab, wo sie selbst geschlüpft sind. Dann sterben die alten Aale; ihre Jungen aber machen sich wieder auf den Weg.

Aas Den Körper eines toten Tieres nennt man „Aas" oder „Kadaver". Bald nachdem das Tier gestorben ist, beginnen ⇨ Bakterien das Aas zu zersetzen. Der Kadaver verwest und lockt Aasfresser wie Geier, Hyänen oder auch Füchse und vor allem Insekten an. Viele Insekten legen ihre Eier in Aas ab. Die Larven ernähren sich dann von dem verwesenden Fleisch.

Abendland Die Sonne geht am Abend im Westen unter. Diese westlichen Länder nannte man früher das „Abendland" oder den „Okzident". Damit meinte man das christliche ⇨ Europa.

Aberglaube Wer sich fürchtet, wenn ihm eine schwarze Katze über den Weg läuft, oder wer am Freitag, dem Dreizehnten, lieber im Bett bleiben möchte, damit nichts schief geht, der ist abergläubisch. Aberglaube ist der Glaube an geheimnisvolle Mächte, zum Beispiel bestimmte Zahlen oder manche Dinge wie Kleeblatt, Hufeisen und andere Glücksbringer oder Unglücksboten. Manche Menschen klopfen auf Holz, damit ihre Wünsche in Erfüllung gehen, und in vielen Hotels hat man das Zimmer mit der Nummer 13, einer Unglückszahl, einfach ausgelassen; stattdessen gibt es die Nummer 12 a, gefolgt von 14.

Abgas Abgase entstehen überall dort, wo etwas verbrannt wird. Auch in ⇨ Motoren wird etwas verbrannt: Dieselöl oder ⇨ Benzin. Abgase aus Kaminen von Heizwerken, aus den Auspuffen von ⇨ Autos und ⇨ Flugzeugen und aus den Schornsteinen von Fabriken sind oft sehr giftig für Menschen, Tiere und Pflanzen. Manche dieser Abgase kann man riechen und sogar sehen, wenn sie sich mit winzigen Schmutzteilchen in der Luft verbinden.
Oft liegt über den Städten eine Abgaswolke. Diese Wolke nennt man „Smog". (Das Wort „Smog" wird aus den englischen Wörtern „smoke" und „fog" für „Rauch" und „Nebel" gebildet.) Wenn

der Smog zu dicht wird, können Menschen kaum mehr atmen. Dann dürfen tageweise keine Autos mehr fahren. Doch die Abgasschwaden (vor allem das Gas Schwefeldioxid) ziehen mit dem Wind auch in die Natur und zerstören die Wälder. Durch Filter und Katalysatoren können die Abgase verringert werden.

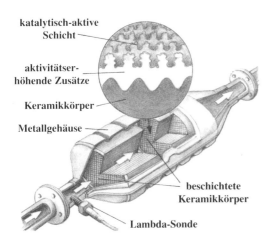

katalytisch-aktive Schicht

aktivitätserhöhende Zusätze

Keramikkörper

Metallgehäuse

beschichtete Keramikkörper

Lambda-Sonde

Abgeordnete In einer ⇨ Demokratie bestimmen die Bürger selbst, welche Gesetze gemacht werden und wie das Land regiert werden soll. Natürlich können nicht Millionen Bürger über jede einzelne politische Frage abstimmen. Deshalb suchen sie sich Frauen und Männer aus, die ihre Interessen im Parlament vertreten. So wie eine Schulklasse einen Klassensprecher wählt, so wählen die Bürger ihre Abgeordneten. Abgeordnete werden meistens von politischen Parteien aufgestellt und sollen die Interessen ihrer Wähler vertreten. Es gibt Abgeordnete für viele Bereiche: für das Gemeindeparlament, für das Bundesland oder den Kanton, für den ganzen ⇨ Staat (zum Beispiel Deutschland, Österreich, Schweiz) oder für das Europaparlament.

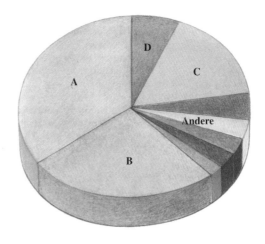

Abitur Wer ein Gymnasium abschließt, macht das Abitur oder die Reifeprüfung. In Österreich und der Schweiz heißt diese Abschlussprüfung auch „Matura".

Abrüstung Lange Zeit haben Politiker vieler Staaten geglaubt, sie könnten einen Krieg nur dann verhindern, wenn sie eine stärkere Armee und mehr Waffen als andere Staaten hätten. Ihre Gegner dachten genauso, und deshalb wurde auf allen Seiten „aufgerüstet", das heißt, die Armeen häuften immer mehr und gefährlichere Waffen, wie zum Beispiel Atombomben, an. Heute weiß man jedoch, dass es vernünftiger und sicherer ist, wenn die Armeen auf allen Seiten abrüsten, also die Zahl ihrer Soldaten und Waffen verringern. In Abrüstungsgesprächen zwischen den Ländern will man erreichen, dass kein Land mehr Angriffswaffen hortet.

ABS Abkürzung für das Wort Antiblockiersystem. Das ist ein computergesteuertes Bremssystem für ⇨ Autos, Busse und Lastwagen, das zusätzlich Sicherheit bietet. Es sorgt dafür, dass der Fahrer immer nur so stark bremsen kann, dass die Räder nicht blockieren, sich also noch drehen. Dann kann man selbst bei einer Vollbremsung noch Kurven fahren und Hindernissen ausweichen.

Absolutismus Früher besaßen Könige und Herrscher die absolute, uneingeschränkte Macht in ihrem Reich. Sie betrachteten den ⇨ Staat als ihr Eigentum und konnten tun und lassen, was sie wollten. Ihr Wille stand über dem Gesetz, und kein Parlament konnte ihnen Vorschriften machen. Eine solche diktatorische Regierungsform (⇨ Diktatur) nennt man Absolutismus. Absolute Monarchen behaupteten meist, von Gott auserwählt und nur ihm, nicht aber den Menschen verantwortlich zu sein. Königinnen und Könige in modernen Monarchien (zum Beispiel in England oder Spanien) haben fast keine politische Macht mehr. Sie sind nur noch Staatsoberhäupter.

Abstammung ⇨ Evolution

Abwasser ⇨ Wasser

Ackerbau ⇨ Landwirtschaft

Adam Nach der christlichen Schöpfungsgeschichte schuf ⇨ Gott den ersten Menschen als Mann und nannte ihn Adam. Diesem nahm Gott eine Rippe heraus und schuf daraus Eva, die erste Frau. Viele Männer fühlten sich früher den Frauen überlegen, weil Frauen ja „bloß aus einer männlichen Rippe" stammen.

Adel In einer ⇨ Demokratie haben alle Menschen gleiche Rechte. Alle Bürger dürfen zum Beispiel zur Wahl gehen. Vor Gericht darf niemand wegen seiner Herkunft benachteiligt oder bevorzugt werden. Das war nicht immer so. Im ⇨ Mittelalter entschied die Herkunft, welche Rechte ein Mensch hatte. Wurde ein Kind in einer adeligen, zum Beispiel einer gräflichen Familie

geboren, so hatte es sein Leben lang besondere Vorrechte, ohne selbst jemals etwas leisten zu müssen. Vor Gericht galt das Wort eines Adeligen weit mehr als das Wort eines „gemeinen" (gewöhnlichen) Bürgers.

Nach dem Ersten Weltkrieg wurde in ⇨ Deutschland und ⇨ Österreich der Adel als Stand mit besonderen Vorrechten abgeschafft. In Deutschland ist der Adelstitel (also: Herzog, Fürst, Graf, Freiherr, Ritter) und der Zusatz „von" (zum Beispiel Archibald Graf von Schreckenstein) nur noch ein Teil des Namens. In Österreich ist das Tragen von Adelstiteln überhaupt verboten.

Ader   Das ⇨ Blut, das unseren Körper durchströmt, fließt in Adern. Das sind elastische Leitungen, die miteinander verbunden sind und zusammen den Blutkreislauf bilden. Die dicken Adern, die das Blut vom ⇨ Herzen wegführen, heißen Arterien. In den Venen strömt das Blut wieder zum Herzen zurück. Die Adern verzweigen sich im ganzen Körper zu einem Netz von hauchdünnen Äderchen. Adern nennt man auch Blutgefäße.

Fischadler

Seeadler

Steinadler

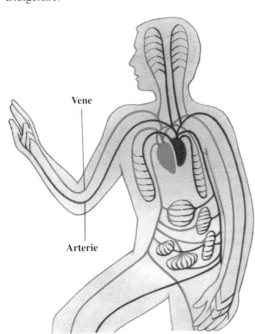

Vene

Arterie

Adler   Wenn ein Seeadler seine Schwingen ausbreitet, dann misst er bis zu zweieinhalb Meter. Adler haben einen mächtigen Hakenschnabel und kräftige Krallen. Kein Wunder, dass dieser größte Raubvogel (⇨ Raubtier) Europas als „König der Lüfte" gilt. In vielen Ländern ist der Adler Wappentier, zum Beispiel in den USA, in Deutschland oder in Österreich.

In Mitteleuropa gibt es noch den Steinadler, der sein Nest, den Adlerhorst, in den Steilwänden der Alpen baut, und den kleineren Fischadler in Norddeutschland. Adler stehen in ganz Europa unter Naturschutz.

Adoption   Wenn ein Ehepaar kein eigenes Kind haben kann oder haben möchte (aber auch, wenn es schon Kinder hat), kann es ein fremdes elternloses oder verlassenes Kind annehmen. Das nennt man eine „Adoption". Ein adoptiertes Kind bekommt den Namen seiner neuen Eltern und hat dieselben Rechte wie ein leibliches Kind.

Affe Unter allen Tieren sind die Affen dem Menschen am ähnlichsten. Sie haben Greifhände und können kurze Strecken auf zwei Beinen laufen. Sie leben in Gruppen in den Urwäldern und Steppen Afrikas, Asiens und Südamerikas. Die meisten Affen sind Pflanzenfresser.

⇨ Orang-Utans, ⇨ Gorillas und ⇨ Schimpansen sind Menschenaffen (Primaten). Sie haben einen ähnlichen Körperbau wie wir Menschen. Dressierte Gorillas und Schimpansen können sich mit Menschen in einer besonderen Zeichensprache verständigen und zeigen, wenn sie hungrig, traurig oder sogar, weshalb sie zornig sind. Menschenaffen stehen unter Schutz. Niemand darf sie jagen. Trotzdem sind sie in ihrer natürlichen Heimat vom Aussterben bedroht, weil ihr Lebensraum von der ⇨ Zivilisation immer stärker eingeengt wird.

Menschenaffen, Paviane und Meerkatzen zählen zu den so genannten Schmalnasenaffen. Die Breitnasenaffen sind kleiner und bewohnen die Urwälder Südafrikas. Zu ihnen gehören die Seidenäffchen und die Brüllaffen.

Meerkatze

Orang-Utan

Schimpanse

Pavian

Gorilla

Afrika Afrika ist der drittgrößte ⇨ Kontinent der Erde; es ist ungefähr dreimal so groß wie ganz Europa. Trotzdem leben auf diesem riesigen Erdteil nur 580 Millionen Menschen. Denn weite Gebiete Afrikas sind unbewohnbar, wie zum Beispiel die Wüste Sahara in Nordafrika, die größte Wüste der Welt, oder die Wüstengebiete von Namibia im Südwesten Afrikas.

Afrika wird wegen der Hautfarbe der Ureinwohner auch der „schwarze Kontinent" genannt. Ganz richtig ist das nicht, denn unter den 500 verschiedenen „schwarzen" Völkern Afrikas gibt es die unterschiedlichsten Hautfarben. Im Norden Afrikas leben außerdem 100 Millionen Araber. Die meisten Weißen Afrikas leben in der Republik Südafrika. Sie sind die Nachkommen niederländischer und englischer Einwanderer.

Viele Millionen Menschen afrikanischer Abstammung leben auch in Nordamerika und auf tropischen Inseln. Sie sind die Nachkommen von schwarzen ⇨ Sklaven, die aus ihrer Heimat verschleppt und nach Übersee verkauft wurden. Da die Schwarzen Afrikas „Heiden" waren und nicht an den christlichen oder muslimischen Gott glaubten, wurden sie von den christlichen und muslimischen Sklavenjägern und Sklavenhaltern wie Tiere behandelt.

Vom Mittelmeer im Norden bis nach Südafrika misst Afrika 8.000 Kilometer; vom Westen am Cap Verde nach Osten in Somalia sind es 7.600 Kilometer. Das ist ungefähr achtmal die Strecke von Hamburg nach München.

Im Norden Afrikas liegt der breite Gürtel der heißen, wasserarmen und unfruchtbaren Wüste ⇨ Sahara, die ungefähr so groß wie Europa ist. Sie ist nur entlang der Meeresküste und dem Nil sowie in den ⇨ Oasen bewohnt. Daran schließen sich Savannen an; das sind endlose, grasbewachsene ⇨ Steppen mit wenigen Bäumen. Hier leben Elefanten, Nashörner, Giraffen, Zebras, Antilopen, Löwen und der Vogel Strauß. Es gibt riesige Nationalparks, in denen die Wildtiere nicht gejagt werden dürfen. Durch die Mitte Afrikas verläuft der ⇨ Äquator. Beiderseits des Äquators dehnen sich die tropischen Regenwälder aus. In diesen heißen Urwäldern regnet es täglich. Weil ihr Holz (zum Beispiel Teakholz oder Mahagoni) in Europa und Amerika sehr begehrt ist, werden große

Teile der Regenwälder abgeholzt. In den Tropen liegt der höchste Berg Afrikas, der Kilimandscharo. Dieser erloschene ⇨ Vulkan ist mit fast 6.000 Metern etwa doppelt so hoch wie die höchsten Berge der ⇨ Alpen. In seiner Nähe entspringt auch der Nil, der mit einer Länge von 6.670 Kilometern der längste Fluss der Welt ist. Der Nil mündet in ⇨ Ägypten ins Mittelmeer. Der Nil ist die Lebensader der Länder Sudan und Ägypten. Kairo, die Hauptstadt Ägyptens und mit 13 Millionen Einwohnern größte Stadt Afrikas, liegt am Nil. Südlich der Tropen geht der Dschungel wieder in Steppe, Savanne und Wüste über.

Afrika ist ein reicher Kontinent. Es gibt wertvolle Bodenschätze, wie Kupfer, Gold, Diamanten und Erdöl, und fruchtbare Landstriche, in denen Kakao, Kaffee und Baumwolle wachsen. Trotzdem sind die meisten Afrikaner furchtbar arm. Die Hälfte von ihnen hat nicht genug zu essen. Schuld daran ist zum Teil der Kolonialismus von früher. Bis vor wenigen Jahrzehnten betrachteten die europäischen Staaten Afrika als ihr Eigentum. Engländer, Franzosen, Spanier, Portugiesen, Italiener, Belgier und Deutsche hatten Afrika als Kolonien unter sich aufgeteilt. Sie bauten Bergwerke und Plantagen. Der Reichtum des Landes floss jedoch nach Europa in die so genannten Mutterländer der Kolonien. Die Eingeborenen blieben arm, rechtlos und ungebildet. Doch auch nach Ende der weißen Herrschaft in den afrikanischen Ländern hatte es der Erdteil politisch und wirtschaftlich schwer. In vielen Ländern herrschen nun Diktaturen. Heute bemühen sich westliche Länder, den armen Ländern Afrikas beim Aufbau einer eigenen Wirtschaft zu helfen. Das nennt man Entwicklungshilfe oder Entwicklungszusammenarbeit.

Ägypten Ägypten ist ein großes Land in Nordafrika. Es ist dreimal so groß wie Deutschland und besteht zum Großteil aus ⇨ Wüste. Nur ein Streifen Land im Niltal ist fruchtbar. Dort leben ungefähr 45 Millionen Araber. Allein die Hauptstadt Kairo hat 13 Millionen Einwohner – viermal so viel wie Berlin. Die meisten Ägypter sind Mohammedaner. In Ägypten gab es bereits vor 5.000 Jahren ⇨ Staaten mit Königen, sternkundigen Priestern, Mathematikern und Beamten.

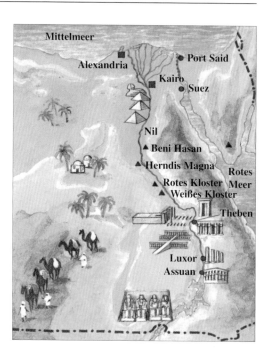

Die berühmten ⇨ Pyramiden sind Grabstätten der Könige. Als sie gebaut wurden, gab es bei uns nur Urwälder und die ersten Dörfer.

Ahorn Den Ahornbaum kann man am besten an seinen Früchten erkennen: an diesem lustigen Propeller, den man sich auf die Nase kleben kann. In Kanada und Nordamerika wird von den Zuckerahornbäumen der Ahornsirup abgezapft. Pfannkuchen mit Ahornsirup ist das Lieblingsfrühstück vieler amerikanischer Kinder.

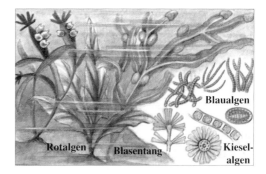
Airbag Ein Airbag (englisch für Luftsack) kann die Insassen eines Autos bei einem Unfall vor schweren Verletzungen bewahren. Bei einem Aufprall bläst sich der zusammengefaltete Luftsack zwischen Windschutzscheibe und Fahrer oder Beifahrer explosionsartig (binnen einer Hundertstelsekunde!) auf. Airbags funktionieren nur gemeinsam mit den Sicherheitsgurten und können sie nie ersetzen.

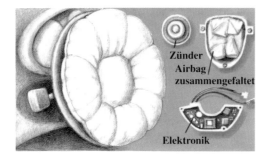

Zünder
Airbag
zusammengefaltet
Elektronik

Akrobat Akrobaten führen im Zirkus und auf dem Jahrmarkt besonders schwierige Kunststücke vor: Sie turnen in schwindelnder Höhe auf dem Trapez, tanzen auf dem Seil, balancieren auf Rädern oder bilden Menschentürme.

Alaska Im äußersten Norden ⇨ Amerikas liegt der amerikanische Bundesstaat Alaska. Weil es dort so kalt ist, ist Alaska nur sehr dünn besiedelt. Es gibt aber viele Bodenschätze wie Kohle, Erdöl und Erdgas. Alaska grenzt an Sibirien und wurde im Jahre 1867 von Russland an die Vereinigten Staaten von Amerika verkauft.

Blaualgen

Rotalgen Blasentang Kiesel-
algen

Alge Algen sind Pflanzen, von denen die meisten unter Wasser wachsen. Es gibt Algen, die so klein sind, dass man sie nur unter dem Mikroskop sehen kann. Andere Algenarten, wie der Riesentang, können 300 Meter lang werden. Algen sind ein Hauptnahrungsmittel für viele Wassertiere. Sie geben Sauerstoff ab, den jedes Tier – auch jedes Wassertier – zum Atmen braucht. Wenn das Meerwasser verschmutzt ist, dann vermehren sich manche Algen ganz besonders stark. Das sieht sehr unappetitlich aus, und man spricht von einer „Algenpest". Schuld daran sind die Abwässer und Abfallstoffe, die in das Meer eingeleitet werden.
Japaner und Chinesen nennen bestimmte Algen wie Kombu oder Hiziki auch „Meeresgemüse". In Irland macht man aus Algen Pudding. In der Zukunft könnten Algen für viele Millionen Menschen in aller Welt ein wertvolles Lebensmittel sein, denn sie sind reich an Eiweiß und Mineralstoffen (⇨ Mineralien) und daher gesund und nahrhaft. In Naturkostläden kann man Speisealgen kaufen.

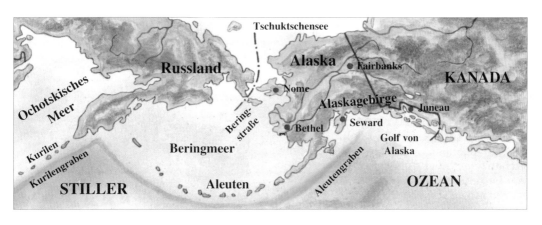

Alibi   Wer ein Alibi hat, der kann beweisen, wo er zu einer bestimmten Zeit war. Er kommt als Täter für eine Tat, die zur gleichen Zeit anderswo begangen wurde, nicht infrage.

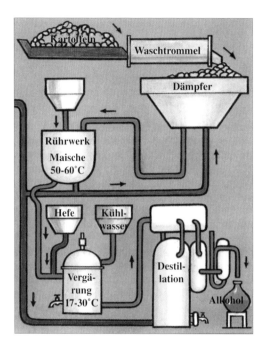

Alkohol   Alkohol ist eine farblose, brennbare Flüssigkeit, die scharf riecht. Alkohol entsteht, wenn Pflanzen gären. Dabei verwandeln winzige Hefepilze den Zucker der Pflanze in Alkohol. Der Arzt verwendet Alkohol zur Reinigung der Haut, zum Beispiel vor dem Setzen einer Spritze. Er ist auch in alkoholischen Getränken enthalten; in Bier höchstens zu einem Zwanzigstel, in leichtem Wein zu einem Zehntel. Bei einem starken Schnaps besteht die Hälfte der Flüssigkeit aus Alkohol. Viele Erwachsene mögen das Gefühl, angeheitert oder betrunken (alkoholisiert) zu sein. Allerdings kann man sich mit einem „Schwips" nicht mehr so gut konzentrieren und darf deshalb auch nicht Auto fahren. Wer regelmäßig viel Alkohol trinkt, gewöhnt sich so daran, dass er süchtig wird, das heißt, er fühlt sich ohne Alkohol nicht mehr wohl. Solche Menschen nennt man „Alkoholiker". Ein Alkoholiker ist genauso krank wie zum Beispiel ein Heroinsüchtiger. Er braucht ärztliche Hilfe und Betreuung.

Allah   Ihren Gott nennen die Mohammedaner „Allah". Das Wort ist arabisch und heißt: „Der Gott". Wie die Christen, so glauben auch die Mohammedaner, dass ihr Gott der einzig wahre Gott ist, dass er die Welt erschaffen hat und dass der Mensch nach seinem Tod von Gott gerichtet wird.

Allergie   Wer gegen Blütenstaub allergisch ist, läuft im Frühling mit ⤳ „Heuschnupfen" herum. Sein Körper reagiert auf den Blütenstaub auf unangenehme Weise. Allergien gibt es gegen die verschiedensten Stoffe in der Luft oder in der Nahrung. Manche Menschen reagieren mit Atembeschwerden auf Katzenhaare. Andere bekommen einen Ausschlag, wenn sie Obst essen, das mit Pflanzengiften behandelt ist. Viele Kinder haben eine Allergie gegen Kuhmilch. Besonders geplagt sind Menschen, die gegen Hausstaub allergisch sind. Der Arzt kann durch einen (schmerzlosen) Allergietest herausfinden, ob man gegen bestimmte Stoffe allergisch ist.

Allrad   Bei einem Fahrzeug mit Allradantrieb wird die Kraft des Motors auf alle vier Räder übertragen und nicht nur auf zwei Räder wie sonst üblich. Allradantrieb ist wichtig vor allem für Geländefahrzeuge: Wenn alle vier statt nur zwei Räder greifen, dann kann es steilere Strecken bewältigen. Die Abkürzung „4WD" auf Allradautos steht für die engl. Bezeichnung „4 Wheel Drive" – Vierradantrieb.

Alpen Der höchste und längste Gebirgszug Europas sind die Alpen. Sie ziehen sich mehr als 1.000 Kilometer durch Österreich, Süddeutschland, die Schweiz, Norditalien und Frankreich. Am höchsten sind die Alpen in Frankreich; der Montblanc ist 4.810 Meter hoch. Die Dufourspitze (4.634 Meter) ist der höchste Berg der Schweiz, der Großglockner (3.797 Meter) der höchste Berg Österreichs und die Zugspitze (2.963 Meter) der höchste Berg Deutschlands.

Früher lebten in den Alpentälern nur wenige Menschen, und es war ein anstrengendes und gefährliches Abenteuer, die Alpen zu überqueren. Heute führen viele Straßen und Eisenbahnen über hohe Pässe und Tunnels über und durch die Alpen nach Italien. Viele Touristen machen in den Alpen Urlaub, wo sie wandern, die Berge besteigen oder Ski laufen. Große Teile der ursprünglichen alpinen Wildnis wurden für die Skifahrer umgestaltet und dabei teilweise auch zerstört.

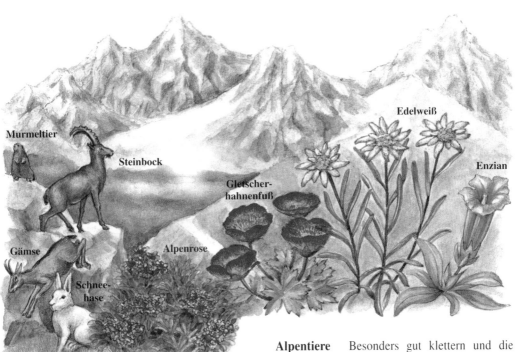

Murmeltier
Steinbock
Edelweiß
Enzian
Gletscher-hahnenfuß
Gämse
Alpenrose
Schnee-hase

Alpenpflanzen Um in Wind und Sonne, Eis und Schnee in den hoch gelegenen Gebieten der Alpen zu überstehen, haben Alpenpflanzen eine andere Form als Pflanzen, die im Tal vorkommen. Meistens sind sie klein und wachsen, wie die Latschen (eine Art Kiefer), dicht am Boden. Viele Alpenblumen haben dicke Blätter mit einer harten, ledrigen Haut. Damit können sie Wasser speichern und auf wasserarmen Felsen wachsen. Die meisten Alpenblumen, wie Enzian, Edelweiß und Alpenrose, dürfen nicht gepflückt werden. Sie stehen unter Naturschutz.

Alpentiere Besonders gut klettern und die steilsten Wände erklimmen können Gämsen und Steinböcke. Sie haben ein dichtes Fell gegen die raue Witterung in den Bergen. Der Schneehase und das Schneehuhn tragen im Winter einen weißen Pelz und ein weißes Federkleid; im Sommer färben sich bei beiden Pelz bzw. Federn braun. Das Murmeltier wohnt in Bergwiesen, wo es weit verzweigte Höhlen und Gänge gräbt. Die meiste Zeit des Jahres hält es Winterschlaf. Im Sommer frisst es sich wieder satt. Murmeltiere sind sehr scheu. Ein Wächter sitzt immer vor dem Bau. Wenn sich ein Mensch oder ein anderer Feind nähert, pfeift der Wächter, und alle Murmeltiere verschwinden blitzschnell in ihrem Bau.

A B C D E F G H I J K L M N O P Q R S T U V W X Y Z

A
B
C
D
E
F
G
H
I
J
K
L
M
N
O
P
Q
R
S
T
U
V
W
X
Y
Z

Griechisch			Lateinisch		Russisch					
A	α	Alpha	A	a	A	a	A	Ф	ф	Äf
B	β	Beta	B	b	Б	б	Bjä	Х	х	Cha
Γ	γ	Gamma	C	c	В	в	Wjä	Ц	ц	TБä
Δ	δ	Delta	D	d	Г	г	Gjä	Ч	ч	Tschä
E	ϵ	Epsilon	E	e	Д	д	Djä	Ш	ш	Scha
Z	ζ	Zeta	F	f	Е	e	Jä	Щ	щ	Schtscha
H	η	Eta	G	g	Ж	ж	Schjä	Ъ	ъ	Twjorde-
Θ	θ	Theta	H	h	З	з	Sjä			snak
I	ι	Jota	I	i	И	и	I	Ы	ы	Järrü
K	$\varkappa$	Kappa	J	j	Й	й	I s kratkoj	Ь	ь	Mjaki
Λ	λ	Lambda	K	k	К	к	Ka			snak
M	μ	My	L	l	Л	л	Äl	Э	э	Ä
N	ν	Ny	M	m	М	м	Äm	Ю	ю	Ju
Ξ	ξ	Xi	N	n	Н	н	Än	Я	я	Ja
O	o	Omikron	O	o	О	о	O			
Π	π	Pi	P	p	П	п	Pjä			
P	ρ	Rho	Q	q	Р	р	Ärr			
Σ	σs	Sigma	R	r	С	с	Äß			
T	τ	Tau	S	s	Т	т	Tjä			
Y	υ	Ypsilon	T	t	У	y	U			
Φ	ϕ	Phi	U	u						
X	χ	Chi	V	v						
Ψ	φ	Psi	W	w						
Ω	ω	Omega	X	x						
			Y	y						
			Z	z						

Alphabet Der erste Buchstabe des griechischen Alphabets heißt Alpha, der zweite Beta. Ein Alphabet ist nichts anderes als unser Abc, also die Buchstaben einer Schrift in einer festgelegten Reihenfolge. Verschiedene Völker haben verschiedene Schriften und daher verschiedene Alphabete. Unser Alphabet hat 26 Buchstaben.

Alternative Wer seine Schularbeiten schon heute machen könnte, aber auch erst morgen, der steht vor einer Alternative. Er hat verschiedene Möglichkeiten, unter denen er wählen kann. In vielen Ländern heißen Umweltschutzparteien auch alternative Parteien. Sie wollen zum Beispiel, dass mehr Eisenbahnen gebaut werden und weniger Autostraßen und dass wir mehr Energie sparen, anstatt neue Kraftwerke zu bauen.

Altertum Vor ungefähr 5.000 Jahren begannen die Menschen, sich in großen ⇨ Städten und ⇨ Staaten zusammenzuschließen. Damals entwickelten sich die ersten Hochkulturen. Von ihnen wissen wir durch Reste von Tempelbauten und Stadtmauern und durch schriftliche Aufzeichnungen. Die Zeit zwischen der Gründung der alten Reiche und dem Mittelalter nennen wir das Altertum. Es dauerte ungefähr 3.500 Jahre und endete mit dem Zusammenbruch des Römischen Reichs.

Die Sumerer lebten im Zweistromland zwischen Euphrat und Tigris. Das ist das Gebiet der heutigen Länder Irak und Syrien. Sie erfanden vor ungefähr 5.000 Jahren die Keilschrift und ritzten Buchstaben in Tontafeln. Altertumsforscher (Archäologen) können diese Schrift lesen und die sumerische Sprache verstehen. Andere Großreiche des Altertums waren die Reiche der Babylonier, Assyrer, Perser und ⇨ Ägypter. In diesen Kulturen gab es straff organisierte Armeen, riesige Städte und eine blühende Wissenschaft. Die Sternkunde (Astronomie) stand in hohem Ansehen und durfte nur von Priestern ausgeübt werden. Die Babylonier erfanden sogar schon kleine Rechenmaschinen, die mit hölzernen Kugeln arbeiteten.

Alle diese Völker des Altertums in Europa und im Nahen Osten waren Sklavengesellschaften (⇨ Sklave). Die meisten Menschen waren völlig rechtlos und gehörten, wie Tiere, anderen Menschen. Auch im alten Griechenland herrschte eine dünne Schicht von freien Bürgern über eine Mehrheit von Unfreien und Sklaven. Allerdings konnten diese Bürger ihre Herrscher selbst wählen. Die Griechen nannten dies ⇨ Demokratie. Das Wort heißt auf Deutsch „Volksherrschaft". In einer modernen Demokratie haben jedoch alle erwachsenen Staatsbürger die gleichen politischen Rechte. Im alten Griechenland waren viele berühmte Philosophen, Schriftsteller und Künstler tätig. Viele Fremdwörter aus Kunst, Technik und Wissenschaft sind ursprünglich griechische Wörter, wie zum Beispiel Mathematik, Geografie (⇨ Geo), ⇨ Gymnasium, ⇨ Technik, ⇨ Philosophie, ⇨ Theater und so weiter.

Die Römer schließlich bauten ein Weltreich auf, das von England bis Ägypten, von Israel bis Spanien reichte. Seine Hauptstadt war Rom. Die lateinische Sprache, eine tüchtige Verwaltung und kampfstarke Legionen hielten das Reich noch zusammen, als in Rom schon korrupte und grausame Kaiser saßen. Um das Jahr 500 unserer Zeit (nach Christi Geburt) zerfiel das Römische Reich; das Altertum war zu Ende, und das europäische Mittelalter begann.

Mächtige Reiche und hohe Kulturen hat es im Altertum natürlich auch in Asien (Inder, Chinesen, Japaner, Koreaner) und in Südamerika (Maya) gegeben.

Palast

Mesopotamien

Wohnhäuser

Gewölbe

Gewand

Schmuck

Bodenbearbeitung mit Pflug

Tempel

Gewand

Säulenformen

Ägypten

Hieroglyphenschrift

Schiff

Tempel

Hellas

Schrift Vasenmalerei

Säulenformen

Gewand

Schiff

Amphitheater

Triumphbogen

ATQILIVMIN
PRAETEREATA
HAEDORYMQ
PONTVSETO
LIBRADIESO
Schrift

Rom

Kamee

Gewand

Aquädukt

Aluminium　Aluminium, ein sehr leichtes, widerstandsfähiges Metall, wird aus Bauxit gewonnen. Zu seiner Herstellung ist sehr viel elektrische Energie erforderlich, weil Aluminium aus dem geschmolzenen Bauxit mit Strom (Elektrolyse) herausgelöst wird.

Amateur　Viele Profi-Sportler waren zuerst Amateure: Sie trieben Sport, ohne dafür bezahlt zu werden. Profis dagegen sind Berufssportler. Wer etwas aus Liebhaberei macht, der ist ein Amateur. Das französische Wort „Amateur" bedeutet genau das: Jemand, der etwas gerne tut.

Amazonas　Dieser größte Strom Südamerikas ist 6.518 Kilometer lang. In ihm fließt ein Fünftel allen Süßwassers der Erde.

Ameise　Ameisen leben in Völkern zusammen und bauen sich Wohnungen mit vielen Gängen und Kammern. Das sind die Ameisenhaufen. Ein Teil des Baus liegt unter der Erde. Ameisenstaaten sind gut organisiert. Die Arbeiterinnen zum Beispiel müssen die Königin füttern, die in der Erde in ihrer Höhle sitzt und ihr Leben lang nichts anderes tut als Ameiseneier legen.

Manche Ameisenarten halten sich sogar Haustiere, nämlich Blattläuse. Die Ameise zapft der Blattlaus ihren süßen Saft ab. Tropische Ameisen können für ihre Bauten Blätter zusammennähen. Ameisen sind ständig bei der Arbeit. Wenn man von jemandem sagt, er sei fleißig wie eine Ameise, dann nennt man ihn „emsig". „Emse" ist ein altes Wort für Ameise.

Das juckende Gift vieler Ameisenarten, zum Beispiel unserer Roten Waldameisen, besteht aus Ameisensäure. Waldameisen stehen unter Naturschutz. Sie ernähren sich nämlich auch von Schädlingen und Aas.

**Ameisenkönigin | Arbeiterin
Männchen**

Amerika　Amerika ist der zweitgrößte ⇨ Kontinent der Erde und besteht aus drei Teilen: aus Nord-, Mittel- und Südamerika.

Die ersten Amerikaner waren asiatische Jägervölker, die vor 20.000 Jahren über Sibirien nach Nordamerika eingewandert sind. An dieser Stelle sind die beiden Erdteile nur wenige Kilometer voneinander entfernt, und damals konnte man zu Fuß nach Alaska wandern. Im Laufe der Jahrtausende besiedelten die frühen Amerikaner den gesamten Kontinent bis hinunter zur Südspitze Südamerikas. Die ⇨ Wikinger trafen auf ihren Fahrten schon um das Jahr 1000 auf die Ureinwohner, die erst Christoph Kolumbus – irrtümlich – „Indios" und ⇨ „Indianer" nannte. Vor ungefähr 500 Jahren wollte der Seefahrer in spanischen Diensten rund um die Erde nach Indien segeln; er wusste nicht, dass davor dieser riesige Erdteil liegt, und hielt Amerika schon für Indien.

Die frühen Amerikaner hatten in ihrem Land großartige Reiche mit prächtigen Städten und gewaltigen Pyramiden errichtet: die Azteken in Mexiko, die Maya in Mittelamerika und die Inka in Südamerika. Ihr Unglück war, dass sie sehr reich waren. Die europäischen Soldaten, vor allem Spanier, eroberten die Städte und raubten die Gold- und Silberschätze. Die „Indianer" oder „Indios" wurden zwangsgetauft oder ausgerottet. Ihre Zivilisation war nach wenigen Jahrzehnten verschwunden. Stattdessen herrschten in Mittel- und Südamerika die Statthalter der europäischen Könige und des Papstes. In Nordamerika landeten vor allem Engländer und Franzosen. Auch sie nahmen das Land rücksichtslos in Besitz und trieben die Ureinwohner in den Untergang. Heute leben nur noch wenige Indianervölker, insgesamt 800.000 Menschen, in kümmerlichen Reservaten.

Nordamerika: In Nordamerika gibt es drei riesige Länder: Kanada, USA und Mexiko. In Kanada und in den USA (United States of America – Vereinigte Staaten von Amerika) spricht man hauptsächlich Englisch. Doch die Einwanderer kamen auch aus Deutschland, Holland, Irland und Skandinavien. Darunter waren viele Menschen, die vor der politischen und religiösen Unterdrückung und den wirtschaftlichen Problemen in der Alten Welt (Europa) in die Neue Welt (Amerika) flüchteten. Für Sklavenarbeiten im Süden Nord-

amerikas wurden schwarze Afrikaner herangeschafft. Das riesige, zum größten Teil wüstenhafte Mexiko wurde von den Spaniern erobert und besiedelt. Hier spricht man Spanisch. Nordamerika reicht von den arktisch kalten Gebieten von Alaska und Kanada bis zu den Wüsten von Mexiko. Von Nord nach Süd zieht sich im Westen die mächtige Gebirgskette der Rocky Mountains. Die gewaltigen ⇨ Prärien in der Mitte des Landes waren früher die Heimat von Bisonherden, die noch Millionen zählten. Heute dehnen sich dort Weizen- und Maisfelder über viele hundert Kilometer aus. Im Seengebiet des Nordostens gibt es Seen, die so groß sind wie Österreich. Wichtige Städte sind New York, Chicago und Los Angeles. Nordamerika ist der reichste Kontinent der Welt. Mittelamerika und Südamerika: Mittelamerika besteht aus kleinen Ländern wie Panama, Costa Rica oder Nicaragua. Dazu gehören auch die Westindischen Inseln und Kuba.

In den Ländern Mittel- und Südamerikas spricht man hauptsächlich Spanisch oder, wie in Brasilien, Portugiesisch. Diese Länder nennt man auch Lateinamerika, weil Spanisch und Portugiesisch aus der lateinischen Sprache entstanden sind. Nur in wenigen Gebieten konnten sich die alten Sprachen der Indio-Völker erhalten.

In fast allen lateinamerikanischen Ländern herrschen Hunger, Armut und Überbevölkerung. Auch dort, wo demokratische Regierungen an der Macht sind, gehört das meiste Land den Großgrundbesitzern und reichen Geschäftsleuten.

Die größten Länder Südamerikas sind Brasilien, Argentinien und Chile. Die Mitte Südamerikas, vor allem Brasilien, ist von Regenwäldern bedeckt. An der Westküste zieht sich die mächtige Gebirgskette der ⇨ Anden vom Norden bis an die Südspitze von Südamerika.

Amnesty International Das englische Wort „Amnesty" (deutsch: Amnestie) bedeutet „Erlassung von Strafen". Amnesty International (abgekürzt „ai") ist eine Vereinigung, die sich in aller Welt für Menschen einsetzt, die wegen ihrer politischen oder religiösen Überzeugung oder wegen ihrer Zugehörigkeit zu einem bestimmten Volk verfolgt werden. In vielen Ländern der Welt sperrt die Regierung Unschuldige ein und quält sie. ai

kümmert sich um diese Häftlinge und veröffentlicht Berichte über ihre Leiden. Oft, leider aber nicht immer, lässt die kritisierte Regierung die Gefangenen dann frei.

Amphibien Kriechtiere, die sowohl im Wasser als auch auf dem Land leben können, heißen „Amphibien" oder „Lurche". Zu ihnen gehören ⇨ Frösche, ⇨ Kröten, Molche und Salamander. Amphibien sind wechselwarme Tiere; ihre Körpertemperatur hängt davon ab, wie warm oder kalt es in der Umgebung ist.

Grasfrosch   Wasserfrosch   Laubfrosch   Erdkröte   Feuersalamander

Amsel Die Amsel ist ein großer Singvogel mit gelbem Schnabel, der auch in der Stadt lebt. Alte Amselmännchen sind schwarz, junge Männchen und Weibchen sind braunschwarz. Amseln fressen Regenwürmer und Obst, besonders gern Kirschen. Trotz ihres schönen Gesangs sind sie deshalb nicht sehr beliebt.

Anakonda Die Anakonda ist die größte Riesenschlange der Welt. Sie kann zehn Meter lang werden; sie erwürgt ihr Opfer und verschlingt es. Anakondas können ganze Schweine schlucken.

Analphabet Wer nicht lesen und schreiben kann, ist ein Analphabet. Das Wort setzt sich aus der griechischen Vorsilbe „an" für „nicht" und „Alphabet" zusammen. Fast ein Drittel aller Erwachsenen auf der Welt sind Analphabeten, die meisten davon leben in der so genannten ⇨ Dritten Welt. Dort müssen viele Kinder schon im Grundschulalter arbeiten. Aber auch in Deutschland gibt es über eine Million Analphabeten.

Anden Die Anden oder Kordilleren sind ein Gebirgszug, der sich über 7.000 Kilometer lang durch Südamerika zieht. Die höchsten Berge sind zirka 7.000 Meter hoch. Das ist weit mehr als doppelt so hoch wie die deutsche Zugspitze.

Annonce Wer eine Annonce in der Zeitung aufgibt, der möchte etwas kaufen, verkaufen oder ankündigen. Eine Annonce ist dasselbe wie eine Zeitungsanzeige oder ein Inserat.

Anschrift Die Anschrift (oder Adresse) sagt, wo jemand wohnt. Sie besteht aus dem Namen, der Straße mit Hausnummer, der Postleitzahl, dem Wohnort und dem Land.

Ansteckung Manche Krankheiten sind ansteckend. Wenn ein Schüler in der Klasse zum Beispiel Masern bekommen hat, dann ist die Gefahr groß, dass auch andere Kinder krank werden. Ansteckende Krankheiten (zum Beispiel auch Grippe und Keuchhusten) werden von Mensch zu Mensch übertragen, und zwar durch winzige Krankheitserreger (⇨ Bakterien und Viren) in der Luft, im Essen oder auf Gegenständen, die man anfasst. Im Krankenhaus müssen Ärzte und Pfleger besonders vorsichtig sein, damit sich die Kranken nicht gegenseitig anstecken.

Antarktis Unter dem kilometerdicken Eis, das den Südpol bedeckt, liegt ein Erdteil verborgen: die Antarktis. In diesen furchtbar kalten Gebieten (bis zu minus 90 Grad Celsius!) leben nur wenige Wissenschaftler in besonders geschützten Behausungen. Die einzigen Landtiere der Antarktis sind die Pinguine. Im eisig kalten Meer leben Fische, Krebse, Wale und Robben. In der Antarktis scheint im Sommerhalbjahr (in unserem Winter) ununterbrochen die Sonne. Im Winterhalbjahr ist es sechs Monate lang stockfinster.

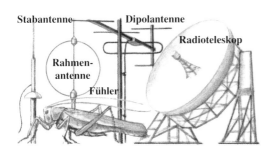

Antenne Mit einer Antenne kann man die elektromagnetischen Wellen auffangen, die zum Beispiel ein Radio- oder Fernsehsender ausstrahlt. Im Radio- oder Fernsehgerät werden diese Wellen in Töne und Bilder umgewandelt. Auch die Fühler von Insekten sind so etwas wie Antennen. Mit ihnen spüren die Tiere Schwingungen im Wasser oder in der Luft auf.

Antikörper Wenn fremde, giftige und gefährliche Eiweißstoffe (Antigene) in unser Blut eindringen, dann entwickeln sich in uns als Antwort darauf Antikörper. Das sind Abwehrstoffe, die diese Eindringlinge (zum Beispiel Bakterien oder Giftstoffe) bekämpfen.

Antilope Antilopen sind Pflanzen fressende ⇨ Säugetiere, die in Rudeln in den weiten Steppen Afrikas und Asiens vorkommen. Manche Antilopenarten sehen ähnlich aus wie Rehe oder Gämsen. Es gibt aber auch Antilopen, die so klein sind wie Hasen, und andere, die größer sind als Kühe. Die Gazellen zählen zu den schnellsten Landtieren und können 100 Stundenkilometer schnell laufen. Springböcke können aus dem Stand fünf Meter in die Luft springen. Damit warnen sie sich gegenseitig vor Raubtieren.

Apotheke Eine Apotheke ist ein Fachgeschäft für Medikamente (Arzneimittel) und andere Waren, die mit Gesundheit und Krankheit zu tun haben. Früher haben die Apotheker Medikamente selbst hergestellt. Heute verkaufen sie meist fertige. Apotheker haben Pharmazie (Heilmittelkunde) studiert.

Aquarium Wer Fische als Haustiere halten möchte, braucht ein Aquarium. Das ist ein großer Glasbehälter, in dem Fische und andere Wassertiere so ähnlich leben können wie draußen in Flüssen, Seen oder Meeren. Deshalb muss das Wasser im Aquarium genauso warm oder kalt, süß oder salzig sein wie in den Heimatgewässern der Fische, Krebse, Muscheln oder Wasserschnecken. Jedes Aquarium benötigt Wasserpflanzen, die Sauerstoff abgeben. Zusätzlich muss es gut belüftet sein. Das übernimmt eine kleine Pumpe, die ständig Luft hineinbläst.

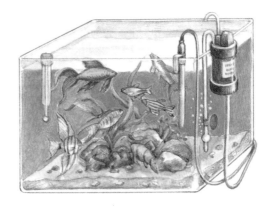

Äquator   Rund um die Erdkugel verläuft der Äquator, eine gedachte Linie. Er ist von den Polen immer gleich weit entfernt und teilt den ⇨ Globus in eine nördliche und eine südliche Hälfte. Der Äquator ist auf Landkarten und Globen als Linie eingezeichnet. In der Natur kann man ihn ebenso wenig sehen wie die Grenze zwischen zwei Ländern. Der Äquator ist etwa 40.000 Kilometer lang. In seiner Nähe, in den tropischen Gebieten, steht die Sonne zu Mittag immer senkrecht am Himmel.

Araber   Menschen mit arabischer Muttersprache sind Araber. Sie leben hauptsächlich in Nordafrika und auf der Arabischen Halbinsel. Die meisten Araber sind Anhänger des ⇨ Islam. Im Mittelalter waren die arabischen Reichen berühmt für ihre Kunst, Wissenschaft und Technik. Unsere Ziffern sind arabische Ziffern; wir haben sie von den Arabern übernommen. Auch das Wort ⇨ Chemie ist arabischen Ursprungs.

Heute sind einige arabische Länder wie etwa Saudi-Arabien unglaublich reich, weil auf ihrem Gebiet die größten ⇨ Erdölvorkommen der Welt liegen. In anderen arabischen Ländern, wie etwa in Algerien oder Mauretanien, herrscht bittere Armut. Viele arabische Länder sind ⇨ Diktaturen.

Architekt   Architekten zeichnen beim Hausbau die Pläne. Sie müssen dafür sorgen, dass die Gebäude nicht nur praktisch, schön und preiswert sind, sondern dass sie später auch nicht einstürzen und auch sonst allen Bauvorschriften entsprechen. Zum Beispiel müssen sie genau berechnen, wie dick die Wände und wie stark die Zimmerdecken sein und aus welchem Material sie bestehen müssen.

Arena   Bei den alten Römern war die Arena ein großer Theaterplatz im Freien, wo sie zur Belustigung des Volkes wilde Tiere aufeinander hetzten oder Kriegsgefangene und Gladiatoren (Berufskämpfer) gegeneinander antreten ließen. Heute nennt man den Platz im Inneren eines Sportstadions Arena.

Arktis   Das Gebiet um den Nordpol heißt Arktis. Der Nordpol selbst liegt auf ewigem Eis. Darunter ist jedoch Meer, und U-Boote können unter dem Nordpol hindurchtauchen. Zur Arktis gehören aber auch Grönland (die größte Insel der Welt) und die nördlichen Gebiete von Alaska, Kanada, Skandinavien und Sibirien. In arktischen Gebieten leben Eskimos. Arktische Tiere sind zum Beispiel Eisbären, Silberfüchse, Schneehasen sowie Robben und manche Wale. Im arktischen Winter bleibt es ein halbes Jahr lang dunkel; die Sonne geht nie richtig auf.

Klappmütze   Eisbär

Seehund

Polarfuchs   Schneehuhn

Armut Nur jeder dritte Mensch auf der Erde kann sich täglich satt essen. Millionen Kinder haben keine Chance, zur Schule zu gehen und einen Beruf zu erlernen. Diese Menschen leben in Armut. Sie haben nicht genug Geld für ein menschenwürdiges Leben. Die meiste Armut gibt es in der ⇨ Dritten Welt. Aber auch bei uns in den reichen Ländern gibt es Armut: zum Beispiel bei Familien mit vielen Kindern, wo Vater und Mutter arbeitslos sind und sich keine ausreichende Wohnung leisten können.

Arterien ⇨ Adern

Arzt Ärzte haben auf der Universität ⇨ Medizin studiert und gelernt, Krankheiten zu behandeln. Zuerst wird der Kranke untersucht, um herauszufinden, was ihm fehlt: Der Arzt oder die Ärztin stellt die Diagnose. Die Heilung einer Krankheit nennt man „Therapie". Sie wird durch Medikamente unterstützt. Diese Heilmittel können chemische Substanzen oder Naturheilmittel sein. Fachärzte sind Spezialisten auf bestimmten Gebieten, zum Beispiel für Kinderkrankheiten, innere Krankheiten, Nervenkrankheiten und so weiter. Schwere Krankheiten oder Verletzungen werden im Krankenhaus behandelt. Manchmal muss der ⇨ Chirurg eine Operation durchführen. Wenn zum Beispiel der Blinddarm entzündet ist, wird er bei einer Operation herausgeschnitten.

Asien Über die Hälfte aller Menschen der Erde leben in Asien, dem größten ⇨ Kontinent; er ist viermal so groß wie Europa. Die meisten Menschen Asiens leben in Indien und China. Andere asiatische Völker sind die Japaner, Koreaner, Tibeter, Vietnamesen, Pakistani, Afghanen, Iraner, Araber, Eskimos, Mongolen und viele andere. Allein im asiatischen Teil Russlands leben hundert verschiedene Völker.

Asien ist ein Kontinent der Gegensätze. Das Klima reicht von arktischer Kälte in den unermesslichen Tundren (Einzahl ⇨ Tundra) des nördlichen Sibirien bis zum tropischen Regenwald im südlichen Malaysia; von Israel im Westen bis nach Japan im fernsten Osten. In Zentralasien liegt die Wüste Gobi, eines der lebensfeindlichsten Gebiete der Welt. Hier ist es im Sommer unerträglich heiß und im Winter bitterkalt.

Es gibt in Asien viele dicht besiedelte Städte wie zum Beispiel Kalkutta in Indien, wo Familien zeit ihres Lebens in Armutsvierteln auf der Straße unter Lumpen schlafen müssen, weil sie sich kein Dach über dem Kopf leisten können; es gibt die sibirische Einöde, so groß wie fast ganz Europa, wo die kleinen Siedlungen oft hunderte Kilometer voneinander entfernt sind; und es gibt supermoderne Wolkenkratzerstädte wie zum Beispiel in Hongkong oder Japan.

Das größte Land Asiens (und der Welt) ist der asiatische Teil Russlands, hauptsächlich Sibirien. Dann folgen China und Indien. Die meisten asiatischen Länder gehören der ⇨ Dritten Welt an. Das heißt, ihre Bevölkerung lebt in Armut, viele Kinder können nicht zur Schule gehen, und es mangelt an ausreichender medizinischer Betreuung. In der Mitte Asiens türmen sich die mächtigsten Gebirge der Welt. Das Pamirgebirge (höchste Erhebung 7.482 Meter) in Zentralasien wird das „Dach der Welt" genannt. Auch die längste Eisenbahnstrecke der Welt, die Transsibirische Eisenbahn, führt durch Asien. Sie ist 7.000 Kilometer lang, und man braucht eine Woche für die gesamte Strecke. Asien ist das Geburtsland aller großen Religionen. Islam, Christentum und Judentum (die drei Religionen, die an einen einzigen Gott glauben) stammen aus Vorderasien. Hinduismus, Taoismus und Buddhismus haben ihren Ursprung in Indien und China.

PAZIFISCHER OZEAN

Nordkorea

P' yŏng-yang

Seoul

Japan

Tokio

Süd-
korea

Peking

China

Taipeh

Taiwan

Bir-
ma

Hanoi

Bang-
la-
desch

Laos

Vietnam

Philippinen

Manila

Bangkok

Kambodscha

Thai-
land

Brunei

Malaysia

Papua-Neuguinea

Indonesien

Jakarta

Astrologie Astrologen sind Fachleute, die sich mit dem Einfluss der Sterne auf das menschliche Schicksal auseinander setzen. Sie glauben, dass die Eigenschaften und der Lebenslauf eines Menschen zusammenhängen mit dem Stand der Sterne zum Zeitpunkt seiner Geburt. Diesen Stand der Sterne nennt man das Sternbild eines Menschen; zum Beispiel „Schütze" oder „Waage". Astrologen erstellen ein Horoskop. Viele Menschen glauben an die Astrologie; andere halten sie für Unsinn und Aberglauben.

Astronaut Amerikaner nennen ihre Weltraumfahrer „Astronauten", die Russen nennen sie „Kosmonauten". Diese griechischen Wörter heißen übersetzt „Sternenmatrosen" und „Weltraummatrosen". Der erste Kosmonaut war der Russe Gagarin. Der amerikanische Astronaut Armstrong war der erste Mensch, der den Mond betreten hat.

Asyl Deutschland ist ein Zufluchtsort für Menschen aus aller Welt, die wegen ihrer politischen Meinung, Religion oder Abstammung verfolgt werden. Diesen Flüchtlingen wird in Deutschland Asyl gewährt, das heißt, sie dürfen ihren Verfolgern nicht ausgeliefert werden.

Atheist Wer nicht an einen ⇨ Gott glaubt, ist ein Atheist. Es gibt auch atheistische Religionen, zum Beispiel den ⇨ Buddhismus und den chinesischen Taoismus.

Atlas Wer wissen möchte, wo eine Stadt, ein Land oder ein Fluss zu finden sind, der schaut am besten in einem Atlas nach. Das ist ein Buch mit vielen Landkarten.

Atmosphäre Die Gashülle, die unsere Erde umgibt, nennt man „Atmosphäre". Ohne das ⇨ Gas ⇨ Sauerstoff, das in der Luft enthalten ist, könnten wir nicht atmen und leben. Je höher man auf einen Berg steigt, desto „dünner" wird die Luft; das heißt, der Anteil von Sauerstoff an der Atemluft sinkt ständig, und das Atmen wird für Mensch und Tier immer beschwerlicher.

„Atmosphäre" nennt man auch die Stimmung zwischen Menschen. Wenn wir freundlich zueinander sind, dann herrscht zwischen uns eine „gute Atmosphäre". Bei Streit und übler Laune spricht man von einer „gespannten Atmosphäre".

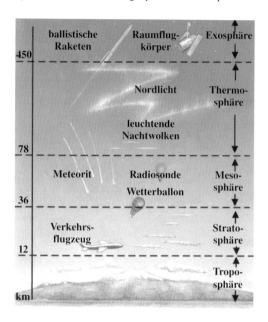

Atom Alle Materie – jedes Gas, jede Flüssigkeit, jeder feste Stoff – ist aus unsichtbaren, unvorstellbar winzigen „Bausteinen" aufgebaut, den Atomen. Diese Atome sind jedoch keine festen Klötzchen, sondern bilden sich im Zusammenwirken von Atomkern und Elektronen und vielen anderen atomaren Teilchen mit seltsamen Eigenschaften. Die Zusammensetzung eines Atoms bestimmt, ob die von ihm gebildete Materie leicht wie das Gas Wasserstoff oder schwer wie das Metall Blei ist.

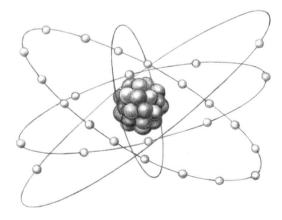

Atomkraft

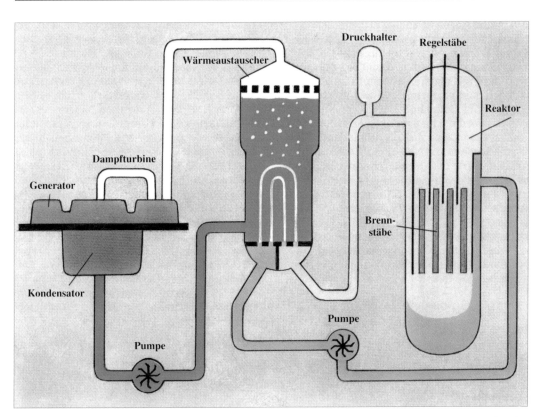

Labels in diagram: Wärmeaustauscher, Druckhalter, Regelstäbe, Reaktor, Dampfturbine, Generator, Brennstäbe, Kondensator, Pumpe, Pumpe

Atomkraft ⇨ Atome werden von ungeheuer starken Kräften zusammengehalten. Die Atome bestimmter Stoffe, zum Beispiel von Uran, kann man spalten, wenn man den Kern mit bestimmten atomaren Teilchen beschießt. Beim Zerfall des Atomkerns werden diese Kräfte als Hitze und als radioaktive Strahlung frei.

In Atomkraftwerken heizt man mit dieser Hitze Flüssigkeiten auf, deren Dampf Turbinen antreibt und Strom erzeugt. Dabei entsteht auch die lebensgefährliche radioaktive Strahlung. Außerdem kann es vorkommen, dass sich die Vorgänge im Atomkraftwerk nicht mehr kontrollieren lassen. Dann brennt der Reaktor des Kraftwerks durch, wie zum Beispiel in Tschernobyl (Ukraine) im Jahr 1986. Eine solche Atomkatastrophe nennt man GAU (Größter Anzunehmender Unfall). Die unsichtbare Strahlung verseucht Lebensmittel, verbrennt Lebewesen innerlich wie äußerlich und macht sie noch nach vielen Jahren krebskrank. Strahlung verändert auch die Erbeigenschaften; viele Kinder in strahlenverseuchten Gebieten

kommen mit Behinderungen zur Welt. Die vier besonders gefährlichen Atomkraftwerke der ehemaligen DDR mussten nach dem Beitritt der neuen Bundesländer sofort abgeschaltet werden. Selbst Freunde der Kernkraft geben zu, dass sich solche Tschernobyl-Katastrophen in Zukunft nirgendwo völlig vermeiden lassen. Sie meinen aber, dass die Menschen dieses Risiko eingehen sollten, um jederzeit reichlich Strom zu haben. Völlig ungelöst ist jedoch die Frage, wo die strahlenden Abfälle von Atomkraftwerken die nächsten zehntausend Jahre sicher gelagert werden könnten. Atomkraftbefürworter meinen, dass unsere Nachkommen mit dieser gefährlichen Erbschaft schon irgendwie zurechtkommen werden.

In Atombomben werden die furchtbaren Kräfte in einer einzigen Explosion gezündet. Die Amerikaner haben zum Ende des Zweiten Weltkriegs zwei Atombomben über Japan abgeworfen und dabei die Städte Hiroshima und Nagasaki und ihre Einwohner ausgelöscht.

Auge   Ohne Augen können wir nichts sehen. Aber Augen allein sehen genauso wenig wie eine Kamera. Auge, ⇨ Nerven und ⇨ Gehirn müssen zusammenarbeiten, damit wir uns ein Bild von der Welt machen können. Das ist ein unglaublich komplizierter und wunderbarer Vorgang. Dabei fällt Licht durch ein kleines Loch an der Vorderseite des Augapfels (Pupille) und durch eine Linse auf die Rückwand des Auges, die so genannte Netzhaut. Dieser Lichtstrahl löst dort bestimmte chemische Reaktionen aus, die vom Sehnerv ins Gehirn weitergemeldet werden. Im Gehirn formt sich daraus das bunte Bild der Dinge, die wir sehen.

Bei kurzsichtigen oder weitsichtigen Menschen erzeugt das Licht nur ein unscharfes Bild auf der Netzhaut. Brillen oder Kontaktlinsen korrigieren diesen Sehfehler.

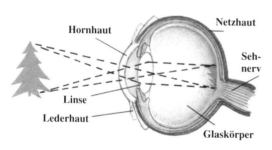

Ausgestorbene Tiere   Im Laufe von vielen Millionen Jahren haben sich alle Tiere, die es heute gibt, aus anderen Tierarten entwickelt. Diese Vorläufer unserer heutigen Tierarten sind zumeist ausgestorben. Manche dieser ausgestorbenen Tiere haben Spuren hinterlassen: Fossilien, versteinerte Kriechspuren von Würmern, Abdrücke von Muscheln, Schnecken und Krebsen aus dem Erdaltertum. Von Tieren aus späterer Zeit wissen wir auch aus Knochenfunden, etwa von den Dinosauriern.

Ausgestorbene Tiere der Urzeit sind zum Beispiel die 70 Zentimeter große Riesenlibelle, die gewaltigen Dinosaurier (von denen es viele tausend Arten gab), die Flugsaurier, aber auch Säugetiere in unglaublichen Formen und Größen: Das Urpferd, ein Vorfahr unseres Pferdes, war so klein wie ein Pudel. Die ersten Menschen kannten noch die 15 Tonnen schweren Riesennashörner; sie jagten das Mammut und den Riesenhirsch mit seinem fast

vier Meter breiten Geweih, und sie mussten auf der Hut sein vor dem Säbelzahntiger und den gewaltigen Höhlenbären. All diese Tiere verschwanden mit dem Ende der Eiszeit.

Im Lauf der tausend Millionen Jahre, seitdem es Tiere gibt, sind viel mehr Tierarten aufgetaucht und wieder ausgestorben, als es heute auf der Erde gibt. Aber noch niemals sind so viele Tierarten in so kurzer Zeit verschwunden wie in der Gegenwart. Wir Menschen bauen Städte, holzen Wälder ab und legen Sümpfe trocken. Damit verdrängen wir viele Tierarten aus ihrem natürlichen Lebensraum. Sie finden kein Futter und haben keine Nachkommen mehr. Jahr für Jahr sterben hunderte Tierarten aus. Als bedroht gelten zum Beispiel in Europa viele Frösche und Kröten, Singvögel und Raubvögel wie Adler und Uhus. In den Tropen sind Elefanten, Nashörner und Gorillas, Leoparden und Krokodile von der Ausrottung bedroht. Diese Tiere stehen unter Naturschutz. Trotzdem werden sie von Jägern immer noch abgeschlachtet.

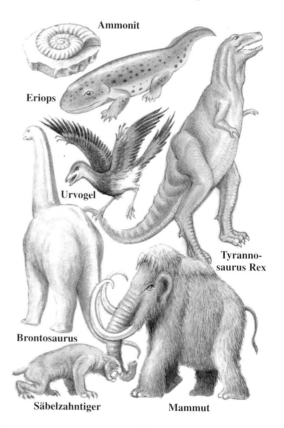

Australien

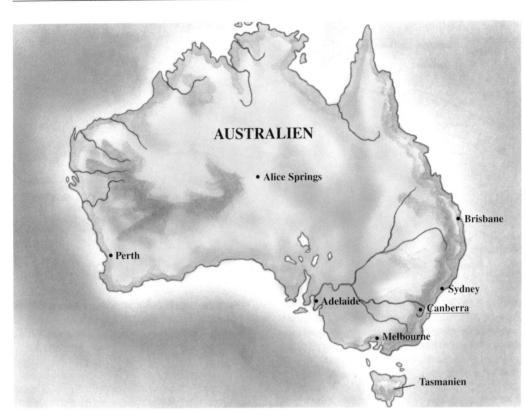

AUSTRALIEN

- Alice Springs
- Brisbane
- Perth
- Sydney
- Adelaide
- Canberra
- Melbourne
- Tasmanien

Australien   Australien ist der kleinste aller sieben ⇨ Kontinente und der einzige Erdteil, auf dem es nur einen einzigen Staat gibt, nämlich Australien selbst. In Australien spricht man Englisch, weil das Land zuerst, nämlich vor 200 Jahren, von Engländern besiedelt und damit ein Teil des englischen Weltreichs wurde. Die ersten Siedler waren Beamte und Sträflinge, die auf diesen fernen Kontinent verbannt wurden. Die Ureinwohner (Aborigines) wurden von den Europäern verjagt oder getötet. Heute gibt es nur noch 50.000 dunkelhäutige Uraustralier. Vor Ankunft der weißen Eroberer lebten hier eine Million Aborigines, die durch die wüstenhaften Weiten ihres Kontinents zogen. Sie waren Wildbeuter, das heißt, sie sammelten wild wachsende Früchte, Gemüse und Getreide. Als Jagdwaffen benutzten sie Fallen, Pfeil und Bogen und den Bumerang. Dieses Wurfholz ist eine australische Erfindung. Heute hat Australien 14 Millionen Einwohner. Fast alle sind Nachkommen von Einwanderern aus Europa und leben in den fruchtbaren Küstengebieten. Dort liegen auch die großen Städte wie Sidney und Melbourne. Im Inneren erstrecken sich riesige Wüsten und Steppen, in denen 150 Millionen Schafe weiden. Australien hat zehnmal mehr Schafe als Menschen. Manche Farmen sind so groß wie das Saarland, und die Bauern besuchen ihre Nachbarn mit dem Flugzeug.

Als die ersten Weißen Australien betraten, gab es dort weder Schafe noch Rinder, sondern urtümliche und seltsame Säugetiere wie das ⇨ Känguru oder den Koalabären – Tiere, die es sonst nirgendwo auf der Welt gab. Schnabeltier und Schnabeligel (die beiden einzigen Eier legenden Säugetiere der Welt) wurden erst vor 100 Jahren entdeckt. Der Koalabär ernährt sich von nichts anderem als von den Blättern des australischen Eukalyptusbaumes. Diese Bäume können so hoch werden wie ein Wolkenkratzer: 150 Meter. Aus ihnen wird das Eukalyptusöl gewonnen, das manche Bonbons so scharf und frisch macht.

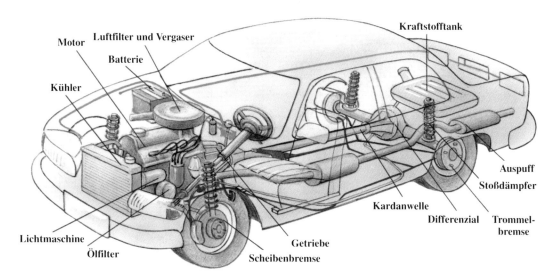

Kraftstofftank

Motor Luftfilter und Vergaser

Batterie

Kühler

Auspuff
Stoßdämpfer

Kardanwelle
Differenzial Trommel-
bremse

Lichtmaschine
Ölfilter
Getriebe
Scheibenbremse

Auto Das Wort „Auto" ist die Abkürzung für „Automobil", und das wieder heißt „Selbstbeweger". Für unsere Urgroßeltern müssen die ersten Autos wirklich ein sonderbarer Anblick gewesen sein: Kutschen, die sich „von selbst" bewegen, ohne von Pferden gezogen zu werden. Die Pferde saßen als „Pferdestärken" plötzlich im Motor. Für viele Zeitgenossen war das pure Zauberei.

Erste Automobile mit Benzinmotoren gab es vor ungefähr hundert Jahren. Im Zylinder des Motors werden winzig kleine Benzintröpfchen schnell hintereinander gezündet. Sie explodieren und treiben dabei Kolben auf und ab, die wiederum die Räder in Bewegung setzen. An diesem Prinzip des Verbrennungsmotors hat sich bis heute nichts geändert.

Autos haben das Leben der Menschen stark verändert. Wer ein Auto hat, kann sehr einfach verreisen und braucht nicht mehr dort zu wohnen, wo er arbeitet. Städte und ganze Landschaften wurden umgebaut, um leichter Auto fahren zu können. Heute weiß man, dass zu viele Autos das Autofahren selbst unmöglich machen. Viele Städte ersticken im Verkehr; auf Autobahnen stecken die Autos im Stau; Autos verbrauchen wertvolle Erdölvorräte. Würden die Benzin fressenden amerikanischen Autos nur so wenig Kraftstoff schlucken wie die sparsameren europäischen Autos, ließe sich eine gewaltige Energiemenge einsparen: so viel wie alle ⇨ Energie, die in China, Indien und

Afrika zusammen verbraucht wird! Die 520 Millionen Autos, die auf der ganzen Welt unterwegs sind, produzieren ein Zehntel des Gases Kohlendioxid, das für die Aufheizung der Erdatmosphäre verantwortlich ist. Neue Autos haben zwar Katalysatoren, diese verringern jedoch nur den Ausstoß bestimmter Giftgase, nämlich der Stickoxide – nicht aber den des Kohlendioxids.

Autogramm Ein Autogramm ist die Unterschrift eines berühmten Menschen. Manche Leute sammeln Autogramme von Sportlern, Schauspielern und Politikern.

Automat Automaten sind Maschinen, die selbstständig etwas tun und dabei die Arbeit von Menschen übernehmen. Fahrscheinautomaten spucken die Fahrkarte aus, wenn man genug Geld hineingeworfen hat; manche geben sogar auch Wechselgeld zurück. Ein Waschautomat weicht die Wäsche nacheinander ein, wäscht sie, spült und schleudert sie nach Wunsch. Ein automatisches Getriebe im Auto legt die Gänge selbstständig ein. In automatischen Fertigungsanlagen werden komplizierte Geräte (zum Beispiel CD-Player) von Industrierobotern hergestellt.

Autor Wer ein Buch schreibt oder ein Musikstück komponiert, ist der Autor oder Urheber des Buchs oder der Musik.

Bakterien Ohne Bakterien vermag niemand zu leben. Diese winzigen Lebewesen, die nur unter dem Mikroskop sichtbar werden, helfen uns zum Beispiel, die Nahrung im Darm zu verdauen. Andere Bakterien verwandeln Milch in Käse oder Jogurt oder Kraut in Sauerkraut. Bodenbakterien fressen abgestorbene Pflanzenteile und machen fruchtbaren Humus daraus. In einer Hand voll Gartenerde leben Milliarden Bakterien. Sie sind in unglaublichen Mengen ständig um uns herum. Wenn man Lebensmittel länger offen liegen lässt, verderben sie; auch das ist das Werk von Bakterien in der Luft.

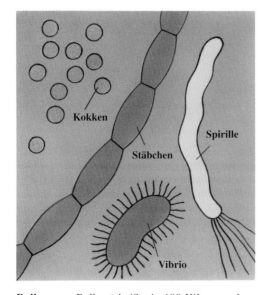

Kokken · Spirille · Stäbchen · Vibrio

Balkan „Balkan" heißt ein 600 Kilometer langes, höchstens 2.500 Meter hohes Gebirge in Bulgarien. Nach diesem Gebirgszug ist die Balkanhalbinsel benannt, auf der Jugoslawien, Albanien, Griechenland, Bulgarien sowie Teile von Rumänien und der Türkei liegen.

Ballast Ballast nennt man das zusätzliche Gewicht, das Schiffe oder Ballons mitführen, einfach um schwerer zu sein. Wenn Supertanker zum Beispiel ohne ihre Erdölladung unterwegs sind, müssen sie Wasser als Ballast aufnehmen; sonst würden sie wie Korken auf den Wellen tanzen. Wenn ein Ballon Ballast (meistens Sandsäcke) abwirft, steigt er höher.

Ballett Geschichten kann man in Worten erzählen, in Musik, in Bildern oder durch Tanz. Diese Art von erzählendem Tanz mit Musikbegleitung nennt man „Ballett". Balletttänzer müssen jahrelang hart trainieren, um mit ihrem Körper „sprechen" zu können. Die Tänzerin eines Balletts heißt „Ballerina". Eine Primaballerina ist die erste Tänzerin eines Balletts.

Ballon Was leichter ist als Wasser, das schwimmt obenauf. Und was leichter ist als Luft, das „schwimmt" in der Luft. Ballons sind leichte Gebilde, die insgesamt (mit Passagieren und Korb) weniger Gewicht haben als dieselbe Menge Luft, die sie verdrängen. In den Ballon kann man entweder Gas füllen (zum Beispiel Helium), oder man kann die Luft im Ballon vom Korb aus durch einen Gasbrenner erhitzen. Beide, Helium und heiße Luft, sind leichter als nicht erhitzte Luft. Der Ballon steigt auf, und zwar so lange, bis auch die Umgebungsluft so dünn und leicht wird, dass sie den Ballon nicht mehr höher trägt.

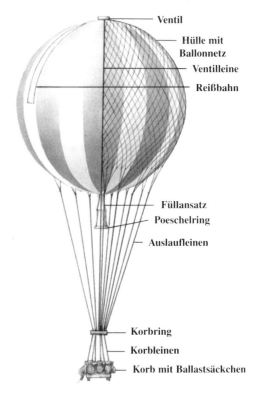

Ventil · Hülle mit Ballonnetz · Ventilleine · Reißbahn · Füllansatz · Poeschelring · Auslaufleinen · Korbring · Korbleinen · Korb mit Ballastsäckchen

Bambus   In tropischen Ländern gibt es Gräser, die hoch wie unsere Bäume werden. Eines ist Bambus. Die Bambusstiele sind knochenhart und innen hohl. Man verwendet sie zum Bau von Häusern, Flößen und Brücken. Aus dünneren Bambusstangen fertigt man Möbel und flicht Körbe.

Banane   Bananen wachsen in heißen Gebieten in Bündeln auf Stauden. Ein Bündel kann 50 Kilogramm schwer werden. Jede Staude trägt nur ein einziges Mal Früchte und wird dann gefällt. Bananen werden grün geerntet und reifen auf den Bananendampfern auf der Fahrt von den Anbauländern zu uns.

Warum Bananen krumm sind? Nun, das Bananenbündel wächst aus dem Kopf der Staude, wird immer schwerer und biegt sich unter seinem Gewicht zu Boden. Die Blüten auf den noch kleinen Früchten recken sich jedoch dem Licht entgegen und biegen sich hoch.

Bananenblüte

Später fallen die Blüten ab, aber die Frucht hat jetzt eine krumme Form. Wenn man sich eine Banane anguckt, sieht man am einen Ende den Stiel, wo sie an der Staude angewachsen war. Das andere Ende ist schwarz und verschrumpelt. Dort hatte die Blüte gesessen und sich nach oben zum Licht gebogen.

Bandwurm   Bandwürmer leben im ⇨ Darm von Menschen und Tieren. Sie sind meistens zehn Zentimeter lang und fressen den Darminhalt. Durch das Essen von Fleisch können Menschen vom Rinder- oder Schweinebandwurm befallen und davon krank werden.

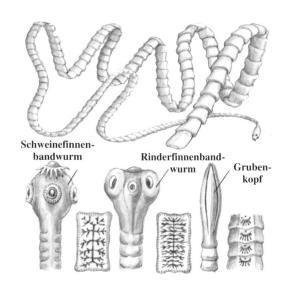

Schweinefinnenbandwurm   **Rinderfinnenbandwurm**   **Grubenkopf**

Bank   Banken oder Sparkassen sind Geschäfte, die mit ⇨ Geld handeln und Geld verwalten. Wer sein Geld auf eine Bank legt, bekommt dafür Zinsen; das ist eine Art Leihgebühr für das Geld, das er der Bank geliehen hat. Wer sich aber von einer Bank Geld ausleihen (einen Kredit aufnehmen) möchte, der muss dafür Zinsen bezahlen. Eine Bank zahlt für Einlagen weniger Zinsen, als sie für das Verleihen des Geldes einnimmt. Damit verdient sie selber Geld.

Geldgeschäfte mit Banken laufen über ein Konto. Das ist eine Nummer, unter der festgehalten wird, wie viel Geld der Inhaber des Kontos auf der Bank liegen hat oder wie viel Geld er ihr schuldet. Von diesem Konto kann eine Geldsumme schriftlich auf ein anderes Konto übertragen oder überwiesen werden, ohne dass Bargeld herumgeschickt werden muss. Bei einem Dauerauftrag geschieht das immer automatisch zu bestimmten Zeiten. Zum Beispiel kann die Bank die Miete jeden Monat abbuchen und an den Vermieter überweisen. Wer ein Bankkonto hat, kann auch mit Scheck einkaufen. Er stellt einen Scheck mit der Kaufsumme aus; das ist eine Anweisung an die Bank, dem Besitzer des Schecks diese Summe auszuzahlen. Banken und Sparkassen machen noch viele andere Geldgeschäfte. Sie wechseln zum Beispiel Geld in verschiedene Währungen um oder verwalten das Vermögen wohlhabender Leute.

Bär   Bären sind die größten ⇨ Raubtiere, die auch in Europa vorkommen. Bären haben einen dichten, zottigen Pelz und sind kluge, scheue Tiere. Sie haben ein Raubtiergebiss. Genauso gerne wie Kleintiere fressen sie aber Kräuter, Pilze und Beeren und natürlich Honig, den sie aus wilden Honigstöcken rauben. Bären sind Einzelgänger; viele Arten machen einen Winterschlaf.

In den Balkanländern, in Skandinavien und in den Gebirgen zwischen Frankreich und Spanien (den Pyrenäen) lebt der Braunbär, der in Deutschland längst ausgerottet ist.

Größer als Braunbären werden die Kodiakbären und Grislibären des amerikanischen Nordens, aber auch die Eisbären der Polargebiete, die drei Meter hoch und eine halbe Tonne schwer werden. Eisbären fressen Fische und Robben. In Amerika leben die hundegroßen Waschbären, die ihre Nah-

rung vor dem Fressen im Wasser abwaschen. Der asiatische Pandabär ist vom Aussterben bedroht. Er frisst nur Bambusblätter.

Braunbär

Waschbär

Großer Pandabär

Grislibär

Barometer   Ein Barometer zeigt den Luftdruck an. Wenn er sinkt und ein Tiefdruckgebiet (das „Tief" auf der Wetterkarte) heranrückt, dann wird das Wetter schlecht. Bei Hochdruck ist das Wetter schön.

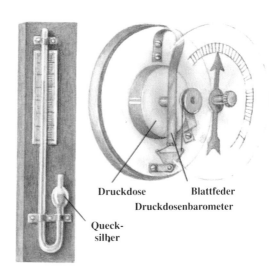

Druckdose   Blattfeder
Druckdosenbarometer

Queck-silber

Flüssigkeitsbarometer

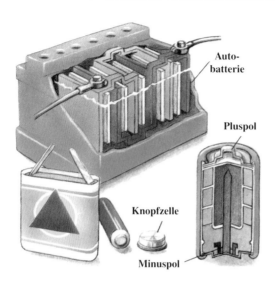

Baum Bäume sind die höchsten, mächtigsten Pflanzen und können meist viel älter werden als alle anderen Gewächse. Der australische Eukalyptusbaum kann 150 Meter hoch werden; afrikanische Affenbrotbäume können einen 15 Meter dicken Stamm bekommen; manche Kiefernarten können ein paar tausend Jahre alt werden. Daneben gibt es auch Bäumchen in den arktischen Tundren, die sich nur wenige Zentimeter über den Boden erheben.

Bäume sind eine uralte Pflanzenfamilie. Es gibt sie seit 160 Millionen Jahren auf der Erde. Seitdem haben sie sich in unzähligen Formen und Arten entwickelt. Gemeinsam ist ihnen allen ein Stamm aus Holz und eine Krone. Bäume nehmen mit ihren Wurzeln Nährstoffe und Wasser aus dem Boden auf und verdunsten Feuchtigkeit durch die Blätter oder Nadeln. Außerdem atmen sie Sauerstoff aus, den Tiere und Menschen dringend zum Leben brauchen. Bäume haben, wie alle Pflanzen, Blüten und Früchte. Viele Baumfrüchte sind essbar, zum Beispiel Baumobst, wie Pflaumen und Äpfel, oder Nüsse, wie die Walnüsse. Die meisten Laubbäume in Mitteleuropa verlieren im Winter ihre Blätter, während die Nadelbäume ihre spitzen, harten Blätter, die Nadeln, behalten.

Batterie Batterien speichern elektrische Energie. Sie liefern Strom für tragbare Geräte vom Walkman bis zur Quarzuhr, von der Taschenlampe bis zum Spielzeugauto mit Fernsteuerung. Wenn Batterien leer sind, gehören sie in den Sondermüll. Umweltfreundlicher als Batterien sind Akkumulatoren. Akkus sind Batterien, die sich immer wieder aufladen lassen.

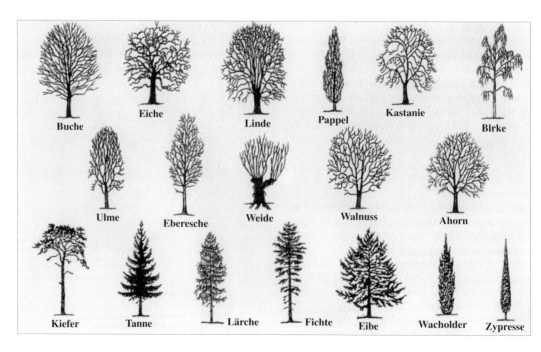

Buche · Eiche · Linde · Pappel · Kastanie · Birke · Ulme · Eberesche · Weide · Walnuss · Ahorn · Kiefer · Tanne · Lärche · Fichte · Eibe · Wacholder · Zypresse

Baumwolle Wenn die Samenkapseln des Baumwollstrauchs aufbrechen, quillt ein Büschel kurzer, weißer Fäden heraus. Diese Samenhaare können zu Baumwollgarn versponnen werden, aus dem man Baumwollstoffe webt. Baumwolle wird in heißen Ländern wie Ägypten und Indien auf großen Plantagen angebaut. Baumwolle ist die wichtigste Naturfaser und angenehm zu tragen. Allerdings werden auch Baumwollstoffe bei der Herstellung chemisch behandelt. Bevor man neue Kleidung aus Baumwolle anzieht, sollte man sie daher waschen!

Beamter Lehrer, Polizisten oder Mitarbeiter des Zolls haben eines gemeinsam: Ihr Arbeitgeber ist der Staat, das heißt eine öffentliche Einrichtung wie eine Schule oder ein Amt.

Beatles Die Beatles sind die berühmteste Popgruppe der Musikgeschichte. Vor mehr als 30 Jahren schlossen sich die Engländer John Lennon, Paul McCartney, George Harrison und Ringo Starr zusammen und spielten eine neue Art lauter, rhythmischer Tanzmusik für junge Leute: den Beat. Damit krempelten sie die Musikwelt um und waren über Nacht berühmt. Heute sind die Beatles Klassiker. Doch damals regten sich die meisten Eltern furchtbar auf über die „primitive" Musik der Beatles und anderer Bands; und viele Schüler flogen von ihrer Schule, weil sie eine „Beatlesfrisur" trugen.
Nach vielen Jahren Welterfolg (mit Liedern wie „Yesterday", „All You Need Is Love", „Hey Jude" und dutzenden mehr) trennten sich die Beatles. Paul McCartney startete eine sehr erfolgreiche Solokarriere; auch andere berühmte Beatgruppen der Beatles-Zeit wie die „Rolling Stones" sind heute noch erfolgreich.

Beduinen Mit ihren Kamelen, Zelten und Schaf- und Ziegenherden ziehen die Beduinen durch die arabischen Wüsten. Beduinen sind ⇒ Nomaden, das heißt, sie haben keine festen Häuser, sondern schlagen ihre Zelte überall dort auf, wo ihr Vieh Wasser und Weiden findet. Das Wort „Beduine" ist arabisch und heißt Wüstenbewohner.

Beeren Bei den Beeren sind die Samen im Fruchtfleisch eingeschlossen. Zu den Beeren zählen deshalb nicht nur Stachelbeeren, Weintrauben oder Heidelbeeren, sondern auch Tomaten und Kürbisse: Auch hier liegen die Samen eingebettet. Erdbeeren und Himbeeren sind hingegen keine „echten" Beeren.

Beethoven Einer der bedeutendsten deutschen Komponisten war Ludwig van Beethoven. Er starb 1827 in Wien. Obwohl er in seinen letzten zehn Lebensjahren taub war, schuf er noch viele berühmte Orchesterwerke. Er konnte sich beim Niederschreiben der Noten vorstellen, wie seine Musik klingen würde. Hören konnte er sie nicht mehr.

Behinderung Behinderte Menschen können manches nicht tun, was anderen Menschen leicht fällt. Es gibt viele Arten von Behinderungen. Körperbehinderte können oft nicht gehen und müssen im Rollstuhl fahren oder Krücken verwenden. Sehbehinderte sind nahezu oder völlig blind, Hörbehinderte haben ihren Gehörsinn verloren und sind schwerhörig oder taub. Geistig oder seelisch Behinderte sind Menschen, die eine andere Art zu denken oder zu sprechen haben. Sie kommen oft mit unserer komplizierten Welt nicht so gut zurecht. Schwerbehinderte brauchen besondere Pflege. Behinderungen können von Geburt an da sein oder durch Unfall oder Krankheit auftreten.

Mitleid allein nützt Behinderten nichts. Wo sie Hilfe brauchen, zum Beispiel als Rollstuhlfahrer vor einem hohen Randstein, sollten wir einfach zupacken. Ansonsten aber sollten wir lernen, mit Behinderten umzugehen wie mit anderen Menschen auch.

Berg Die meisten Berge sind vor Millionen Jahren entstanden, als sich Teile der Erdkruste mit unvorstellbarer Kraft gegeneinander geschoben haben und die Gebirge aufgeworfen und hochgedrückt haben. Andere Berge sind Vulkane oder ehemalige Vulkane. Berge gibt es auf dem Land, aber auch in den Meeren. Wenn sie hoch genug sind, ragen sie über den Meeresspiegel. Viele Inseln sind eigentlich die Gipfel von „Unterwasser-Gebirgen".

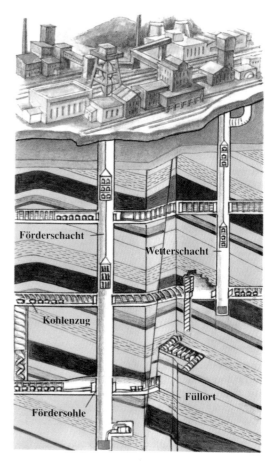

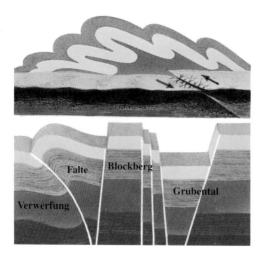

Bergwerk Die meisten Bodenschätze wie Erze, Kohle oder Edelsteine sind in den Tiefen der Erde verborgen. Sie werden in Bergwerken abgebaut. Das sind Schächte und Stollen, die tief in den Boden getrieben werden und in vielen Kilometern Länge den Untergrund durchziehen. „Unter Tage", wie die Bergleute sagen, graben mächtige Maschinen das Erz oder die Kohle ab. Förderbänder schaffen alles ans Tageslicht. Aus den Erzen werden je nach Art Metalle wie zum Beispiel Eisen, Kupfer, Gold oder Silber gewonnen. Auch Salz oder Diamanten werden in Bergwerken gefördert.

Die Arbeit unter Tage ist für die „Kumpel" trotz aller Maschinen anstrengend und gefährlich. In den Stollen ist es sehr heiß, und immer wieder tritt giftiges oder explosives Gas aus, oder herabbrechendes Gestein verschüttet Stollen und Kumpel.

Berliner Mauer   Seit dem Jahr 1990 ist Berlin wieder eine einzige Stadt. Zuvor war sie für mehrere Jahrzehnte durch die Berliner Mauer in zwei Teile getrennt. Ostberlin war die Hauptstadt der damaligen Deutschen Demokratischen Republik (DDR), Westberlin gehörte zur Bundesrepublik Deutschland. Die Mauer hinderte die Ostberliner, in den Westteil der Stadt zu gelangen. Nur wenigen Flüchtlingen gelang es, die Mauer heimlich zu überwinden. Viele Menschen wurden bei Fluchtversuchen erschossen.

Beton   Beton ist eine Mischung aus Wasser, Zement, Sand und Kies, die beim Trocknen sehr hart wird und als Baustoff dient. Zement ist ein Mehl aus verschiedenen Gesteinen. Man kann Beton zu Ziegeln oder zu allen möglichen Formen verarbeiten. Damit Betonträger nicht brechen, gießt man Stahlstäbe ein. Mit diesem Stahlbeton baut man Brücken, Staumauern und Hochhäuser.

Beuteltiere   In Australien leben die meisten Beuteltiere, zum Beispiel die Kängurus. Diese Säugetiere tragen ihre Jungen in einem Hautsack mit sich. Andere Beuteltiere sind der Beutelwolf und der Beutelmarder.

Wombat

Beutelwolf

Opossum

Känguru

Beutelmaus

Bibel   Das heilige Buch der Christenheit ist die Bibel. Nach christlichem Glauben enthält die Heilige Schrift das Wort Gottes. Das Wort „Bibel" kommt aus dem Griechischen und heißt eigentlich „Buch". Auch Muslime und Juden haben ihre Bibeln (Koran und Thora), die sie für das Wort des muslimischen oder jüdischen Gottes (Allah und Jahwe) halten. Man nennt ⇨ Christentum, ⇨ Islam und ⇨ Judentum deshalb auch die „Religionen des Buches".

Biber   Mit ihren scharfen Nagezähnen können Biber Baumstämme durchnagen und daraus Dämme an Flüssen bauen. Die bis zu einem Meter langen ⇨ Nagetiere sind ausgezeichnete Schwimmer und Taucher. Die Eingänge ihrer Wohnhöhlen (Biberburgen) liegen unter dem Wasserspiegel eines aufgestauten Flusses oder Baches. Wer hinein möchte, muss zuerst untertauchen. In Mitteleuropa wurden Biber wegen ihres Pelzes fast ausgerottet. Sie stehen heute unter Naturschutz.

Bibliothek   In einer Bibliothek kann man sich Bücher ausborgen. Manche großen Bibliotheken, wie etwa Universitätsbibliotheken, sammeln alle wissenschaftlichen Bücher. Besonders wertvolle Bände darf man dort nur im Lesesaal lesen und nicht nach Hause mitnehmen. Bibliotheken gibt es, seit es die Schrift gibt. In babylonischen Bibliotheken lagerten beschriebene Tontafeln. In der berühmten Bibliothek von Alexandria (Ägypten) war auf 700.000 Schriftrollen alles Wissen des Altertums aufgezeichnet.

Königin **Drohne** **Arbeiterin**

Biene Unter den ⇁ Insekten sind Bienen die einzigen Haustiere. Honigbienen machen für ihre Jungen aus Blütennektar Honig, den sie in Waben aus Wachs lagern. Wir Menschen nehmen ihnen den Honig weg und essen ihn selbst. Wir verwenden auch das Wachs ihrer Waben.

Bienen leben in Völkern mit höchstens 100.000 Bienen. Fast alle davon sind Arbeiterinnen oder Drohnen (Bienenmännchen). Jedes Volk hat eine einzige Königin, die ständig gefüttert werden muss und ohne Unterlass Eier legt. Bienenvölker suchen sich einen Bienenstock in einem hohlen Baum oder in einem vom Imker vorbereiteten Bienenkasten. Von dort aus suchen Arbeitsbienen Nektar und Blütenstaub und kehren beladen zurück. Andere Bienen haben die Aufgabe, Waben zu bauen und die Brut zu pflegen. Nur Arbeitsbienen können stechen. Wenn eine neue Königin ausschlüpft, teilt sich das Bienenvolk; ein neuer

Schwarm sucht sich mit der neuen Königin einen anderen Stock.

Bienen können einander mitteilen, in welcher Himmelsrichtung und in welcher Entfernung es Nahrung gibt. Die heimkehrende Biene führt eine Art Tanz auf, der von den anderen als „Sprache" verstanden wird. Jetzt können sich andere Bienen an die Sammelarbeit machen, ohne lange herumsuchen zu müssen.

Biografie Ein Buch, in dem es um die Lebensgeschichte eines Menschen geht, heißt „Biografie". Meistens handeln Biografien von berühmten Persönlichkeiten.

Biologie Die Wissenschaft von den Lebewesen (Menschen, Tiere und Pflanzen) heißt „Biologie". Das Wort kommt aus dem Griechischen und heißt „Lehre vom Leben".

Biotop „Biotop" nennt man den natürlichen Lebensraum, in dem ganz verschiedene Tier- und Pflanzenarten zusammenleben. Biotope gibt es beinahe überall in unbesiedelten Gegenden, in Wäldern, Sümpfen oder im Wattenmeer. Man kann sich aber auch im Garten so ein Stück Lebensraum anlegen, zum Beispiel ein Feuchtbiotop. Auf einem ungestörten Stückchen Teich, Sumpf und Land können Fische, Frösche und Insekten in ihrem natürlichen Gleichgewicht leben.

Bischof   Bischöfe sind hochrangige christliche Geistliche. Sie sind die Vorgesetzten von Pfarrern, Pastoren und auch Klöstern und sind für ein bestimmtes Gebiet verantwortlich. Katholische Bischöfe tragen bei feierlichen Anlässen eine Bischofsmütze und einen Krummstab wie Sankt Nikolaus, der auch ein Bischof war.

Blei   Blei ist ein weiches, giftiges und sehr schweres Metall, das man vor allem für Batterien und zum Schutz vor radioaktiven Strahlen braucht. Früher hat man auch Bleirohre für die Wasserleitungen verwendet und dem Benzin Blei zugesetzt, um es zu verbessern. Im Mittelalter bestand sogar die Mine eines Bleistifts aus Blei – daher auch unser Wort „Bleistift". Heute werden die meisten neuen Autos so gebaut, dass sie bleifreies Benzin vertragen. Und moderne Bleistifte haben eine Mine aus gemahlener, gepresster Kohle.

Blinddarm   Der Blinddarm ist ein Stück Sackgasse, das vom unteren Teil des ⇨ Darms wegführt. Darin können sich ⇨ Bakterien, die für unsere Verdauung wichtig sind, ungestört vermehren. Der Blinddarm endet in einem kurzen, dünnen Schlauch, den man den „Wurmfortsatz" des Blinddarms nennt. Dieses Stückchen kann sich entzünden und wehtun. Eine Blinddarmentzündung verursacht Schmerzen rechts unten im Bauch.

Blindheit   Blinde Menschen können nicht sehen. Sie sind entweder von Geburt an blind oder haben ihr Augenlicht bei einem Unfall oder durch Krankheit verloren. Sie müssen sich auf ihr Gehör und auf ihren Tastsinn verlassen. Viele Sehbehinderte finden sich zu Hause sehr gut zurecht und arbeiten in Berufen, in denen es nicht auf das Sehen ankommt, etwa als Telefonisten.
Für Blinde gibt es eine eigene Blindenschrift, in der die Buchstaben nicht schwarz auf weiß auf Papier stehen, sondern als kleine Erhebungen auf Papier gestanzt sind und mit den Fingern abgetastet werden können. Viele Bücher und einige Zeitschriften gibt es in Blindenschrift. Auch mit modernen Computern, die in Blindenschrift anzeigen und ausdrucken, können Sehbehinderte heute arbeiten.
Im Straßenverkehr erkennt man blinde Menschen an ihrer gelben Armbinde mit drei schwarzen Punkten. So können wir besser Rücksicht auf sie nehmen. Viele Blinde ertasten sich ihren Weg mit dem langen Blindenstock; andere verlassen sich lieber auf ihren Blindenhund. Blindenhunde müssen hart trainieren, bis sie ihr Herrchen oder ihr Frauchen sicher führen können.

Blindschleiche   Blindschleichen sehen wie ⇨ Schlangen aus, sind aber ⇨ Eidechsen ohne Beine. Sie werden einen halben Meter lang und fressen Würmer, Schnecken und Insekten.

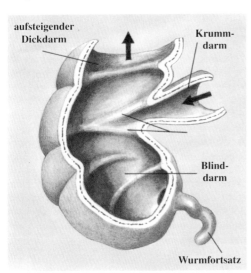

aufsteigender Dickdarm

Krummdarm

Blinddarm

Wurmfortsatz

Blitz ⇨ Gewitter

Blue Jeans „Blue Jeans" heißen Hosen aus blauem, festem Baumwollstoff mit Nieten. Sie wurden vor hundert Jahren in den USA erfunden. Der Stoff kam aus Genua. Den Namen dieser italienischen Stadt sprechen die Amerikaner „Dschienua" aus. Jeans sind also „blaue Genueser".

Blut Ein Erwachsener hat in seinem Körper über fünf Liter Blut, das sich ständig erneuert. Das Herz pumpt das Blut im Kreislauf durch den Körper. In der Lunge nimmt Blut Sauerstoff und im Darm Nährstoffe auf und befördert sie dorthin, wo sie gebraucht werden: in das Gehirn, in die Muskeln, in die Organe.
Blut besteht zum größten Teil aus dem wässrigen Blutplasma. Rot erscheint es durch die winzig kleinen roten Blutkörperchen, die Sauerstoff transportieren. Die weißen Blutkörperchen wehren Krankheitserreger ab. Die Blutplättchen sorgen dafür, dass Blut dick wird und gerinnt, wenn es mit Luft in Berührung kommt. Deshalb hören kleine Wunden bei gesunden Menschen von selbst auf zu bluten.
In vielen Kulturen schreibt man dem Blut Zauberkräfte zu. „Blutsbrüder" sind Freunde, deren Blut miteinander vermischt wurde und die deshalb auf Leben und Tod zusammenhalten. Das Blut von Opfertieren und Feinden sollte die Götter der Naturreligionen versöhnen. Auch im Christentum spielt Blut eine große Rolle: Beim Abendmahl wird Wein symbolisch in das Blut von Jesus Christus verwandelt und getrunken.

Bob Mit mehr als 100 Stundenkilometern donnern diese schweren Eisenschlitten die eisigen Röhren einer Bobbahn zu Tal. Es gibt Zweierbobs und Viererbobs mit zwei oder vier Mann Besatzung. Einer davon trägt die größte Verantwortung: der Bremser. Wenn er zu stark bremst, verliert sein Bob das Rennen, wenn er zu wenig bremst, kann der Bob aus der Bahn hinausgeschleudert werden.

Bohrinsel Oft lagern Erdöl und Erdgas unter dem Meeresboden. Um die Vorkommen fördern zu können, setzt man Bohrtürme auf künstliche Inseln ins Meer. Das sind gewaltige, oft hunderte Meter hohe Bauten, die am Meeresgrund verankert werden. Von dort aus treibt man das Bohrloch in den Meeresboden.

Boje Als tonnenförmige Körper schwimmen die Bojen in Gewässern immer an derselben Stelle. Sie sind nämlich am Grund verankert. An Badestränden warnen Bojen vor tiefem Wasser. Schiffe erkennen an Bojen, wo sie fahren müssen. Es gibt auch Bojen, die in der Nacht leuchten. So genannte Heulbojen geben Signaltöne ab.

Briefmarke Erst seit 150 Jahren gibt es Briefmarken. Zu Anfang musste der Empfänger das Porto bezahlen. Heute klebt der Absender eine Briefmarke auf den Brief. Sie ist das Zeichen für die Post, dass die Gebühr bezahlt worden ist.
Das Sammeln von Briefmarken ist wahrscheinlich das beliebteste Hobby auf der ganzen Welt. Es gibt 55 Millionen Sammler! Am wertvollsten für Markensammler sind nicht die schönsten Marken, sondern die seltensten. Die teuersten Marken stammen aus dem vorigen Jahrhundert und kosten unter Sammlern viele hunderttausend Mark.

Brieftaube ⇨ Taube

Bronze Bronze ist eine Mischung aus den Metallen Kupfer und Zinn. Es gab ein Zeitalter im Altertum, in dem Bronze das wichtigste Metall für Waffen und Geräte war. Diese Zeit nennt man „Bronzezeit". Sie lag zwischen 1800 und 700 vor unserer Zeit. Die Bronzemedaille bekommt heute der Dritte bei sportlichen Wettkämpfen.

Brunnen Aus Brunnen kann man Grundwasser schöpfen oder pumpen. Grundwasser fließt unterirdisch und sammelt sich über Gesteinsschichten, die kein Wasser durchlassen. Früher war der Brunnen der Mittelpunkt eines Dorfes. Das Wasser wurde meistens mit einem Eimer hochgezogen. Brunnenwasser war rein und klar, und Brunnenvergiftung galt als schlimmes Verbrechen.

Buchdruck Bis vor 500 Jahren wurde in Europa jedes Buch einzeln mit der Hand geschrieben. Der Mainzer Johannes Gutenberg kam auf den Gedanken, die einzelnen Buchstaben aus Metall (Lettern) zu gießen und sie so zusammenzustellen, dass man davon viele Abdrucke machen konnte. Die Lettern konnten immer wieder für neue Bücher verwendet werden. Die Chinesen, Tibeter und Inder hatten bereits Seiten mit Schriftzeichen aus Hartholz geschnitzt und davon Abdrucke gemacht. Diese Druckstöcke waren aber nicht veränderbar.

Buddhismus Der Weise Gautama, der Buddha („der Erleuchtete"), war ein indischer Fürstensohn, der vor 2.500 Jahren lebte und wohl behütet in Luxus aufwuchs. Als junger Mann begegnete er erstmals kranken und sterbenden Menschen. Er erkannte, dass man sich mit Geld und Macht vor dem Leiden und vor dem Tod nicht schützen kann, aber auch nicht dadurch, dass man sich auf einen Gott oder auf Götter verlässt. Nur wer gründlich über sich selbst nachdenkt und meditiert, der wird die Mühsal des Lebens ohne Verbitterung und ohne Illusionen meistern. Er wird nach buddhistischer Auffassung seine Gier, seinen Hass und seinen Egoismus überwinden. Denn jeder Mensch schafft sich seine Welt selbst durch die Art und Weise, wie er lebt und denkt. Ziel der buddhistischen Lebensführung ist es, die endgültige Befreiung („das Nirwana"), eine Art wunschloses Glück, zu erlangen. Auf diesem Weg sollte man sich nach der Lehre des Buddha für das Wohlergehen aller Lebewesen einsetzen. Der Buddha selbst sah sich nicht als höheres Wesen, sondern als Mensch, der anderen Menschen ein Beispiel und gute Ratschläge geben wollte.

Heute ist der Buddhismus aus Indien verschwunden. Buddhisten der verschiedenen Schulen und Sekten gibt es vor allem in Tibet, Sri Lanka, Hinterindien (Burma, Laos, Kambodscha, Thailand, Vietnam) sowie auch in China, Korea und Japan.

Büffel In Afrika und Asien gibt es wilde Rinder mit geschwungenen Hörnern. Sie heißen „Büffel". Von den wilden Büffeln stammen die Wasserbüffel ab, die in Asien vor tausenden von Jahren gezähmt wurden. Sie dienen als Last- und Zugtiere.

A
B
C
D
E
F
G
H
I
J
K
L
M
N
O
P
Q
R
S
T
U
V
W
X
Y
Z

Bumerang Der Bumerang ist eine geniale Erfindung der Ureinwohner ⁓ Australiens, der Aborigines, die ihn zur Jagd und auch als Waffe verwendeten. Sie schnitzten dieses flache, sichelförmige Wurfholz aus besonderen Hölzern und schleuderten es auf ihre Jagdbeute. Falls er sein Ziel verfehlte, kehrte der Bumerang durch seine besondere Form in einer weiten Flugbahn zum Werfer zurück. Heute kann man moderne Bumerangs in Sportgeschäften kaufen.

Bundeskanzler In Deutschland und Österreich ist der Bundeskanzler der Chef der jeweiligen Bundesregierung. Der Bundeskanzler wird von den Bundestagsabgeordneten gewählt und ist für die Politik der Regierung verantwortlich. In Deutschland kann der ⁓ Bundestag den Bundeskanzler nur dadurch entmachten, dass er mit der Mehrheit seiner Mitglieder einen neuen Bundeskanzler wählt. Seit 1949 gab es in der Bundesrepublik Deutschland sieben Bundeskanzler.

Bundespräsident In Deutschland und in Österreich sind die Staatsoberhäupter die Bundespräsidenten. Sie haben selbst keine direkte politische Macht, sondern vertreten ihr Land lediglich als eine Art oberster Staatsbürger. Der Bundespräsident in der Schweiz ist dagegen der Chef der Regierung, die dort „Bundesrat" heißt.

Bundestag Das deutsche Parlament heißt „Bundestag". Im Bundestag diskutieren die vom Volk alle vier Jahre neu gewählten Abgeordneten die Gesetze und kontrollieren die Arbeit der Regierung.

Burg Die befestigten Burgen von Rittern schützten im Mittelalter die Burgherren und die Untertanen vor Feinden. Viele Burgen standen auch an Handelsstraßen oder Schiffswegen und

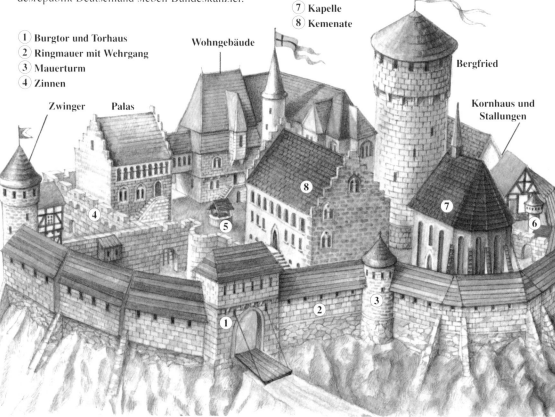

(1) **Burgtor und Torhaus**
(2) **Ringmauer mit Wehrgang**
(3) **Mauerturm**
(4) **Zinnen**
(5) **Brunnen**
(6) **Taubenturm**
(7) **Kapelle**
(8) **Kemenate**

Wohngebäude

Zwinger   Palas

Bergfried

Kornhaus und Stallungen

konnten den Verkehr sperren. Man baute diese Festungen entweder auf schwer zugänglichen Bergen oder ins Wasser, oder man schützte sie durch einen künstlichen Burggraben. Burgen waren von hohen Mauern umgeben. Im Inneren standen das Wohnhaus des Burgherrn, die Kapelle, die Häuser der Burgbewohner, Wirtschaftsgebäude und Ställe. Im Keller lag das Verlies, ein Gefängnis für gefangene Feinde oder für Untertanen, die sich dem Willen des Burgherrn nicht fügten. Der Brunnen im Burghof versorgte die Bewohner auch bei Belagerungen mit Trinkwasser. Vom Burgfried aus, dem höchsten Turm der Burg, konnte der Türmer weit ins Land blicken und bei Gefahr die „Bürger" zu den Waffen rufen. Nahten Feinde, so suchten auch die umliegenden Bauern, Dörfler und Städter Zuflucht in der Burg. Es war sehr schwierig, eine Burg zu erobern. Oft versuchte der Feind, die Burg auszuhungern, indem er alle Zufahrtswege absperrte. Belagerungen dauerten nicht selten mehrere Monate. Die Verteidiger schleuderten schwere Steine auf die Angreifer und schossen aus den Schießscharten Pfeile und Speere. Aus den Pechnasen goss man siedendes Wasser oder Pech.

Mit der Erfindung der Kanonen am Ende des Mittelalters boten Burgen immer weniger Schutz. Viele wurden verlassen und verfielen zu Burgruinen.

Bürger   Bürger waren ursprünglich nur die Bewohner einer Burg; später alle Menschen, die im Umkreis einer Burg wohnten und das Recht hatten, in der Burg Schutz zu suchen. Bürger hatten im Mittelalter mehr Rechte als Bauern, die meistens Leibeigene, also eine Art von Sklaven, waren. Heute haben alle Staatsbürger die gleichen Rechte und Pflichten.

Bürgerinitiative   Wenn sich Gruppen von Bürgern gegen eine Entscheidung von Politikern wehren, dann bilden sie eine Bürgerinitiative. Das lateinische Wort „Initiative" heißt „Entschlusskraft, Unternehmungsgeist". Bürgerinitiativen (abgekürzt BI) unternehmen selbst etwas, zum Beispiel gegen Atomkraftwerke oder neue Autobahnen. Sie stellen Politiker zur Rede, machen Gegenvorschläge und demonstrieren. Bei den meisten Politikern sind BI deshalb nicht sehr beliebt.

Büro   Einen Arbeitsraum oder eine Dienststelle nennt man „Büro". Hier werden von Angestellten und Beamten zum Teil schriftliche, aber auch andere Arbeiten erledigt.

Bussard   Er ist ein Raubvogel, der tagsüber auf die Jagd geht. In Mitteleuropa gilt der größtenteils dunkelbraune Mäusebussard als häufigster Raubvogel. Er ist mit dem Adler verwandt. Der etwa 60 cm lange Vogel jagt vor allem Feldmäuse.

Butler   Ein Butler arbeitet als Diener in einem vornehmen englischen Haus.

Camping · Chinesische Mauer

Camping

Camping Wenn man im Urlaub nicht im Hotel oder Ferienhaus wohnt, sondern mit Zelt oder Wohnwagen losfährt, dann macht man Camping. Auf Campingplätzen gibt es Toiletten, Duschen, Trinkwasser, Strom und Lebensmittelläden.

Celsius ⇨ Temperatur

Chamäleon Chamäleons zählen zu den Echsen (⇨ Eidechse), die vor allem in Afrika leben. Sie haben eine lange, klebrige Zunge, mit der sie Insekten fangen. Die Zunge liegt eingerollt im Mund; zur Jagd schnellt sie bis zu einem halben Meter heraus. Wenn sich ein Chamäleon ärgert oder wenn es Angst hat, verändert es seine Hautfarbe.

Chance Eine Chance ist eine günstige Gelegenheit. Die Chancen, bei einer Lotterie das große Los zu ziehen, stehen allerdings ziemlich schlecht.

Chaos Ein komplettes Durcheinander und Wirrwarr nennt man auch „Chaos".

Chinesische Mauer

Chemie Alle Dinge und Lebewesen sind aus verschiedenen Grundstoffen aufgebaut. Die Chemie untersucht diese Grundstoffe und zeigt, auf welche Art sie miteinander verbunden sind. Wenn sie diese natürlichen Grundstoffe neu zusammenstellen, können Chemiker auch neue, künstliche Stoffe herstellen, die in der Natur nicht vorkommen: zum Beispiel Plastik, Kunstlacke oder Gifte. Viele dieser künstlichen Materialien sind unverwüstlich und biologisch nicht abbaubar. Das heißt, sie kehren in den Kreislauf der Natur nicht mehr zurück. Besonders gefährlich ist es, wenn diese chemischen Stoffe giftig sind.

Chinesische Mauer Einige Jahrhunderte lang ließen die chinesischen Kaiser an einer Mauer bauen, die das Reich gegen die kriegerischen Völker im Norden schützen sollte. Die Chinesische Mauer wurde 2.500 Kilometer lang – so lang wie die Strecke von Afrika nach Südamerika. Stellenweise ist sie zwölf Meter dick. Sie ist das einzige Bauwerk der Erde, das vom Mond aus mit bloßem Auge zu sehen ist.

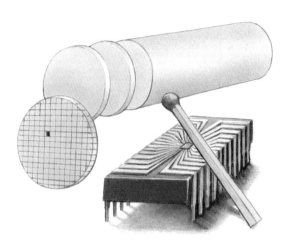

Chip „Chip" heißt eigentlich „Span" oder „Splitter". Bis zur Erfindung moderner Computer kannte man Chips nur als knusprige Kartoffelchips. Heute versteht man darunter auch winzige elektronische Bauteile.

Chirurg Der Arzt, der in der Klinik Operationen vornimmt, ist ein Chirurg. Eine Operation ist dann notwendig, wenn ein Patient nicht mehr durch Medikamente geheilt werden kann. Bei einem entzündeten ⇨ Blinddarm zum Beispiel muss manchmal der Bauch aufgeschnitten und der Wurmfortsatz entfernt werden. Während einer Operation liegt der Patient in ⇨ Narkose. Er ist bewusstlos und spürt daher keine Schmerzen.

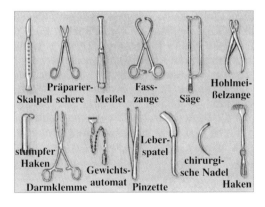

Präparier-Skalpell schere · Meißel · Fasszange · Säge · Hohlmeißelzange · stumpfer Haken · Gewichtsautomat · Leberspatel · Pinzette · chirurgische Nadel · Darmklemme · Haken

Christentum Das Christentum kommt, wie alle Weltregionen, aus Asien. Vor 2.000 Jahren lehr-te der jüdische Wanderprediger Jesus ein Leben ohne Gier und Hass. Wir sollten lernen, nicht nur unsere Freunde gern zu haben, sondern auch unsere Feinde. Vom Leben und Sterben des Jesus von Nazareth wissen wir nur aus den Erzählungen seiner Anhänger, die nach seinem Tod die Evangelien (Frohe Botschaft) schrieben. Aus diesen Evangelien, aus der jüdischen Religion und aus der griechischen Philosophie entwickelte sich im Laufe von Jahrhunderten die christliche Lehre.

Das Christentum lehrt, dass Gott aus drei „Personen" besteht: Vater, Sohn und Heiliger Geist. Gott hat die Welt und die Menschen geschaffen. Weil die Menschen ungehorsam waren, sandte er seinen Sohn Jesus Christus auf die Erde. Jesus lehrte Liebe, Nachsicht und Barmherzigkeit. Er wurde gefoltert und wie ein Verbrecher am Kreuz hingerichtet. Christen glauben, dass Jesus Christus freiwillig für alle Menschen gelitten und sie damit von Gottes Zorn erlöst hat.

Nach christlicher Lehre ist der Mensch unsterblich. Im Tod geht der Körper zu Grunde, aber die Seele lebt auf ewig weiter: entweder bei Gott im Himmel oder beim Teufel in der Hölle, je nach dem Leben, das der Mensch geführt hat.

Das Christentum splitterte bald nach dem Tod von Jesus Christus in verschiedene „Sekten" auf. Die mächtigste wurde die römisch-katholische Glaubensrichtung. Ihr Oberhaupt ist der Papst. Päpste und Bischöfe waren meist auch mächtige Politiker. Heute gibt es 600 Millionen Katholiken. Etwa 300 Millionen Menschen gehören protestantischen Gemeinschaften an, die den Papst nicht als Oberhaupt der Christen anerkennen. Die Protestanten haben sich am Ende des Mittelalters von den Katholiken abgespalten. Ihr Anführer Martin Luther wollte die kirchlichen Missstände beseitigen und den christlichen Glauben dem Volk zugänglicher machen. Zwischen Protestanten und Katholiken gab es grausame Kriege und gegenseitige Verfolgungen. Heute bemühen sie sich um eine Einigung. Andere christliche Richtungen sind zum Beispiel die orthodoxen („rechtgläubigen") Kirchen in Russland und Griechenland, die Anglikaner (in England) oder die Baptisten. Besonders in Amerika gibt es hunderte verschiedener so genannter Freikirchen. Aber auch bei uns gibt es viele kleinere christliche Gruppierungen.

Clown   Der Spaßmacher im ⇀ Zirkus heißt „Clown". Viele Clowns können tanzen, spielen Musikinstrumente und singen.

Code   Wer den Code kennt, kann eine Geheimschrift entziffern. Codes sind die „Schlüssel", die zeigen, wie etwas „Verschlüsseltes" geknackt werden kann.

Comic   Gezeichnete Bildergeschichten mit wenig Text – das Gesprochene steht in „Sprechblasen" – heißen „Comicstrips" oder „Comics". Comics müssen nicht immer komisch sein; es gibt auch Abenteuer-Comics. Die Bildergeschichten von Wilhelm Busch (zum Beispiel Max und Moritz) waren die ersten Geschichten in der Art von Comics. Berühmte moderne Comics sind „Asterix", „Peanuts" oder „Mickymaus".

Compactdisc   Kleine, kompakte Musikplatten, die mit einem CD-Spieler abgespielt werden, heißen „Compactdiscs", abgekürzt „CDs". Im CD-Spieler tastet ein feiner Lichtstrahl die Oberfläche der Scheiben ab und verwandelt die Signale in Musik. CDs können daher vom Gerät nicht zerkratzt werden.

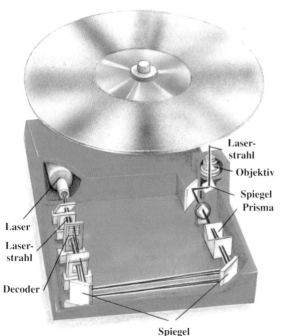

Laser-strahl
Objektiv
Spiegel
Prisma
Laser
Laser-strahl
Decoder
Spiegel

Computer   Computer sind elektronische Rechenmaschinen, die mit unglaublicher Geschwindigkeit arbeiten. In Sekundenschnelle schafft ein Computer Berechnungen, für die ein Mensch Jahre brauchen würde. Sein Programm (eine Kette von Anweisungen) lässt ihn die Befehle selbstständig ausführen; aber ohne diese von Programmierern erstellten Programme kann er überhaupt nichts tun. Ob man mit einem Computer spielt, schreibt, rechnet, Musik macht oder zeichnet, für ihn ist alles eine Folge von Berechnungen. Er übersetzt die Eingabe in eine Folge von Zahlen, die er intern neu zusammenstellt und ordnet und dann wieder in Buchstaben, Zahlen, Bilder oder Töne zurückübersetzt. Computer kennen nur zwei Zahlen: 1 oder 0, Ja oder Nein. Wenn Strom durch eines der Millionen mikroskopisch kleinen Bauteile fließt, dann heißt das 1. Fließt kein Strom, bedeutet das 0. Der Computer rechnet, indem er unzählige solcher „Weichenstellungen" in rasanter Folge ständig neu kombiniert.

Computer bestehen erstens aus einem Eingabegerät – das ist die Tastatur oder der Joystick (bei Spielen) oder eine Zeichenplatte oder eine Klaviatur –, zweitens aus dem eigentlichen Rechner, dessen Herzstück der Mikroprozessor ist, und drittens aus einem Datenspeicher. Das kann zum Beispiel ein CD-Rom-Laufwerk oder eine Festplatte sein. Und viertens aus einer Ausgabeeinheit, in der das Ergebnis so gezeigt wird, dass Menschen damit etwas anfangen können. Meistens ist das der Bildschirm.

Ohne die Rechenleistung von Computern könnten heute keine Bahnhöfe, Flugplätze oder Banken funktionieren. Finanzämter und Kaufhäuser, Polizei und Militär sind von ihnen abhängig. Über jeden einzelnen Bürger sind an vielen Stellen Informationen (Daten) in Computern gesammelt. Es gibt daher ein eigenes Gesetz, das Datenschutzgesetz, das die Bürger vor dem Missbrauch von Daten schützen soll.

Container   Container sind riesige Stahlkisten, die alle gleich groß sind. In ihnen werden Waren aller Art verpackt, die mit dem Schiff, mit der Bahn oder mit Lastwagen über weite Strecken transportiert werden. Container können aufeinander gestapelt werden und sind deshalb leichter zu verladen als die Ware selbst. Große Containerschiffe befördern tausende Container auf einmal.

Copyright   Bücher, Bilder, Filme und Computerprogramme sind das geistige Eigentum des ⇁ Autors. Ohne seine Erlaubnis darf niemand Kopien davon machen oder gar mit Kopien Geld verdienen. Dieses Urheberrecht heißt auf Englisch: „Copyright" (Kopierrecht).

Countdown   Wörtlich übersetzt heißt dieses englische Wort „herunterzählen". Vor dem Start einer Weltraumrakete läuft der Countdown: 10, 9, 8, 7, 6, 5, 4, 3, 2, 1, 0: Die Rakete startet.

Cowboy   Das Leben der Cowboys, der amerikanischen Rinderhirten, ist nur im Wildwestfilm romantisch. In Wirklichkeit ist die Arbeit dieser „Kuhjungen" hart und gefährlich. Sie sorgen dafür, dass die riesigen Rinderherden beisammenbleiben oder auf dem richtigen Weg sind. Viele Cowboys sind auch heute noch beritten; andere fahren im Jeep oder fliegen mit dem Hubschrauber. Die südamerikanischen Cowboys heißen „Gauchos".

Crew   Die Mannschaft eines Schiffes oder Flugzeugs ist die Crew (sprich: Kru).

Curry   Curry ist eine typisch indische Gewürzmischung aus Pfeffer, Zimt, Nelken, Koriander, Muskat, Curcuma und Ingwer.

Dachs Der beinahe einen Meter lange Allesfresser, eine Marderart, lebt in den Wäldern fast auf der ganzen Welt. Er hat einen schwarzweiß gestreiften Kopf. Mit seinen starken Krallen gräbt er sich tiefe Erdhöhlen, in denen er die Tage und

Winter verschläft. Nachts geht er auf Beutezug; wenn er Glück hat, erwischt er sogar manchmal eine Maus. Sonst frisst er vor allem Pilze, Schnecken und verschiedene Früchte.

Dämon Die bösen Geister vieler Religionen heißen „Dämonen". Früher glaubte man in Europa, dass geistig oder seelisch kranke Menschen von Dämonen besessen wären. Man versuchte, diese „Dämonen" mit Weihwasser und Beschwörungen auszutreiben.

Dampf Wenn Wasser auf 100 Grad Celsius erhitzt wird, beginnt es zu kochen und verwandelt sich in Wasserdampf. Jede Flüssigkeit wird bei einer bestimmten Temperatur gasförmig und verdampft.

Dampfmaschine Wenn sich Wasser durch Erhitzen in Dampf verwandelt, dehnt es sich aus. Diese Dampfkraft nützt man in der Dampfmaschine aus. Der erhitzte Dampf erhöht den Druck in einem Zylinder und schiebt dabei den Kolben hoch, der wiederum ein Rad dreht. Auf diese Weise kann man Wärmeenergie in Bewegung umsetzen. Die erste Dampfmaschine konstruierte im Jahr 1796 der Engländer James Watt.

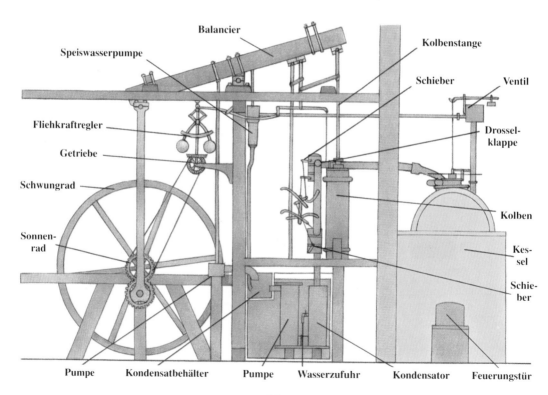

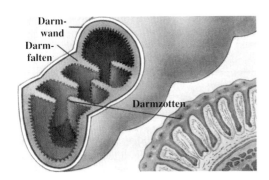

Darm Der menschliche Darm ist ein ungefähr sieben bis neun Meter langer Schlauch, der in Schlingen im Bauch liegt. Er reicht vom Magen bis zum After. Im Darm werden dem im Magen vorbereiteten Nahrungsbrei die Nährstoffe entzogen und vom Blut übernommen. Den unverdaulichen, giftigen Rest scheiden wir als Kot oder Stuhl aus. Fleisch fressende Tiere haben einen kurzen, Pflanzenfresser einen langen Darm. Auch Menschen haben einen langen Pflanzenfresser-Darm.

Datum Das Datum sagt uns, an welchem Tag, in welchem Monat und in welchem Jahr etwas geschieht. Es ist eine Zeitangabe, die Verabredungen erleichtert.

DDR „Deutsche Demokratische Republik". Vom Ende des Zweiten Weltkriegs bis 1990 war Deutschland zuerst in Besatzungszonen und später in zwei Staaten geteilt, nämlich in die Bundesrepublik Deutschland und in die DDR. Die DDR entstand aus der sowjetischen Besatzungszone und war eine kommunistische ➔ Diktatur. Die Bürger hatten keine demokratischen Rechte. Die regierende Partei (die SED, also die Sozialistische Einheitspartei Deutschlands) bestimmte beinahe alles. Die Staatssicherheit (Stasi), der Geheimdienst der DDR, horchte die Bürger aus. Überall gab es Spitzel. Gegner der SED wurden eingesperrt, Kritik war weitestgehend verboten. Die kommunistische Wirtschaftsform ruinierte das Land und zerstörte die Umwelt. Die Mauer durch Berlin und entlang der Grenze zur Bundesrepublik machte eine Flucht aus der DDR fast unmöglich. Viele Menschen versuchten es dennoch und wurden dabei erschossen.

1989 ließ sich das Volk der DDR diese Diktatur nicht mehr gefallen. In gewaltigen ➔ Demonstrationen erzwang es die Öffung der Grenze und freie Wahlen. Am 9.11.1989 wurden die Grenzen geöffnet. Am 3. Oktober 1990 trat die DDR der Bundesrepublik bei. Das Land übernahm das politische System des Westens und hörte auf, als eigener Staat zu bestehen.

Deich Aufgeschüttete Dämme entlang der Meeresküste und den Flüssen nennt man „Deiche". Sie schützen das Land vor Überschwemmungen. Die Deiche an der Nordseeküste müssen Sturmfluten und hohen Wellen standhalten. Sie sind mit Gras bewachsen. Oft liegt das Land hinter den Deichen tiefer als der Meeresspiegel, zum Beispiel in Holland. Bei einem Deichbruch würden riesige Gebiete überflutet werden.

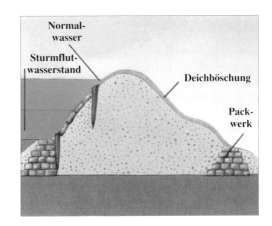

Delfin ➔ Wal

Demokratie „Demokratie" heißt „Herrschaft des Volkes". In einer Demokratie haben alle erwachsenen Bürger das Recht, die Politik ihres Staates, ihres Landes und ihrer Gemeinde mitzubestimmen. Alle Bürger haben das Recht, ihre Meinung frei zu sagen und in Zeitungen frei zu veröffentlichen. Sie haben außerdem das Recht, sich in politischen ➔ Parteien zu organisieren. Diese Parteien stellen sich alle vier oder fünf Jahre zur Wahl. Bei Wahlen entsenden die Bürger ihre Volksvertreter (➔ Abgeordneten) in das Parlament. Dort wird über politische Fragen abgestimmt. Die Mehrheit entscheidet.

Demonstration Bei einer Demonstration versammeln sich Menschen auf der Straße, um auf ihre Wünsche oder Forderungen hinzuweisen. Meistens führen sie Transparente mit sich, auf denen steht, für welche Ziele sie sich einsetzen.

desinfizieren Im Schmutz sind Krankheitserreger. Wenn Schmutz in eine offene Wunde geraten ist, sollte man die Wunde desinfizieren, das heißt die Krankheitserreger abtöten. In Krankenhäusern desinfiziert man medizinische Geräte auch, indem man sie auskocht. Ein anderes Wort dafür ist sterilisieren.

Detektiv In England und Amerika sind Detektive Kriminalbeamte, die Verbrechen aufklären. Unsere Detektive sind dagegen Privatdetektive. Sie sind Angestellte von Privatfirmen und holen gegen Bezahlung Auskünfte über bestimmte Personen ein. Mit Verbrechen haben sie nur selten zu tun.

Deutschland Deutschland liegt in Mitteleuropa. Es grenzt im Norden an Dänemark, an die Ostsee und an die Nordsee. Im Westen grenzt Deutschland an die Niederlande, Belgien, Luxemburg und Frankreich, im Süden an die Schweiz und Österreich und im Osten an Tschechien und an Polen. Deutschland reicht etwa 1.000 Kilometer weit von der Nordsee und Ostsee im Norden bis zu den Alpen im Süden und etwa 800 Kilometer vom Rhein im Westen bis zur Oder im Osten. Norddeutschland ist zumeist flach bis leicht hügelig. Die größte deutsche Insel, Rügen, liegt vor der Ostseeküste. An die Tiefebene schließt sich im mittleren Deutschland ein Bergland an, das gegen Süden ins Alpenvorland übergeht. Im Süden liegen die Alpen mit dem höchsten deutschen Berg, der fast 3.000 Meter hohen Zugspitze. Der längste Strom ist der Rhein, der 867 Kilometer weit durch Deutschland fließt.
Deutschland hat ungefähr 76 Millionen Einwohner und ist ein moderner, demokratischer Industriestaat. Die Hauptstadt ist Berlin. Doch anders als zum Beispiel die zentralistisch regierten Staaten von Frankreich oder Italien ist Deutschland ein Bundesstaat. Die Bundesländer bestimmen die Politik mit. Seit dem Beitritt der ehemaligen ⤳ DDR gibt es folgende Bundesländer: Schleswig-Holstein, Mecklenburg-Vorpommern, Hamburg, Bremen, Niedersachsen, Berlin, Brandenburg, Sachsen-Anhalt, Nordrhein-Westfalen, Hessen, Thüringen, Rheinland-Pfalz, Saarland, Sachsen, Baden-Württemberg und Bayern.
Vor dem Zweiten Weltkrieg gehörten zu Deutschland auch noch andere Gebiete: Schlesien, Pommern und Ostpreußen. Als Ergebnis des von Deutschland angezettelten Zweiten Weltkriegs fielen diese Gebiete nach Kriegsende an Polen; die deutsche Bevölkerung wurde aus ihrer Heimat vertrieben oder flüchtete in den Westen Deutschlands. Heute sind diese ehemals deutschen Länder Teile von Polen und Russland.

Dia Ein Dia ist ein Foto auf einem durchsichtigen Stück Film. Man kann es anschauen, wenn man es gegen das Licht hält oder das Bild mit einem Projektor an die Wand strahlt.

Dialekt In Hessen sprechen die Menschen anders als in Wien, in Leipzig anders als in München, in Berlin anders als in Bern. Sie sprechen zwar alle Deutsch, aber zumeist im Dialekt. In den verschiedenen Mundarten oder Dialekten werden nicht nur die Wörter anders ausgesprochen; jeder Dialekt hat auch eine Reihe eigener Wörter. Kartoffeln heißen zum Beispiel in Österreich Erdäpfel, in Schwaben Grundbirnen.

Deutschland

BUNDESREPUBLIK DEUTSCHLAND

Kiel •

Schleswig-Holstein

Mecklenburg-Vorpommern

• Hamburg

• Schwerin

Hamburg

• Bremen

Bremen

Brandenburg

Niedersachsen

• Hannover

Magdeburg •

• Berlin

Berlin

Potsdam •

Nordrhein-Westfalen

Sachsen-Anhalt

• Düsseldorf

Erfurt •

Sachsen

Dresden •

Hessen

Thüringen

Wiesbaden •

Rheinland-Pfalz

• Mainz

Saarland

• Saarbrücken

Bayern

• Stuttgart

Baden-Württemberg

• München

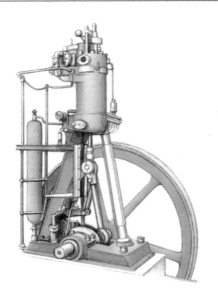

Diesel   In Dieselmotoren wird der Treibstoff (das Dieselöl) nicht durch eine Zündkerze gezündet, sondern er entzündet sich durch Druck und Hitze im Zylinder von selbst. Diese Art von Motor hat der deutsche Ingenieur Rudolf Diesel vor etwa 100 Jahren erfunden. Dieselmotoren sind robuster und verbrauchen weniger Treibstoff als Benzinmotoren.

Diktatur   Ein einzelner Mensch oder eine Gruppe von Menschen bestimmt in einer Diktatur über das Schicksal des ganzen Volkes. Es gibt keine Meinungs-, Presse- und Versammlungsfreiheit, und wer sich dem Willen des Diktators nicht fügt, wird bestraft. Diktatoren behaupten stets, im Interesse des Volkes oder der Gesellschaft zu handeln. Viele fühlen sich von Gott oder von der Geschichte auserwählt. Besonders grausame Diktatoren waren Adolf Hitler und Josef Stalin. Auch die ⇒ DDR und die osteuropäischen Staaten waren bis vor kurzem Diktaturen.

Dinosaurier   Vor 70 Millionen Jahren war die Erde noch von ganz anderen Tieren bewohnt als heute: von den Dinosauriern. Das Wort bedeutet „furchtbare Echsen". Es gab etwa 5.000 sehr unterschiedliche Arten. Manche, wie der Brontosaurus, waren mit 20 Metern Länge (mit Schwanz) so lang wie ein großes Haus und wogen so viel wie ein Fernlastzug. Andere Arten waren hühnergroß und flinke Läufer. Der Triceratops hatte gleich drei schreckliche Hörner auf dem Schädel. Von Kopf bis Fuß gepanzert war der sechs Meter lange Ankylosaurus. Der Tyrannosaurus Rex war der schrecklichste Dinosaurier: Er war sechs Me-

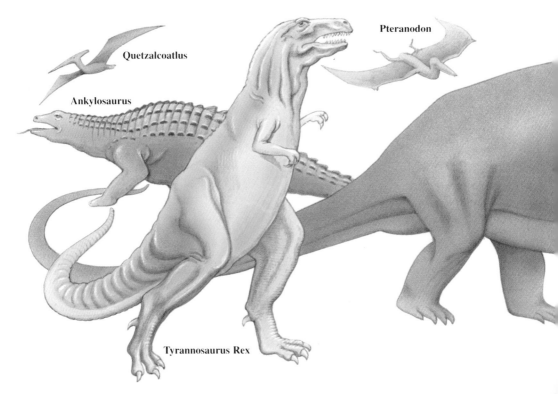

Quetzalcoatlus

Pteranodon

Ankylosaurus

Tyrannosaurus Rex

ter hoch, hatte einen anderthalb Meter langen Schädel mit einem fürchterlichen Gebiss und rannte auf seinen mächtigen Hinterbeinen hinter der Beute her. Warum die Dinosaurier plötzlich ausstarben, weiß man noch nicht sicher. Vielleicht änderte sich plötzlich das Erdklima, als ein riesiger Meteorit auf die Erde stürzte. Jedenfalls übernahmen die Säugetiere nach den Dinosauriern die Herrschaft über die Erde.

Dirigent Der Dirigent leitet ein ⇀ Orchester oder einen Chor. Mit seinem Dirigentenstab gibt er den Takt an und dirigiert die Einsätze.

Diskette Eine kleine Scheibe (griechisch Diskus), auf der Computerdaten gespeichert sind,

nennt man „Diskette". Der ⇀ Computer liest diese Daten oder speichert das Ergebnis seiner Rechenarbeit darauf ab.

Diskussion Gespräche über ein bestimmtes Thema sind nur dann eine Diskussion, wenn die Teilnehmer auch zuhören wollen. Sonst bleibt es bei einer Streiterei. In guten Diskussionen werden die verschiedenen Standpunkte (Meinungen) vorgetragen, sachlich kritisiert und ergänzt. Alle Teilnehmer müssen gleichberechtigt zu Wort kommen. Persönliche Beschimpfungen sind verboten.

Disney Walt Disney, 1901 geboren, war der Erfinder von Donald Duck und Mickymaus. Er starb 1966. Aus seinem Zeichenstudio entwickelte sich eine riesige, weltweite Firma, die heute viele Zeitschriften und Filme produziert und in vielen Ländern Vergnügungsparks besitzt.

Disziplin Dieses Wort kommt vom lateinischen „Discipulus", der Schüler. Es bedeutet heute: Regel, Ordnung. Sportarten (wie Schwimmen oder Eiskunstlauf) oder Zweige der Wissenschaft (zum Beispiel Physik oder Philosophie) sind Disziplinen. Disziplinierte Schüler toben im Unterricht nicht herum, sondern machen mit. „Selbstdisziplin" hat ein Lehrer, der die Ruhe bewahrt, wenn ihn seine Schüler ärgern.

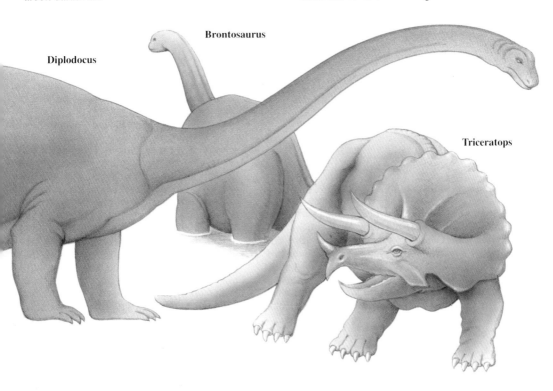

Diplodocus

Brontosaurus

Triceratops

Doktor   Wer an einer Universität studiert hat und nach seinem Abschluss eine große wissenschaftliche Arbeit schreibt, kann den akademischen Grad eines „Doktors" (abgekürzt: Dr.) erlangen. Dieses Wort ist lateinisch und heißt auf Deutsch der „Gelehrte". Es gibt also Doktoren der Technik, der Philosophie, der Medizin und so weiter. Meistens meinen wir mit „Doktor" jedoch einen Arzt oder eine Ärztin.

Dolmetscher   Ein Dolmetscher kann eine Rede oder ein Gespräch sofort von einer Sprache in die andere übersetzen. Wenn Politiker verschiedener Muttersprachen miteinander reden, sind Dolmetscher dabei.

Dompteur   ⁓ Zirkus

Donau   Der zweitlängste Fluss Europas (n. der Wolga) ist die Donau. Sie ist 2.860 Kilometer lang und entspringt im Schwarzwald in Deutschland. Die Donau fließt durch Österreich, die Slowakei, Ungarn, Kroatien, Jugoslawien, durch Bulgarien, durch die Ukraine und fließt in Rumänien in das Schwarze Meer.

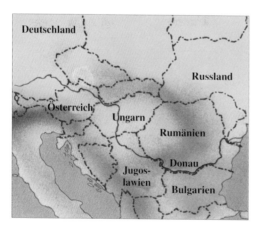

Doping   Manche Sportler nehmen verbotene Medikamente ein, die ihre Muskeln stärken oder ihre Leistung steigern. Solche Dopingmittel sind verboten, weil sie die Gesundheit der Sportler ruinieren. Nach Wettkämpfen müssen die Teilnehmer deshalb zur Dopingkontrolle. Wenn sie gedopt waren, dann werden sie vom Wettbewerb ausgeschlossen und verlieren ihre Medaillen.

Dosis   Eine bestimmte Menge eines Medikamentes oder eines anderen Stoffes, die auf den Körper einwirkt, heißt „Dosis". „Täglich zehn Tropfen" bedeutet eine Tagesdosis von zehn Tropfen.

Drama   Ein Theaterstück oder ⁓ Schauspiel, gleich welcher Art, ist ein Drama. Wer ein Schauspiel schreibt, ist ein Dramatiker. Lustige Stücke heißen Komödien. Wenn ein Stück schlecht ausgeht, dann handelt es sich um eine Tragödie. Eine dramatische Geschichte ist aufregend und spannend.

Dritte Welt   Die armen Länder in Afrika, Asien und Südamerika, wo die Hälfte der Bevölkerung in unvorstellbarem Elend lebt, nennt man heute die „Dritte Welt".
Unterernährung und Bevölkerungszuwachs sind die größten Probleme. In vielen Kulturen der Dritten Welt haben Männer und Frauen viele Kinder – aber einige dieser Kinder sterben oft sehr früh. Schlechte oder gar keine Schulen, ungerechte Verteilung von Land und diktatorische, korrupte Regierungen verhindern die Entwicklung vieler dieser Länder.
Viele reiche Länder schicken Geld oder Helfer in die Dritte Welt, um diese armen Länder wirtschaftlich voranzubringen. Früher wurde dieses Geld oft in unnütze und schädliche Großprojekte wie Betonfabriken gesteckt. Heute lehren Entwicklungshelfer den Umgang mit einfacheren Techniken, mit denen die Menschen auch selbst umgehen können (Hilfe zur Selbsthilfe). Zum Beispiel ist es sinnlos, in heißen Ländern Betonhäuser mit Wellblechdächern zu bauen. Vernünftiger ist es, althergebrachte Bauweisen mit Lehm und luftigen Strohdächern anzuwenden und an heutige Wünsche anzupassen. Und einfache solarbetriebene Kochherde sind nützlicher als Großkraftwerke.

Drogen   Früher waren Drogen nichts anderes als getrocknete Kräuter, zum Beispiel für heilende Tees. Sie wurden in der Drogerie verkauft. Heute versteht man unter Drogen Rauschmittel und Rauschgifte wie Heroin, Kokain, Haschisch (Marihuana), LSD und → Alkohol. Diese Drogen wirken auf Gehirn und Nerven und können Menschen in einen Rauschzustand versetzen oder starke Gefühle von Glück und Stärke hervorrufen. Diese Gefühle vergehen wieder, sobald der Rausch nachlässt. Rauschmittel wie Kokain, Heroin und Alkohol können süchtig machen; wer sich an sie gewöhnt hat, kann ohne sie oft nicht mehr auskommen und wird suchtkrank. Er tut alles, um an den „Stoff" zu kommen. Viele Drogensüchtige begehen Verbrechen, um Geld für die tägliche Dosis Rauschgift zu bekommen. Eine Heilung von dieser Suchtkrankheit ist sehr schwierig, weil sich der Körper an das Gift gewöhnt hat. Der Entzug kann starke körperliche Schmerzen verursachen. Der Handel mit den harten Drogen (wie Heroin, Kokain und LSD) wird in allen westlichen Ländern streng bestraft. Damit will man die Menschen vor der Gefahr der Drogensucht schützen. In streng mohammedanischen Ländern ist es außerdem verboten, die Droge Alkohol zu sich zu nehmen.

Drüse   Drüsen sind Organe, die (meist flüssige) Stoffe erzeugen. Die Speicheldrüsen im Mund erzeugen Speichel, um den Mund feucht zu halten und die Speisen vorzuverdauen. Die Tränendrüsen sondern Tränen ab, Schweißdrüsen den Schweiß. Auch im Inneren des Körpers haben wir verschiedene Drüsen, die zum Beispiel Verdauungssäfte herstellen.

Dschungel   Der undurchdringliche Urwald heißer Länder wird „Dschungel" genannt. Das Wort kommt aus Indien. In diesem Land spielt auch Rudyard Kiplings berühmtes „Dschungelbuch".

Düsenantrieb   Wenn man einen Luftballon aufbläst und loslässt, dann flitzt er davon. Die Luft wird aus dem Ballon gepresst und stößt ihn zurück. Nach diesem Rückstoßprinzip funktioniert auch der Düsenantrieb eines Flugzeugs. Der Düsenmotor saugt Luft an, die in der Brennkammer mit einem Benzinnebel vermischt und entzündet wird. Die heißen Verbrennungsgase dehnen sich mit ungeheurer Kraft aus und strömen durch die Düsen auf der anderen Seite aus. Dadurch entsteht die Schubkraft, die riesige Düsenflugzeuge (Jets) mit fast oder mehr als Schallgeschwindigkeit durch die Lüfte jagt.

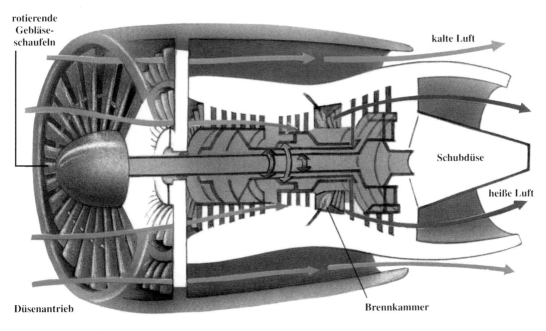

rotierende Gebläseschaufeln

kalte Luft

Schubdüse

heiße Luft

Düsenantrieb

Brennkammer

Ebbe

EDV

Ebbe und Flut   Das Wasser an Meeresküsten steigt regelmäßig sechs Stunden lang und fällt dann wieder; an manchen Küsten nur ein paar Zentimeter, in Buchten manchmal sogar mehr als zehn Meter. Den Höchststand nennt man „Flut", den Tiefststand „Ebbe". Grund für die Gezeiten sind die Anziehungskräfte des Mondes und der Sonne, die die Meeresoberfläche regelmäßig heben und senken. Auch in der Geldbörse kann manchmal „Ebbe" sein. Dann ist allerdings nicht der Mond schuld daran.

Echo   Trifft Schall auf ein Hindernis, auf eine Bergwand oder einen Wald, wird ein Teil der Schallwellen reflektiert. Wir hören diesen Widerhall als Echo. In großen Höhlen oder in Bergschluchten kannst du dein Echo fünf- oder zehnmal widerhallen hören; der Schall wird dann oft hin- und hergeworfen. Mit einem Echolot misst man, wie lange Schallwellen brauchen, bis sie zurückkehren. So kann man zum Beispiel herausfinden, wie tief das Meer ist oder wo im Erdinneren Gesteinsschichten mit bestimmten Eigenschaften liegen.

Echsen   „Echsen" nennt man die schuppigen Kriechtiere mit vier Beinen. ↪ Eidechsen, ↪ Chamäleons, Leguane und Warane sind Echsen. Auch die ausgestorbenen ↪ Dinosaurier waren Echsen.

Edelstein   Rubine, Diamanten, Smaragde, Saphire und viele andere wertvolle Steine sind Edelsteine. Man schürft nach ihnen in Bergwerken oder findet sie im Geröll bestimmter Flüsse. Sie müssen geschliffen und poliert werden, damit sie als Schmuckstücke funkeln. Die meisten Edelsteine sind sehr hart. Der Diamant zum Beispiel ist der härteste natürliche Stoff überhaupt. Man braucht Diamanten auch in der Industrie, weil man nur mit ihnen andere harte Stoffe bearbeiten (fräsen, schleifen, schneiden) kann. Das Gewicht von Edelsteinen misst man in Karat. Fünf Karat sind ein Gramm.

EDV   Abkürzung von Elektronische Datenverarbeitung. EDV-Anlagen sind große ↪ Computer, die Informationen speichern, sortieren und auswerten.

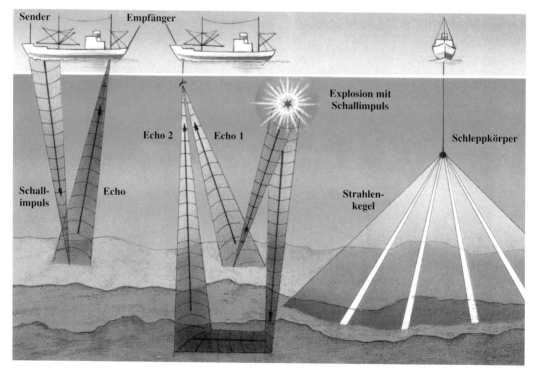

Ehe Eine Frau und ein Mann, die sich lieb haben und zusammenleben, können auch heiraten. Sie bekräftigen vor dem Staat (im Standesamt) oder auch vor ihrer Religionsgemeinschaft (in der Kirche) ihren Entschluss zusammenzubleiben. Eine Ehe kann wieder aufgelöst (geschieden) werden.

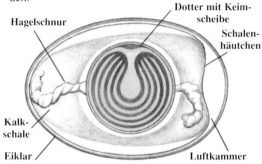

Dotter mit Keimscheibe
Schalenhäutchen
Hagelschnur
Kalkschale
Eiklar
Luftkammer

Ei Ein ⇨ Mensch oder Tier entsteht, wenn ein weibliches Ei (die Keimzelle) von einem männlichen Samen befruchtet wird. Bei ⇨ Menschen und ⇨ Säugetieren entwickelt sich das befruchtete Ei im Körper der Frau oder des Weibchens zu einem Baby. Tiere wie Schlangen oder Vögel oder Fische legen Eier. Das Küken zum Beispiel entwickelt sich erst im Hühnerei.

Eichhörnchen Diese rotbraunen oder schwarzen ⇨ Nagetiere unserer Wälder und Parks werden 20 Zentimeter lang; ebenso lang ist ihr buschiger Schwanz. Mit ihm steuern sie den „Flug", wenn sie in mächtigen Sätzen von Ast zu Ast springen. Für den Winter sammeln sie Nüsse und Eicheln, die sie in Erdlöchern verstecken. Oft vergessen sie, wo ihre Schätze liegen; aus den verlorenen Nüssen und Eicheln wachsen dann junge Bäume.

Eid Ein Eid ist ein feierliches Versprechen. Soldaten und ⇨ Beamte müssen den Eid ablegen, ihrem Staat zu dienen. Bei Gerichtsverhandlungen müssen wichtige Zeugen oft unter Eid aussagen. Sie schwören, dass sie die Wahrheit sagen. Wenn sich herausstellt, dass sie trotzdem lügen, dann werden sie wegen Meineides bestraft.

Eidechse Diese Kriechtiere können ungeheuer flink zwischen Steinen und auf Wänden herumklettern, solange es warm ist. Wie alle wechselwarmen Tiere erstarren sie bei Kälte. Die Sonne brütet auch ihre Eier aus. Unsere Eidechsen (Zauneidechse, Bergeidechse, Smaragdeidechse) werden ungefähr 25 Zentimeter lang. Wenn sie ein Feind, vielleicht ein Vogel oder eine Katze, am Schwanz packt, dann bricht der Schwanz ab, und die Eidechse kann entwischen. Der Schwanz wächst dann später wieder nach.

Einstein Der berühmte deutsche Physiker Albert Einstein hat mit seiner Relativitätstheorie die wissenschaftlichen Vorstellungen von der Welt und von der Zeit völlig verändert. Er war jüdischer Herkunft, wurde 1879 geboren und 1933 aus Deutschland vertrieben. 1955 starb er in den USA. Einstein war eines der größten ⇨ Genies der Geschichte, obwohl er ein ziemlich schlechter Schüler war.

Einwanderer Bürger, die aus einem fremden Staat in ein anderes Land, zum Beispiel ⇨ Amerika, kommen, dort leben, arbeiten und auch bleiben wollen, sind Einwanderer. Die Bevölkerung von Amerika und ⇨ Australien besteht zum größten Teil aus den Nachkommen von Einwanderern, die von Europa in diese Länder ausgewandert sind.

Eis Wenn Wasser kälter wird als null Grad Celsius (das ist der Gefrierpunkt des Wassers), verwandelt es sich in Eis, es gefriert. Eis hat andere Eigenschaften als Wasser. Es ist in sich starr. Es hat eine viel größere Ausdehnung als Wasser und kann deshalb Gefäße oder Rohre sprengen. Auch ist Eis leichter als Wasser. Deshalb schwimmen → Eisberge auf dem Wasser.

Eisberg Die Polargebiete sind von gewaltigen Eismassen und Gletschern bedeckt. An den Rändern brechen immer wieder Stücke ab. Man sagt, der Gletscher „kalbt". Die „Kälber" sind die Eisberge. Sie treiben davon und können dabei weit in den Süden gelangen. Eisberge ragen nur mit der Spitze aus dem Wasser. Deshalb sind sie für Schiffe so gefährlich. Auf den Weltmeeren gibt es einen ständigen Eisberg-Warndienst.

Eisenbahn Die „eiserne Bahn", auf der die Eisenbahn fährt, sind die Schienen. Die Wagen der Eisenbahn heißen „Waggons", die Zugmaschine ist die Lokomotive. Der erste Zug der Welt dampfte 1825 in England zwischen den Städtchen Stockton und Darlington hin und her und brauchte für die 16 Kilometer eine ganze Stunde. Zehn Jahre später fuhr die erste deutsche Eisenbahn zwischen

Nürnberg und Fürth. Europa und Nordamerika wurden in den folgenden Jahrzehnten mit einem Netz von Eisenbahnlinien überzogen. Auf die Dampfloks folgten die Dieselloks. Heute sind die meisten Bahnlinien elektrifiziert; die Elektroloks entnehmen den Oberleitungen Strom. Eisenbahnen sind, nach Fahrrädern, die umweltfreundlichsten Verkehrsmittel.

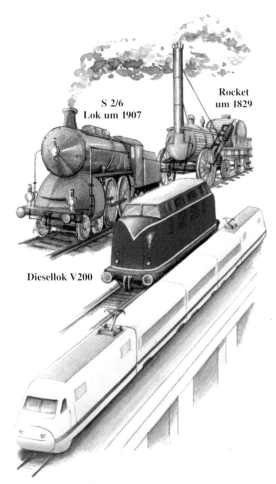

S 2/6
Lok um 1907

Rocket
um 1829

Diesellok V200

Moderner ICE

Eiszeit Das Klima auf unserer Erde verändert sich immer wieder. Die kalten Zeiträume heißen „Eiszeiten". In diesen Kälteperioden waren große Teile Mitteleuropas von Gletschern bedeckt. Die letzte Eiszeit endete vor etwa 10.000 Jahren. Die gewaltigen Gletscher schoben ganze Täler aus und gruben die Becken heutiger Seen in den Boden.

Eiweiß Ein wichtiger Grundstoff allen Lebens ist das Eiweiß oder Protein. Es dient vor allem dem Aufbau der Zellen. Mit dem Essen nehmen wir Eiweiß zu uns. Gesunde pflanzliche Eiweißquellen sind Bohnen, Erbsen und Linsen. Tierisches Eiweiß ist in Fleisch und Kuhmilch enthalten und natürlich in Hühnereiern. Daher kommt auch der Name.

Elch Elche werden so groß wie Kühe und sind die größten Hirsche der Welt. Elchmännchen tragen ein schweres, schaufelartiges Geweih. Sie leben im Norden Europas, Asiens und Amerikas. Mit den Elchen sind die viel kleineren Rentiere verwandt.

Elefant Die größten und stärksten Landtiere der Erde sind die Elefanten. Weil sie darüber hinaus auch klug und geschickt sind, helfen sie in vielen asiatischen Ländern den Menschen bei der Arbeit. Abgerichtete Arbeitselefanten können mit den Stoßzähnen und dem Rüssel ganze Baumstämme heben. Die indischen Elefanten sind kleiner als die afrikanischen und haben kleinere Ohren und Stoßzähne. Wilde Elefanten stehen unter Naturschutz. Trotzdem werden sie von Wilderern abgeschlachtet, die dann die Stoßzähne absägen und den Kadaver liegen lassen. Aus dem Elfenbein der Stoßzähne werden Schnitzereien (zum Beispiel Schachfiguren) und die Tasten von Klavieren hergestellt. Deshalb sind Elefanten in manchen Gebieten vom Aussterben bedroht. Elefanten leben in Familien und können so alt wie Menschen werden. Mit ihrem oft zwei Meter langen Rüssel trinken sie, holen sich Grünzeug heran und streicheln ihre Gefährten. Wenn ein Elefant krank ist, dann stützen ihn die Mitglieder seiner Herde und füttern ihn. Wenn er stirbt, bleiben sie traurig bei ihm stehen. Nach einem Tag bedecken sie den Kadaver mit Zweigen und ziehen weiter. Als intelligente, feinfühlige Tiere leiden Elefanten ganz besonders, wenn sie in Gefangenschaft geraten und ihr Leben in der Enge von Zirkussen und Tiergärten fristen müssen.

Afrikanischer Elefant

Indischer Elefant

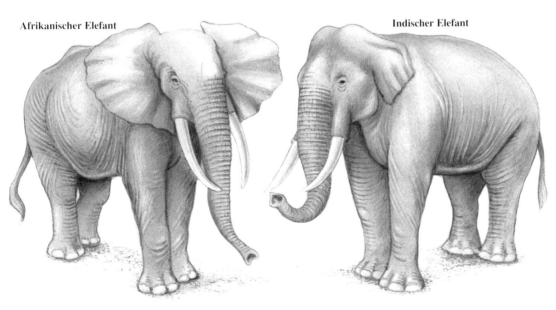

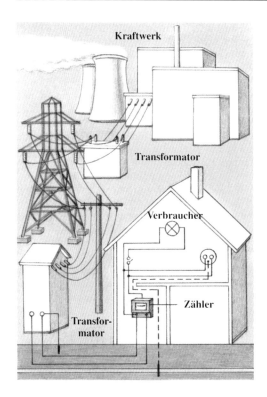

Kraftwerk

Transformator

Verbraucher

Zähler

Transformator

Elektrizität Elektrischer Strom treibt Züge und Mixer an, beleuchtet Straßen und Wohnzimmer, lässt Sender Programme ausstrahlen und Fernsehgeräte diese Programme empfangen. Elektrischen Strom können wir nicht sehen; wir sehen nur seine Wirkungen. Manchmal spüren wir ihn auch. Wenn wir einen elektrischen Schlag bekommen (wenn wir nicht aufpassen und auf ein schadhaftes Kabel greifen, das Strom führt), dann tut das weh und ist gefährlich. Strom fließt, wenn sich unsichtbar kleine Teilchen der Materie (die Elektronen) in einem Kabel oder einem anderen elektrischen Leiter bewegen. Diese Bewegung (die Elektrizität) wird in einem Kraftwerk erzeugt und in Stromleitungen über Land geführt. Von den Hochspannungsleitungen zweigen kleinere Stromkreise ab, die den Strom in die Haushalte und Fabriken leiten.

Die elektrische Energie, die im Kraftwerk erzeugt wird, zapfen unsere Elektrogeräte wieder ab und verwandeln sie in Licht, Wärme, Bewegung oder ↪ Schall. In allen elektrischen Geräten vom ↪ Computer bis zur Waschmaschine leistet der Strom Arbeit. Die Leistung eines Gerätes messen wir in ↪ Watt. Eine Glühbirne kann zwischen 25 und 100 Watt haben, ein Staubsauger 1.000 Watt. Er verbraucht dann zehnmal so viel Energie wie eine 100-Watt-Glühbirne.

Die „Spannung" wird in Volt gemessen; sie sagt uns, wie groß die treibende Kraft hinter dem Stromfluss ist. Kleine ↪ Batterien haben mit drei Volt eine geringe Spannung. Wir können auf die Pole der Batterie greifen und spüren nichts. Strom im Haushalt aber hat eine Spannung von 220 Volt und kann tödliche Schläge austeilen. Strom, der das Kraftwerk verlässt, hat Hochspannung von vielen tausend Volt. Er würde jeden Menschen sofort töten, der mit ihm in Berührung kommt. In Transformatoren wird die Spannung für den Gebrauch verändert.

Elektrizität gibt es auch in der Natur. Winzig schwache Ströme fließen zum Beispiel im menschlichen Körper, vor allem durch die Nervenbahnen und im Gehirn. Gewaltige elektrische Kräfte hingegen toben sich aus, wenn sich Elektrizität am Himmel als ↪ Blitz entlädt.

Elektronik Winzige elektronische Bauteile schalten und steuern den Fluss von elektrischem Strom. Auf ↪ Chips oder Mikrochips von der Größe eines Daumennagels sind hunderttausende winzig kleine Stromkreise aufgedruckt. Sie können komplizierte Anweisungen (Programme) ausführen und aufzeichnen.

Fast alle modernen Geräte sind elektronisch gesteuert.

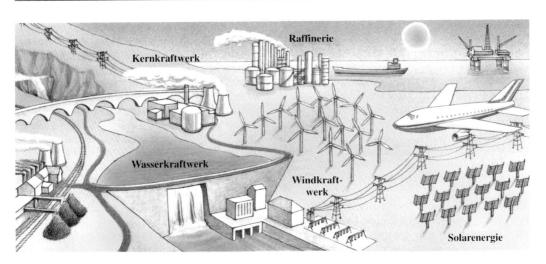

Kernkraftwerk — Raffinerie — Wasserkraftwerk — Windkraftwerk — Solarenergie

Element In der Chemie sind Elemente die Grundstoffe der Natur, die nur aus einer Sorte von Atomen bestehen. Sie lassen sich auf chemischem Weg nicht weiter zerlegen. Es gibt über hundert solcher Elemente, zum Beispiel Stickstoff, Eisen, Kupfer, Phosphor, Schwefel und so weiter. Wasser ist kein chemisches Element, da es aus den Elementen Wasserstoff und Sauerstoff besteht. Trotzdem sprechen wir vom „nassen Element" Wasser. Das kommt daher, dass man früher glaubte, die Erde sei aus den vier Elementen Wasser, Erde, Feuer und Luft zusammengesetzt.

Emanzipation Das Wort „Emanzipation" bedeutet „Befreiung". Früher meinte man damit zum Beispiel die Befreiung von ↝ Sklaven. In unseren Ländern meint Emanzipation meist die Gleichstellung der Frau gegenüber dem Mann. Zum Beispiel haben Frauen das Wahlrecht erst viel später erhalten als Männer, weil die Männer sie für ungeeignet hielten, politische Entscheidungen zu treffen. Heute fühlen sich viele Frauen schon emanzipiert, also gleichberechtigt. Doch immer noch gibt es zehnmal mehr Politiker als Politikerinnen, und immer noch werden Frauen bei uns in manchen Firmen für die gleiche Arbeit schlechter bezahlt als Männer.

Embryo Der Embryo ist die Leibesfrucht im Bauch einer Frau oder eines weiblichen Säugetiers. Aus dem menschlichen Embryo wird ein Mensch.

Energie Für jede Arbeit ist Kraft erforderlich; diese Kraft nennt man „Energie". Wir brauchen Energie, um unsere Schularbeiten gut hinzubekommen. Aber manchmal fehlt uns dazu auch alle Energie. Auch in der Physik versteht man unter Energie gespeicherte Arbeitskraft. Es gibt elektrische Energie, Wärmeenergie, chemische Energie oder Bewegungsenergie. Alle diese Energieformen können ineinander umgewandelt werden. Die chemische Energie der Kohle liefert Wärmeenergie, die im Kraftwerk in elektrische Energie verwandelt wird. Und die elektrische Energie kann wieder in Wärme verwandelt werden. Doch bei jeder Umwandlung geht Energie verloren.

Ente Enten sind Schwimmvögel und haben zwischen den Zehen eine Schwimmhaut. Mit einer Drüse am Schwanz erzeugen sie ein Fett, mit dem sie ihr Gefieder einschmieren und wasserdicht machen. Frei lebende Enten fressen am liebsten Wasserpflanzen.

Entwicklungshilfe ⟿ Dritte Welt

Epidemie Wenn sich viele Menschen gegenseitig mit einer Krankheit anstecken, bricht eine Epidemie aus. In der Geschichte gab es furchtbare Pest- und Choleraepidemien. Aber auch bei der europäischen Grippeepidemie von 1918 starben hunderttausende von Menschen.

Epoche Ein langer Zeitabschnitt ist eine Epoche oder ein Zeitalter. Das Zeitalter der Technik ist die Epoche, in der wir jetzt leben.

Erdbeben Die harte Erdkruste, auf der wir leben, ist im Durchschnitt 25 bis 40 Kilometer dick. Darunter besteht unsere Erde aus glühenden flüssigen Gesteinen, die ständig in Bewegung sind. Die Erdkruste besteht aus riesigen Bruchstücken, die sich ständig langsam und unaufhaltsam aufeinander zuschieben und anderswo auseinander treiben. Dabei entstehen ungeheure Spannungen; wenn sich diese tief im Inneren der Erde lösen, bebt die Erde oft im Umkreis von mehreren tausenden von Kilometern.

Weil die Erde ununterbrochen in Bewegung ist, gibt es ständig Erdbeben. Doch nur ein kleiner Teil der Erdstöße kann von Menschen wahrgenommen werden. Schwere Erdbeben haben jedoch katastrophale Folgen. Häuser stürzen ein, Menschen werden verschüttet, Gasleitungen bersten und Brände wüten. Die heftigsten Erdbeben gibt es in Ländern wie Japan, China, Kalifornien und überall dort, wo die großen Erdschollen aufeinander treffen. Deutschland ist ziemlich erdbebensicher. Das stärkste Erdbeben der Geschichte kostete 1977 in China über einer halben Million Menschen das Leben.

Erde Unsere Erde ist ein Himmelskörper, der eine Sonne umkreist, also ein Planet. Eine Umkreisung dauert ein Jahr. Zusätzlich dreht sich die Erde dabei ständig um die eigene Achse, einmal in 24 Stunden. Wir erleben das als Tag und Nacht. Die Erdachse – die Linie zwischen Nordpol und Südpol – steht aber nicht senkrecht zur Sonne, sondern etwas schräg. Ein halbes Jahr lang neigt sich der Nordpol etwas der Sonne zu, das nächste halbe Jahr der Südpol. In unserem Sommerhalb-

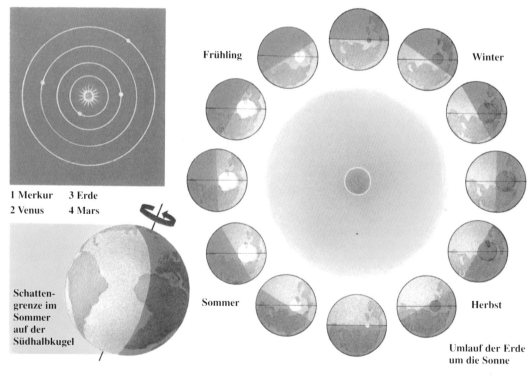

Frühling

Winter

1 Merkur 3 Erde
2 Venus 4 Mars

**Schatten-
grenze im
Sommer
auf der
Südhalbkugel**

Sommer

Herbst

**Umlauf der Erde
um die Sonne**

Erde

Schalenaufbau der Erde

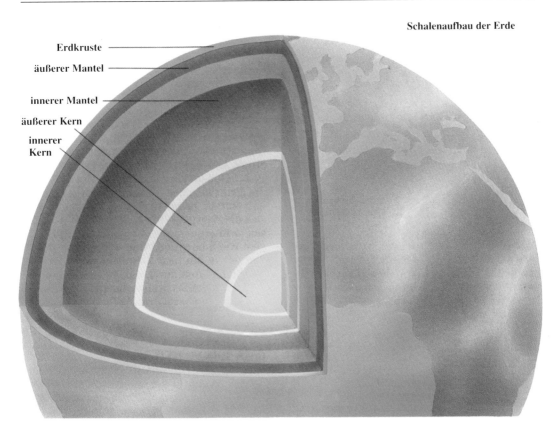

Erdkruste
äußerer Mantel
innerer Mantel
äußerer Kern
innerer Kern

jahr bekommen wir auf der nördlichen Hälfte der Erdkugel deshalb mehr Sonnenschein ab. Es ist bei uns wärmer, während auf der Südhälfte (Südamerika, Südafrika, Australien) dann Winter herrscht. Im Nordsommer geht die Sonne im hohen Norden nie ganz unter; im Winter geht sie dort nie ganz auf.

Die Erde ist an den Polen etwas abgeplattet, also nicht kugelrund. Ihr Umfang, gemessen am Äquator, beträgt etwa 40.000 Kilometer. Der Abstand zwischen Südpol und Nordpol misst 12.500 Kilometer. Als Erdbewohner rasen wir mit 100.000 Stundenkilometern um die Sonne. Davon spüren wir ebenso wenig wie von der Geschwindigkeit, mit der sich die Erde um die eigene Achse dreht: 1.600 Stundenkilometer. Ohne die Erdanziehungskraft würde uns die Fliehkraft von der Erde wegschleudern wie von einem rasenden Karussell, bei dem die Kette reißt.

Unsere Erde ist etwa 5.000 Millionen (fünf Milliarden) Jahre alt und hat sich aus wirbelnden Gas-

massen zu einem glühenden Gesteinsklumpen zusammengebacken. Außen kühlte sie zur festen Kruste ab, auf der wir leben.

Im festen Kern ist die Erde unvorstellbar heiß. Zwischen dem Kern und der Kruste liegt der zähflüssige Erdmantel aus glühendem Gestein. Die Kontinente schwimmen auf dieser zähflüssigen Masse und treiben pro Jahr um ein paar Zentimeter auseinander. Vor ungefähr 200 Millionen Jahren lagen noch alle Erdteile dicht beisammen. Wo die Kontinentalplatten aufeinander stoßen oder auseinander reißen, erschüttern Beben die Erde, und Vulkane können ausbrechen.

Unsere Erde ist eigentlich ein „Wasserplanet". Zwei Drittel der Oberfläche sind von Meeren bedeckt. Wenn man einen Globus so dreht, dass man direkt auf die Südseeinseln blickt, dann sieht man fast nur blaue Ozeane. Die großen Landmassen sind auf der Nordhalbkugel mit Asien, Europa, Nordafrika und Nordamerika versammelt.

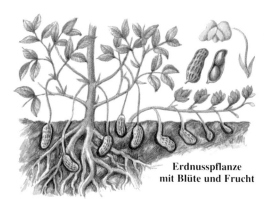

**Erdnusspflanze
mit Blüte und Frucht**

Erdnuss   Erdnüsse wachsen in warmen Ländern auf niedrigen Sträuchern. Sie sind eigentlich keine Nüsse, sondern Hülsenfrüchte wie unsere Bohnen, Erbsen und Linsen. Die Hülsen bohren sich in die Erde, wo sie reifen.

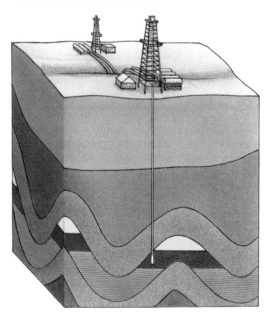

Erdöl   Viele Millionen Jahre lang sanken die abgestorbenen Pflanzen und Tiere der Urmeere auf den Boden. Ihre Überreste wurden zugeschüttet, Gesteinsmassen schoben sich darüber, und im Lauf der Zeit verwandelte sich das organische Material unter Hitze und Druck in Erdöl. Erdöl-Lagerstätten an Land und unter dem Meer zapft man mit Bohrern an, die von Bohrtürmen aus in die Erde getrieben werden. Das Erdöl ist nach dem Wasser der wichtigste Rohstoff. Aus ihm wird in ↝ Raffinerien Benzin und Dieselöl gewonnen. Auch viele andere Stoffe bestehen aus Erdöl: Gummireifen und Plastik, Kunstfasern und Asphalt, Farben und Medikamente.

Unsere moderne Welt ist vom Erdöl so abhängig wie ein Rauschgiftsüchtiger von Drogen. Ohne Erdöl gäbe es keinen Verkehr, keinen Strom, keinen Kunststoff. Heute verbraucht die Welt in einem einzigen Jahr so viel Erdöl, wie die Erde in einer Million Jahren geschaffen hat. Immer mehr Menschen sehen ein, dass sich die Energiepolitik ändern muss. Wir müssen ↝ Energie sparen und unbegrenzte Energien wie Sonne und Wind nutzen. Sonst werden wir in ein paar Jahrzehnten die Vorräte geplündert und durch das Verbrennen dieses kostbaren Stoffes in Motoren und Kraftwerken die Luft vergiftet haben.

Erdteil   ↝ Kontinent

erste Hilfe   erste Hilfe leistet man einer Person, die sich verletzt hat oder plötzlich schwer krank geworden ist. Diese Notmaßnahmen sollen dem Opfer bis zur Ankunft eines Arztes helfen. In Erste-Hilfe-Kursen lernt man, was in solchen Notfällen zu tun ist: wie man einen Verletzten richtig lagert und wie man mit Mund-zu-Mund-Beatmung jemanden wieder belebt, der etwa beim Baden ohnmächtig geworden und untergegangen ist.

Eskimo   Im hohen Norden Amerikas und Asiens und in Grönland leben die Eskimovölker. Sie sind mit den Mongolen verwandt. „Eskimo" heißt auf Indianisch „Rohfleischesser". Sie selbst nennen sich „Inuit", das bedeutet „Menschen". Seit Jahrtausenden lebten Eskimos, hervorragend angepasst an die arktischen Bedingungen, hauptsächlich von der Jagd auf Robben und Rentiere und vom Fischfang. Ihre Boote, die ↝ Kajaks, bestehen aus Knochen und Tierhäuten, ihre Werkzeuge, Schlitten, Speere und ↝ Harpunen aus Gräten, Tierknochen und Tierzähnen. Aus Schnee können sie feste und warme Behausungen, die ↝ Iglus, bauen. Heute wohnen die allermeisten Eskimos wie wir in Häusern, arbeiten als Mechaniker oder in der Verwaltung. Ihre Kinder gehen zur Schule, und es gibt Fernsehen in ihrer eigenen Sprache.

Europa

EUROPA
B. = Bosnien-Herzegowina
K. = Kroatien
L. = Luxemburg
S. = Slowenien
M. = Makedonien
A. = Albanien
R. = zu Russland

Europa Obwohl Europa mit zehn Millionen Quadratkilometern nur ein Viertel der Fläche von Asien einnimmt, leben hier 700 Millionen Menschen. Unser Kontinent ist damit dichter besiedelt als jeder andere. Europa hat das Gesicht und die Geschichte der modernen Welt geprägt. Hier fasste das Christentum als die beherrschende Weltreligion Fuß, und hier entstand die kommunistische Lehre. Europäer waren es, die glaubten, der Mensch könne sich die Erde untertan machen, und Europäer entwickelten Naturwissenschaft und Technik. Europäer eroberten fremde Kontinente, ermordeten ganze Völker und zerstörten ihre Kulturen. Die beiden Weltkriege sind von Europa ausgegangen. Europa entwickelte aber auch den Gedanken der Menschenrechte und des demokratischen Staatswesens.

Zwischen Norwegen im Norden und Griechenland im Süden, zwischen Irland im Westen und Russland im Osten Europas leben 70 verschiedene Volksgruppen mit eigener Sprache. Heute, nach dem Zusammenbruch des Kommunismus und des kriegerischen Nationalismus, könnte aus einem vereinten Europa ein Beispiel für das friedliche Zusammenleben vieler verschiedener Völker werden. Das wäre ein weltgeschichtliches Ereignis.

Urmensch

Säugetiere

ERDNEUZEIT

Saurier

ERDMITTELALTER

Reptilien

Fische

wirbellose Tiere

ERDALTERTUM

Evolution   Alle Lebewesen haben sich ständig verändert und verändern sich weiter. Diesen Prozess nennt man „Evolution" – Entwicklung. Er begann vor etwa drei Milliarden Jahren in den Meeren der damaligen Erde. Komplizierte Bausteine unbelebter Materie schlossen sich in der so genannten „Ursuppe" zu Eiweiß-Einheiten zusammen, die sich selbst reproduzieren (vervielfältigen) konnten. Die Kopien waren jedoch nicht immer mit ihren „Eltern" identisch. Veränderungen in den Lebewesen, die sich als tauglich für das Weiterleben erwiesen, blieben erhalten und ließen so „Neuentwicklungen" zu. Die ersten Lebewesen waren einzellige Bakterien und Algen. Nach und nach erschienen immer kompliziertere Lebensfor-

men, starben wieder aus oder entwickelten sich weiter.

Die Evolution schreitet viel zu langsam voran, als dass wir sie an einzelnen Tieren oder Pflanzen beobachten könnten. Aber durch Fossilienfunde wissen wir, dass sich die Entwicklung des Lebens Schritt für Schritt abgespielt haben muss. Auch die „Vorfahren" von uns Menschen sind einst als winzige Einzeller in der Ursuppe herumgeschwommen. Vor 400 Millionen Jahren krochen unsere Ahnen als ⁓ Amphibien an Land, verwandelten sich in ⁓ Säugetiere und entwickelten sich vor etwa vier bis sechs Millionen Jahren zu affenartigen Lebewesen mit besonders großem Gehirn. Der heutige Mensch ist die jüngste Säugetierart. Es gibt ihn erst seit 150.000 Jahren.

Wir Menschen stammen also von Vorfahren ab, die auch die Ahnen anderer Lebewesen waren. Wir sind also mit allen anderen lebendigen Geschöpfen verwandt: mit den Menschenaffen sehr nahe, mit anderen Tieren, wie den Schnecken oder Käfern, sehr entfernt. Viele Menschen glauben, dass der Sinn der ganzen Evolution darin bestanden hat, uns Menschen hervorzubringen.

ex   Das lateinische Wort „ex" heißt „aus". Ein Exweltmeister ist ein ehemaliger Weltmeister. Ein anderer ist an seine Stelle getreten.

Experiment   Wenn ein Wissenschaftler eine Theorie aufgestellt hat, dann will er sie praktisch beweisen. Er macht ein Experiment, einen planmäßig durchgeführten Versuch. Wenn das Experiment misslingt, dann waren seine Überlegungen falsch. Wenn es immer wieder gelingt, dann ist an der Theorie vermutlich etwas dran.

Explosion   Manche Stoffe (Sprengstoffe oder Gase wie Wasserstoff) verbrennen „auf einen Schlag". Sie explodieren. Dabei entsteht eine Druckwelle, die von Menschen als „Werkzeug", zum Antrieb von Maschinen und als Waffe eingesetzt wird.

Export   Wer als Kaufmann Waren ins Ausland verkauft, der exportiert. Das Gegenteil von Export heißt ⁓ Import. Ein Importeur kauft im Ausland Waren ein und verkauft sie im Inland.

Fabrik   Mithilfe von Maschinen werden in Fabriken Güter in großen Mengen hergestellt. Je höher die Stückzahl ist, das heißt, je mehr Exemplare von ein und demselben Kleid oder Stuhl oder Schuh fabriziert werden, desto billiger ist das Produkt. Das ist der Unterschied zur Werkstätte, wo der Handwerker jedes Stück auf Bestellung einzeln anfertigt.

In Fabriken ist die Arbeit auf verschiedene Abteilungen verteilt, die jeweils auf einen Arbeitsgang spezialisiert sind. Viele Fließbandarbeiten können heute schon von Industrierobotern (Automaten) übernommen werden.

Fahndung   Wenn die Polizei nach einer Person mit unbekanntem Aufenthalt sucht, dann leitet sie eine Fahndung ein.

Fahrerflucht   Wer in einen Verkehrsunfall verwickelt und selbst unverletzt geblieben ist, muss an Ort und Stelle bleiben. Er muss warten, bis die Polizei kommt und den Hergang des Unfalls klärt. Das gilt für Schuldige und Unschuldige, für Autofahrer ebenso wie für Fußgänger und Radfahrer. Wer davonfährt oder davonläuft, begeht Fahrerflucht und kann bestraft werden.

Fährte   Jedes Tier, das über einen weichen Untergrund läuft, kriecht oder schleicht, hinterlässt Abdrücke. Im Schnee sind diese Abdrücke besonders gut zu sehen. Fachleute erkennen daran nicht nur, um welches Tier es sich handelt, sondern auch, wie schnell das Tier unterwegs war. In der Förster-Fachsprache nennt man die Tritte von Rehen, Hirschen und Wildschweinen Fährten, die von anderen Tieren Spuren.

Fakir   Echte Fakire haben in lebenslangen Übungen gelernt, körperliche Empfindungen (Schmerzen) auszuschalten. Sie können auch ihren Herzschlag oder ihre Körpertemperatur willentlich verändern. In ihrer Heimat Indien nennen sich jedoch auch viele Jahrmarktgaukler und Schwindler Fakire.

Fallschirm   Fallschirme haben einen hohen Luftwiderstand und bremsen ihre Last beim Fall ab. Fallschirmspringer landen daher verhältnismäßig weich auf der Erde. Beim Absprung aus dem Flugzeug öffnet sich der Schirm entweder von selbst, oder der Springer zieht die Reißleine. Mit Fallschirmen kann man auch Hilfsgüter in unwegsamen Gebieten abwerfen.

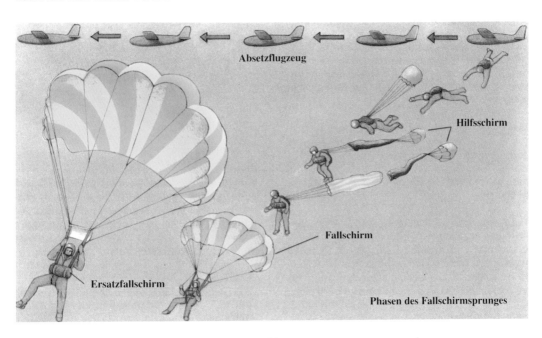

Absetzflugzeug

Hilfsschirm

Fallschirm

Ersatzfallschirm

Phasen des Fallschirmsprunges

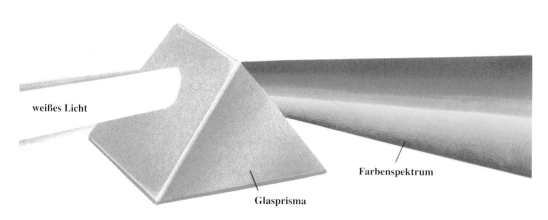

weißes Licht

Farbenspektrum

Glasprisma

Farbe Normales Licht ist für uns Menschen weiß. Erst wenn es in seine Bestandteile, nämlich in das Licht verschiedener Wellenlängen, aufgespalten ist, nehmen wir Farben wahr. Regentropfen oder ein Prisma zerlegen das weiße Licht in sein Farbenspektrum, das von Violett über Blau, Grün, Gelb, Orange bis zur Farbe Rot reicht.
Der Himmel erscheint uns deshalb blau und das Gras deshalb grün, weil der Himmel nur Licht dieser Wellenlänge durchlässt und Gras nur den grünen Anteil des Lichtes zurückwirft. Alles andere wird verschluckt. Gegenstände, die alles Licht zurückwerfen, erscheinen weiß. Je schwärzer eine Oberfläche erscheint, desto weniger Licht reflektiert sie.

Farbenblindheit Für farbenblinde Menschen ist die Welt nicht so bunt wie für andere. Sie sehen zwar scharf, können aber manche Farben nur schlecht oder überhaupt nicht mehr erkennen.

Fasching Fasching, Fastnacht oder Karneval, das ist die ausgelassene, fröhliche Zeit vor dem Beginn der Fastenzeit am Aschermittwoch. Viele Leute verkleiden sich dann, und man feiert Maskenbälle oder veranstaltet bunte Umzüge.

Fata Morgana Weit entfernte Städte oder ⇀ Oasen erscheinen Wanderern in der ⇀ Wüste manchmal zum Greifen nah. Dieses Trugbild wird durch verschieden heiße Luftschichten erzeugt, in denen sich Lichtstrahlen spiegeln. Was in Wirklichkeit weit hinter dem Horizont liegt, spiegelt sich am Himmel und rückt scheinbar nahe heran.

Faultier Bei Faultieren weiß man tatsächlich nicht, ob sie schlafen oder in den Ästen unterwegs sind, so langsam geht alles bei ihnen. Sie hängen ein Leben lang an ihren langen Krallen in den Bäumen tropischer Regenwälder und lassen sich die Früchte und Blätter förmlich ins Maul wachsen. Durch ihre langsamen Bewegungen entgehen sie der Aufmerksamkeit von Raubtieren. Faultiere sind ⇀ Säugetiere und werden etwa so groß wie ein Schäferhund.

Feder Kein anderes natürliches oder künstliches Material ist gleichzeitig so leicht und stabil wie Vogelfedern. Sie dienen als Kälteschutz und bei Wasservögeln als Schutz vor Feuchtigkeit. Die eng ineinander verhakten Schwungfedern bilden Flügel. Früher fertigte man aus Schwungfedern von Gänsen tatsächlich Schreibfedern. Daher kommt das Wort „Füllfeder". Technische Federn bestehen meistens aus Stahl. Sie „federn" beim Nachlassen von Druck oder Zug wieder in die ursprüngliche Form zurück.

Fernrohr

Fernsehen

Linsenteleskop

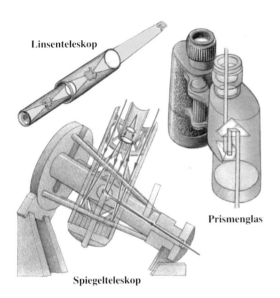

Prismenglas

Spiegelteleskop

Fernrohr Ein Fernrohr kann das Bild weit entfernter Gegenstände so vergrößern, dass wir die Dinge ganz nahe vor uns sehen. Dafür verengt sich der Blickwinkel. Das heißt, wir sehen nur einen Ausschnitt dessen, was wir mit freiem Auge erblicken. Fernrohre oder Teleskope, mit denen Astronomen in Sternwarten den Himmel beobachten, gibt es seit etwa 400 Jahren.

Fernsehen Die drei wichtigsten Stationen, die ein Fernsehbild durchläuft, sind Kamera, Fernsehsender und Fernsehempfänger. Die Fernsehkamera, zum Beispiel bei einem Fußballmatch, ist auf das Spielfeld gerichtet und hat ein bestimmtes Bild vor sich. Die Kamera tastet das Bild Punkt für Punkt und Zeile für Zeile nach Helligkeitswerten ab. Damit zerlegt sie dieses Einzelbild in eine halbe Million Bildpunkte, und sie macht das 25-

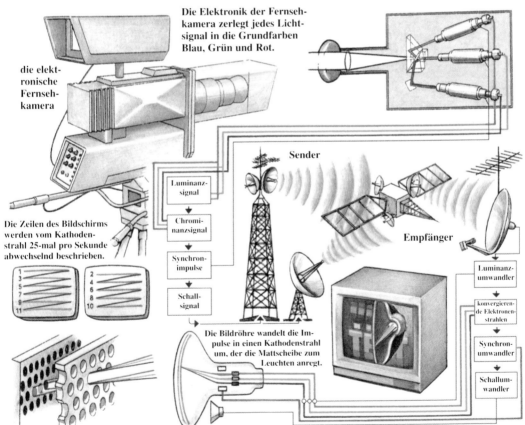

Die Elektronik der Fernsehkamera zerlegt jedes Lichtsignal in die Grundfarben Blau, Grün und Rot.

die elektronische Fernsehkamera

Die Zeilen des Bildschirms werden vom Kathodenstrahl 25-mal pro Sekunde abwechselnd beschrieben.

Sender

Empfänger

Luminanz-signal

Chromi-nanzsignal

Synchron-impulse

Schall-signal

Luminanz-umwandler

konvergieren-de Elektronen-strahlen

Synchron-umwandler

Schallum-wandler

Die Bildröhre wandelt die Impulse in einen Kathodenstrahl um, der die Mattscheibe zum Leuchten anregt.

Damit die Farbe stimmt, trifft der Kathodenstrahl durch die Lichtscheibe immer auf eine Gruppe von drei Bildpunkten („Pixels"), die in den Farben Blau, Grün und Rot aufleuchten, immer entsprechend dem ursprünglichen Farbton.

75

drahtlose Kamera

Bild- und Tonleitungen

Ü-WAGEN

MAZ

Generatorwagen

Ziel

mal pro Sekunde. Diese Bildserie wird über Kabel als eine unglaublich dichte Folge von Stromstößen (elektrische Signale) oder mit Funksignalen an den Sender übertragen. Der Sender übersetzt diese Signale in Radiowellen und strahlt sie ins Land. Der Fernsehempfänger empfängt die Wellen mit der ⁓ Antenne. Die ankommenden Signale steuern in der Bildröhre des Fernsehers Elektronenstrahlen, die von hinten über den Bildschirm flitzen. Sie lassen Punkt für Punkt und Zeile für Zeile aufleuchten, was die Kamera hunderte Kilometer weiter weg gesehen hat, und sie tut das wiederum 25-mal in der Sekunde. Auge und Gehirn setzen all das zu bewegten Bildern zusammen. Und wir sehen das Tor in genau derselben Sekunde, in der es fällt!

Beim Farbfernsehen muss jedes Bild überdies in drei Bilder zerlegt werden, die jeweils die Grundfarben Rot, Grün und Blau berücksichtigen. Im Farbfernseher werden die Bilder punktgenau so zusammengesetzt, dass im Gesamtbild wieder die vielen Tönungen der richtigen Farben erscheinen.

Bei Live-Übertragungen wird das Geschehen gleichzeitig aufgenommen, ausgestrahlt und empfangen. Die meisten Sendungen bestehen jedoch aus Aufzeichnungen. Diese Aufnahmen werden zunächst zu Filmen zusammengefügt und erst später ausgestrahlt.

Beim Kabelfernsehen werden die Sendungen als elektronische Signale durch ein Kabel geschickt. Beim Satellitenfernsehen strahlen eigene Fernsehsatelliten die Programme zur Erde. Man kann sie nur mit speziellen Antennen empfangen.

Feuer Bei einem Feuer macht der Brennstoff eine chemische Veränderung durch. Er verbindet sich mit dem ⁓ Sauerstoff der Luft. Dabei entstehen Hitze und Licht. Man kann Feuer ersticken, indem man die Luftzufuhr (Sauerstoffzufuhr) unterbindet. Um ein Feuer zu entfachen, muss eine bestimmte Temperatur herrschen. Sie ist von Material zu Material verschieden. Diese nötige Zündtemperatur erreichen wir zum Beispiel, indem wir ein Streichholz schnell an der Streichholzschachtel entlangziehen. Das Streichholz hat sich durch die Reibungshitze beim Anreißen entzündet. Die Frühmenschen entfachten Feuer, indem sie Hölzer so lange aneinander rieben, bis die Zündtemperatur, zum Beispiel für trockenes Gras, erreicht war.

Feuerwehr Fieber

Feuerwehr   Die Brandbekämpfung ist die Hauptaufgabe der Feuerwehr. Große Städte haben eine Berufsfeuerwehr. Sie ist Tag und Nacht einsatzbereit. Bei Alarm weiß jeder Feuerwehrmann, was zu tun ist. Jeder Handgriff ist tausendmal geübt, denn bei Bränden kommt es auf jede Sekunde an. Bei größeren Einsätzen rücken sofort drei Wagen aus: ein Löschgruppen-Fahrzeug mit Mannschaften, Motorpumpe und Schlauch, ein Tanklöschfahrzeug mit Wassertank sowie ein Wagen mit großer Drehleiter.

Am Brandort in Städten kommt das Löschwasser aus den Hydranten, den Wasserzapfstellen. Von ausgefahrenen Leitern aus spritzen die Feuerwehrleute Wasser in den Brandherd und verhindern, dass der Brand auf Nachbarhäuser übergreift. Andere Einheiten dringen mit Schutzkleidung und Schutzmasken in das Haus ein, um Menschen zu retten. Wer vom Feuer eingeschlossen ist, kann sich oft nur noch durch einen Sprung aus dem Fenster in das Sprungtuch retten, das unten aufgespannt wurde.

Für Brände in elektrischen Anlagen, Flughäfen oder chemischen Fabriken ist die Feuerwehr mit speziellen Löschmitteln und Geräten ausgerüstet. In Häfen gibt es Feuerlöschboote. Auf dem Land findet man freiwillige Feuerwehren. Bei Alarm tönt die Sirene über Land und ruft die Feuerwehrmänner von überall her zusammen.

Moderne Feuerwehren rücken nicht nur aus, wenn es irgendwo brennt. Sie helfen auch bei schweren Unfällen, zum Beispiel, wenn Autos aufgeschnitten werden müssen, um verletzte Insassen zu retten. Sie pumpen bei Überschwemmungen Wasser aus Kellern, und sie evakuieren gefährdete Personen. Bei schweren Stürmen macht die Feuerwehr Straßen und Schienen wieder passierbar. Auch wenn sich Nachbars Katze im Baum verklettert hat und jämmerlich schreit, rückt die Feuerwehr mit ihren Leitern an und rettet sie.

Fieber   Bei Fieber erhöht sich die Körpertemperatur eines Menschen über die normalen 37 Grad Celsius. Mit Fieber will der Körper eingedrungene Krankheitserreger vertreiben, es begleitet daher viele Infektionskrankheiten, wie zum Beispiel Grippe. Fieber selbst ist erst ab 40 Grad Celsius gefährlich.

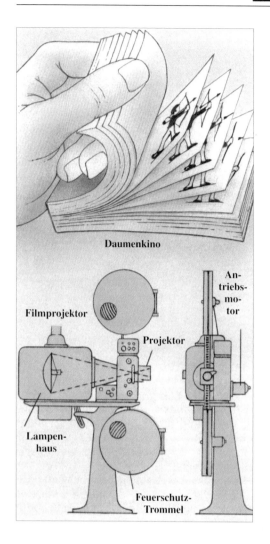

Daumenkino

Filmprojektor

Antriebsmotor

Projektor

Lampenhaus

Feuerschutz-Trommel

Film Das menschliche Sehorgan ist „träge". Wenn eine schnelle Bildfolge an unserem Auge vorbeizieht, nehmen wir nicht jedes einzelne Bild wahr. Die Bilder verschmelzen zu einem Ganzen. Ein Film ist so eine Folge von Bildern auf einem Filmstreifen. Er wird aufgenommen, indem die Kamera eine Szene mit 24 Bildern pro Sekunde speichert, also in 24 Einzelszenen „zerhackt". Jedes Einzelbild unterscheidet sich vom nächsten nur durch Kleinigkeiten. Wenn der Film später mit 24 Bildern pro Sekunde abläuft, dann sehen wir das als Bewegung. Für einen Zeichentrickfilm müssen pro Filmsekunde 24 zusammenpassende Einzelbilder gezeichnet werden.

Finanzamt ⇨ Steuern

Fingerabdruck Jeder Mensch hat seinen unverwechselbaren Fingerabdruck. Und was immer man anfasst, die Linienmuster auf den Fingerkuppen hinterlassen einen Abdruck. Dieser Abdruck kann mit feinem Staub sichtbar gemacht werden. Deshalb sind Fingerabdrücke für die Polizei wichtige Hinweise bei der Suche nach Tätern.

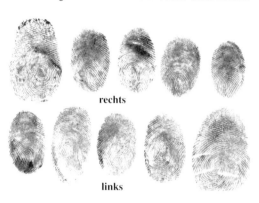

rechts

links

Fische Fische brauchen, wie andere Tiere auch, ⇨ Sauerstoff zum Leben. Auch sie müssen also atmen. Allerdings nehmen sie das Gas Sauerstoff nicht (wie wir) aus der Luft durch die Lungen auf, sondern mithilfe von Kiemen aus dem Wasser. Das Blut in den feinen Äderchen unter der Kiemenspalte nimmt das im Wasser gelöste Gas auf. Deshalb sind die Kiemendeckel ständig in Bewegung: Sie fächeln dem Fisch frisches, sauerstoffreiches Wasser zu und schaffen verbrauchtes, „ausgeatmetes" Wasser weg. An Land ersticken Fische, so wie wir im Wasser ersticken. Alle Fische, außer Haie, haben eine luftgefüllte Blase, die Fischblase, im Körper. Sie regelt die Lage des Tieres im Wasser und den Auftrieb. Nur Haie müssen ständig schwimmen, um nicht auf den Grund zu sinken. Das „Seitenlinienorgan" ist eine Reihe empfindlicher Stellen an den Seiten, mit denen Fische Wasserdruck und feinste Strömungen wahrnehmen. Fische sind wechselwarm; man sagt dazu auch Kaltblüter. Das heißt, sie sind immer so warm wie das Wasser um sie herum. Es gibt etwa 20.000 verschiedene Fischarten. Die meisten legen Eier (Laich). Manche, zum Beispiel Haie, bringen lebende Junge zur Welt.

Süßwasserfische

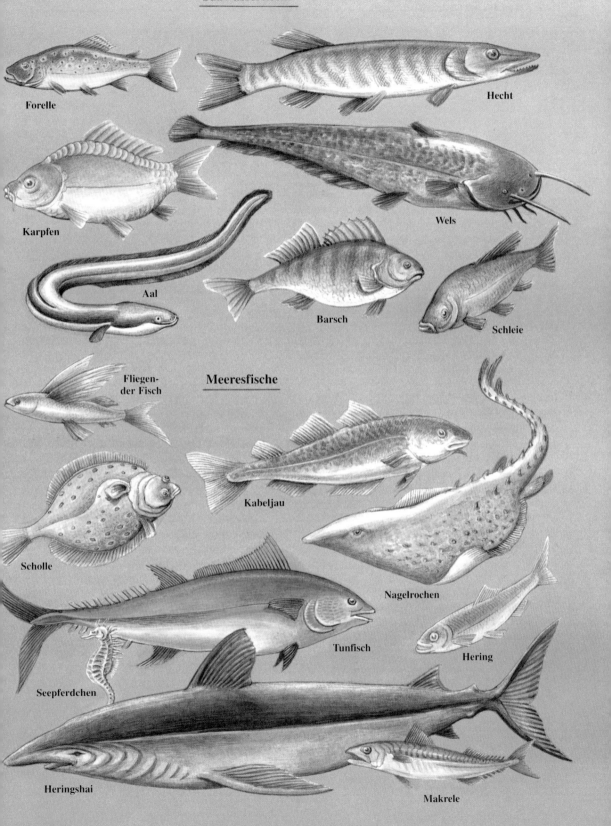

Forelle

Hecht

Karpfen

Wels

Aal

Barsch

Schleie

Meeresfische

Fliegen-
der Fisch

Kabeljau

Scholle

Nagelrochen

Tunfisch

Hering

Seepferdchen

Heringshai

Makrele

Fledermaus Fledermäuse sind flugfähige ⇀ Säugetiere mit Flughäuten zwischen Vorderbeinen, Fingern und Körper. Sie sind fast blind und orientieren sich in der Dunkelheit – sie sind überwiegend nachts aktiv – durch ein Echolot-System. Sie stoßen Schreie aus, die so hoch sind, dass wir Menschen sie nicht hören können. Fledermäuse nehmen im Fliegen das ⇀ Echo dieser Schreie wahr und weichen damit Hindernissen aus. Auf diese Weise orten sie auch Insekten, ihre Hauptnahrung. Nur größere tropische Fledermäuse fressen auch Früchte oder saugen Blut.

Fließband Wer am Fließband arbeitet, an dem läuft ein Band vorbei, ähnlich einer flachen Rolltreppe, das ihm seine Arbeit bringt, weiterbefördert, ein neues Stück bringt und so weiter. Jeder Arbeiter und jede Arbeiterin am Fließband macht den ganzen Tag dieselben Handgriffe, zum Beispiel Schrauben zudrehen oder etwas zusammenstecken oder beschädigte Teile aussortieren. Am Ende aller Fließbänder einer Fabrik steht das fertige Auto, Spielzeug oder Radiogerät. Fließbandarbeit ist sehr anstrengend, wird aber trotzdem schlecht bezahlt.

Floh Früher waren Menschenflöhe weit verbreitet. Heute ist dieses drei Millimeter kleine, flügellose, sprunggewaltige (fast ein halber Meter Sprungweite!) Insekt in unseren Ländern zum Glück selten geworden. Wie Hundeflöhe bei Hunden, so saugt der Menschenfloh bei Menschen Blut und überträgt Krankheiten.

Flotte Eine Gruppe von ⇀ Schiffen, aber auch alle Schiffe eines Landes, nennt man „Flotte". Eine Luftflotte besteht aus den ⇀ Flugzeugen einer Luftfahrtgesellschaft, zum Beispiel der Swissair (Schweiz), der Austrian Airlines (Österreich) oder der Lufthansa (Deutschland).

Flüchtling Wer seine Heimat wegen Krieg oder Verfolgung oder wegen Naturkatastrophen und Hungersnöten verlassen muss, ist ein Flüchtling. Im Zweiten Weltkrieg und danach wurden Millionen von Menschen wegen ihrer Volkszugehörigkeit vertrieben. Juden und Andersdenkende flüchteten aus Deutschland. Nach dem Krieg wurden zum Beispiel aus Schlesien Deutsche vertrieben. Heute sind vor allem in der ⇀ Dritten Welt etwa zehn Millionen Menschen vor Hunger und Unterdrückung auf der Flucht, ohne dass sie Asyl in einem Gastland finden können.

Flugzeug Flugzeuge sind schwerer als Luft und können nur deshalb fliegen, weil sie der Auftrieb an den Flügeln hochhebt. Die Flügel sind nämlich so angestellt, dass sich unter den Tragflächen die Luft staut und die Flügel nach oben drückt; an der Oberseite entsteht ein Sog, weil die vorbeiströmende Luft oben (durch die Wölbung) einen längeren Weg hat als unten. Beide Kräfte zusammen halten das Flugzeug in der Luft.
Je kleiner die Flügel im Verhältnis zum Gewicht sind, desto schneller muss das Flugzeug fliegen, um in der Luft zu bleiben. Desto schneller kann es aber auch fliegen, weil durch die kleinen Flügel der Luftwiderstand geringer ist. Düsenjäger haben nur noch Stummelflügel. Sie fliegen die dreifache Schallgeschwindigkeit (3.600 Stundenkilometer). Passagierflugzeuge mit Düsenantrieb (Jets wie etwa der Airbus) erreichen fast Schallgeschwindig-

Flugzeug

keit. Motorsegler haben im Vergleich zu ihrem geringen Eigengewicht riesige Flügel. Sie werden von einem schwachen Motor langsam in den Himmel gezogen.

Reine Segelflugzeuge bestehen fast nur aus Tragflächen und Kabine. Sie haben keinen Motor. Seilwinden oder andere Flugzeuge schleppen sie an. Einmal hoch oben, können sie ohne eigenen Krafteinsatz stundenlang dahinschweben, indem sie die Luftströmungen am Himmel ausnutzen.

Hubschrauber sind Flugzeuge mit riesigen Propellern (Rotor). Der Auftrieb kommt nicht durch die Fluggeschwindigkeit zu Stande, sondern durch diesen Rotor. Er entsteht, wenn sich der Rotor schnell genug dreht. Die Rotorflügel wirken also ebenfalls als Tragflächen, die den Auftrieb durch äußerst schnelle Drehung erzeugen. Hubschrauber können daher in der Luft „stehen", senkrecht starten und landen, weshalb sie für den Einsatz in schwierigem Gelände besonders gut geeignet sind.

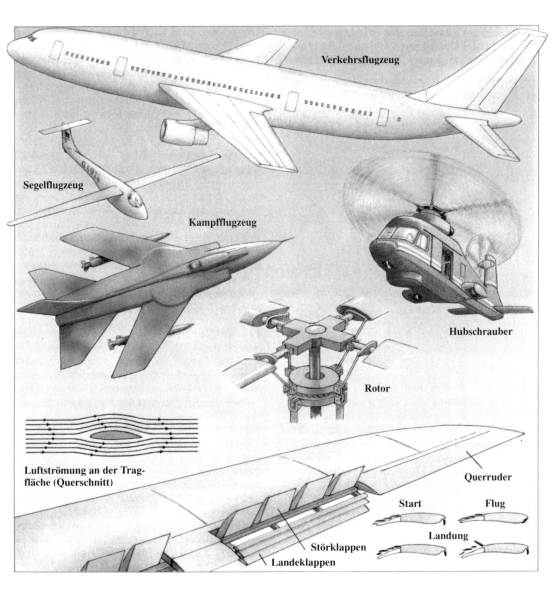

Verkehrsflugzeug

Segelflugzeug

Kampfflugzeug

Hubschrauber

Rotor

Luftströmung an der Tragfläche (Querschnitt)

Querruder

Start   Flug

Landung

Störklappen

Landeklappen

Fossilien Fossilien (wörtlich „Verknöcherungen") sind die Reste aus der Frühzeit der Erde. Manchmal können auch die Abdrücke (zum Beispiel Fußspuren) von Tieren versteinern.

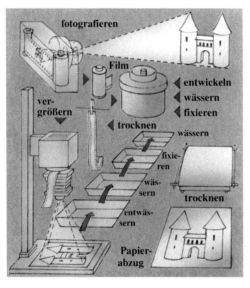

fotografieren

Film

entwickeln

wässern

fixieren

vergrößern

trocknen

wässern

fixieren

wässern

trocknen

entwässern

Papierabzug

Fotografie Fotografie, auch Photographie, ist ein griechisches Wort und heißt „zeichnen mit Licht". So verschieden und kompliziert moderne Fotoapparate auch sein mögen, das Prinzip des Fotografierens ist seit seiner Erfindung bis heute gleich geblieben. In einen Kasten fällt durch eine Linse Licht und wirft ein Bild auf die lichtempfindliche Schicht eines Spezialpapiers. Dieses Fotopapier (der Film) reagiert auf die Bestrahlung mit Licht und Farben und hält damit das Bild fest. Der Film wird dann chemisch behandelt (entwickelt), und das Bild wird zunächst als „Negativ" sichtbar. Helle Stellen (wo Licht auf die empfindliche Schicht gefallen ist) sind darauf dunkel und umgekehrt. Vom Negativ lassen sich beliebig viele Positiv-Abzüge machen.

Viele moderne Kameras haben ⇨ Computer eingebaut, die die Entfernung zum Objekt und die Helligkeit messen und alle Einstellungen automatisch vornehmen. Polaroidkameras liefern kurz nach der Aufnahme sogar das fertig entwickelte Bild (Positiv).

Frosch Frösche fühlen sich kalt und glitschig an, weil ihre Haut von Drüsen feucht gehalten wird. Frösche sind wechselwarme Tiere und leben in Gewässernähe. Dort legen sie ihre Eier, den Laich, ab. Daraus schlüpfen zuerst Kaulquappen, die Kiemen wie Fische haben und unter Wasser leben. Nach und nach entwickeln sie sich zu lungenatmenden „richtigen" Fröschen. Frösche sind Insektenfresser und können meterweit springen. Bei uns leben zum Beispiel der grüne Laubfrosch, der braune Grasfrosch und der Wasserfrosch.

Frucht Früchte sind Behälter für die Samen von Pflanzen. Sie sorgen auf viele Arten dafür, dass die Samen möglichst weit weg von der Mutterpflanze keimen. Essbare Früchte (zum Beispiel Beeren) umhüllen den unverdaulichen Samen. Die Früchte werden von Vögeln und anderen Tieren verspeist und anderswo ausgeschieden. Andere Früchte wie die Samen von Löwenzahn oder Distel lassen sich, an winzigen „Fallschirmen" hängend, vom Wind verbreiten. Kokosnüsse können lange Zeit im Meer treiben, um an fernen Küsten schließlich auszutreiben. Kletten bleiben im Fell von Tieren hängen und gehen so auf die Reise. Bei essbaren Früchten gibt es vier Arten: Steinobst (Kirschen, Aprikosen, Pflaumen und so weiter), Kernobst (Äpfel, Birnen), Hülsenfrüchte (Bohnen, Erbsen) und Beeren.

Fuchs Füchse sind ⇨ Raubtiere, die mit unseren Haushunden verwandt sind. Sie leben allein an Waldrändern und Hecken und jagen Mäuse, Hasen, Hühner und Insekten. Außerdem sind sie Aasfresser, die den Wald von Kadavern frei halten. Weil aber Füchse ⇨ Tollwut übertragen, werden sie erbarmungslos gejagt. Ein Fuchsbau hat immer mehrere Ausgänge. Der europäische Fuchs hat einen rötlichen Pelz. Im Norden lebt der weiße Polarfuchs, in der Wüste der Wüstenfuchs mit riesigen Ohren.

Polarfuchs

Rotfuchs

Wüstenfuchs

Fundament Ein Fundament ist eine sichere Grundlage. Bevor ein Haus aufgemauert wird, müssen zuerst die Betonfundamente gegossen werden.
Ein Fundamentalist ist ein Mensch, der mit sich über Politik oder Religion nicht reden lässt. Er ist nämlich überzeugt, dass seine Meinung auf absolut sicheren Fundamenten steht: zum Beispiel auf dem Wort Gottes, wie es in der Bibel oder im Koran steht.

Funk Funkgeräte sind eine Art drahtloses Telefon. Anstatt über Kabel werden die Funksignale als elektromagnetische Wellen ausgestrahlt und auf der anderen Seite mit einer ⇨ Antenne empfangen. Diese Radiowellen sind eine Form elektrischer Energie. Sie können den Weltraum, die Luft und sogar feste Körper durchdringen. Flugzeuge stehen mit den Bodenstationen in ständiger Funkverbindung. „Funkfeuer" sind Sender, mit deren Hilfe sich Flugzeuge oder Schiffe orientieren können. Ein Funktelefon (zum Beispiel ein Autotele-

fon) schickt Funksignale aus, die von der nächsten Empfangsstation aufgefangen und in das normale Telefonnetz eingespeist werden. Umgekehrt empfängt es hereinkommende Gespräche ebenfalls über Funk.
Beim Rundfunk oder Radio werden Töne in Funkwellen übersetzt und rundum ausgestrahlt. Rundfunkempfänger (das Radiogerät) übersetzen die Radiowellen wieder in Töne zurück.

Furt Eine seichte Stelle, an der man einen Fluss gefahrlos durchwaten kann, nennt man „Furt". An Furten entstanden frühe Siedlungen. Manche Städte haben das „Furt" noch im Namen: zum Beispiel Frankfurt oder Erfurt.

Fußball Die allerersten Fußballer gab es schon vor 2.000 Jahren in China und Südamerika. Damals waren die Spiele ein Teil von religiösen Feierlichkeiten. Doch die modernen Fußballregeln wurden erst vor etwa 150 Jahren in England aufgestellt. Es geht darum, einen Ball mit den Füßen an den gegnerischen Spielern vorbei in ein Tor zu befördern. Es gibt allerdings auch amerikanische, britische und irische Versionen, bei denen der Ball auch in die Hand genommen und der Gegenspieler niedergerannt werden darf – nach unseren gewohnten Fußballregeln sind das grobe Fouls.

Strafraum

Mittellinie

Seitenlinie

Elfmeterpunkt

Torraum

Galaxie   ⇒ Milchstraße

Galeere   Eine Galeere war ein Ruderkriegsschiff (oder oft auch Transportschiff), das meist mit Gefangenen oder ⇒ Sklaven besetzt wurde. Manchmal waren 200 Ruderer an die Bänke gekettet. Diese Schiffe benutzte man bis ins 18. Jahrhundert im Mittelmeerraum.

Garantie   Wer eine Garantie abgibt, der gewährleistet etwas. Auf ein neues Fahrrad zum Beispiel gibt es Garantie. Der Hersteller verpflichtet sich zum Schadenersatz, wenn die Ware innerhalb einer bestimmten Zeit (der Garantiezeit) trotz ordentlichen Umgangs kaputtgeht. Die Ware muss kostenlos repariert oder ersetzt werden.

Gangster   Eine „Gang" ist eine Bande von Verbrechern; ihre Mitglieder sind Gangster. Diese Wörter kommen aus der englischen Sprache.

Gans   Gänse sind große Schwimmvögel, die mit den Enten verwandt sind. Bei uns ist die Graugans verbreitet, von der auch unsere Hausgans abstammt. Jemanden als „dumme Gans" zu bezeichnen tut den Tieren Unrecht, denn Gänse sind besonders wachsam. Der berühmte Verhaltensforscher Konrad Lorenz hat einen großen Teil seines Lebens damit verbracht, ihre interessante Lebensweise zu studieren.

Gärung   Lebensmittel, die zuckerhaltig sind, darf man nicht zu lange offen stehen lassen, sonst fangen sie an zu gären. Winzige Hefepilze wandeln den Zucker in Alkohol um. Bei Weintrauben wird die Gärung in speziellen Verfahren zur Herstellung von Wein ausgenutzt.

Gas   Jeder Stoff der Natur kann in drei Grundformen (Aggregatzuständen) vorkommen: als fester Stoff, als Flüssigkeit oder als Gas. Wasser zum Beispiel ist bei Temperaturen unter null Grad Eis und damit fest; von null bis 100 Grad ist Wasser flüssig, und bei höheren Temperaturen ist es gasförmig, es verdampft. Auch Gase, wie etwa den Stickstoff in der Luft, kann man verflüssigen oder verfestigen. Man muss sie nur tief genug abkühlen.

Gase nehmen mehr Raum ein als Flüssigkeiten oder feste Stoffe. Ein Liter Wasser ergibt als Gas fast 2.000 Liter Wasserdampf.

Genau wie andere Stoffe haben auch Gase die verschiedensten Eigenschaften. Manche, wie ⇒ Wasserstoff, sind brennbar. Andere, wie ⇒ Stickstoff, ersticken Flammen. Kohlenmonoxid ist giftig, ⇒ Sauerstoff hingegen ist lebenswichtig für fast alle Lebewesen, die auf der Erde leben. Helium ist viel leichter als Luft und trägt Ballons in die Lüfte.

Singschwan

Weißwangengans

Graugans

Zwerggans

Gastarbeiter   Gehirn

Gastarbeiter   Die westeuropäischen Industrieländer, wie Deutschland, Österreich und die Schweiz, haben viele Menschen aus südeuropäischen Ländern angeworben, hier bei uns für eine bestimmte Zeit zu arbeiten. In Deutschland zum Beispiel wurden in den Sechzigerjahren viele Arbeitskräfte benötigt, während in den Heimatländern der Gastarbeiter Arbeitslosigkeit herrschte. Viele dieser Arbeiter haben hier eine neue Heimat gefunden und auch ihre Familien mitgebracht. Vor allem ihre Kinder wollen oft nicht mehr gerne in das Land ihrer Vorfahren, nach Spanien oder in die Türkei, zurückkehren. Sie fühlen sich bei uns zu Hause. Andere Gastarbeiter kommen mit unserer Sprache und unseren Sitten nicht zurecht und bleiben lieber unter sich. In Deutschland gibt es ungefähr fünf Millionen Gastarbeiter.

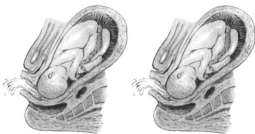

Die Fruchtblase platzt   **Der Gebärmutterhals erweitert sich**

Der Kopf tritt hervor   **Entbindung**

Geburt   Nach neun Monaten Wachstum im Bauch der Mutter ist es so weit, das Baby kommt zur Welt. Die Mutter bekommt starke Schmerzen, denn ihre Gebärmutter zieht sich zusammen. Diese Wehen stoßen das Neugeborene durch den Geburtskanal (die Scheide) aus dem Körper der Mutter. Eine Hebamme oder ein Geburtshelfer hilft der Mutter und dem Kind bei dieser sehr anstrengenden Arbeit. Das Baby kann jetzt selber atmen. In der Gebärmutter war es durch die Nabelschnur an den Kreislauf der Mutter angeschlossen.

Gefängnis   Im Gefängnis leben Menschen, die von einem Gericht zu Freiheitsstrafen verurteilt worden sind. Sie haben gegen die ⇨ Gesetze verstoßen. Zur Strafe dürfen sie sich eine bestimmte Zeit lang nicht frei bewegen. Modernere Gefängnisse oder Haftanstalten bemühen sich, die Strafgefangenen auf die Zeit nach der Verbüßung der Haft vorzubereiten. Sie können zum Beispiel einen Beruf erlernen, der ihnen später weiterhilft.

Gehirn   Das Gehirn ist der zentrale Teil des Nervensystems. Es ist beim Erwachsenen etwa ein Kilogramm schwer und sieht wie eine große, graue Walnuss aus. Das Gehirn ist im Kopf in einer Flüssigkeit gelagert und besteht aus zwei Teilen. Für das Denken ist das so genannte Großhirn zuständig. Alles, was wir bewusst tun, denken oder fühlen, hat hier sein Zentrum. Das Bild, das wir uns von uns selbst machen, unsere Ideen und Sprache, Sehen und Hören, unsere ganze Persönlichkeit bildet sich hier. Bei Hirnverletzungen kann sich die Persönlichkeit eines Menschen sehr verändern.
Das Kleinhirn hingegen steuert alle körperlichen Abläufe, die ohne unser Zutun ablaufen: also den Herzschlag, aber auch Angst oder Wut oder Müdigkeit – Gefühle, die uns „überkommen", ob wir es wollen oder nicht.
Das Rückenmark, das im Rückgrat eingebettet liegt, ist eine Art Verlängerung des Gehirns. Von ihm aus verzweigen sich die Nervenstränge über den ganzen Körper. ⇨ Nerven und Hirn zusammen bilden das Nervensystem.

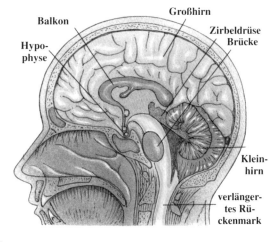

Großhirn
Balkon
Zirbeldrüse
Brücke
Hypophyse
Kleinhirn
verlängertes Rückenmark

Geier Geier sind Greifvögel, die zumeist in großen Höhen kreisen und nach kranken Tieren oder Kadavern Ausschau halten. Sie fressen fast nur Aas.

Geigerzähler Radioaktive Stoffe senden unsichtbare Strahlung aus. Mit dem Geigerzähler kann man die radioaktive Strahlung messen. Das Gerät zeigt ihre Stärke durch starkes oder schwaches Ticken an. Der Name kommt von dem deutschen Physiker Hans Geiger.

Geisel Gefangene in den Händen von Verbrechern und Terroristen sind Geiseln. Die Gewalttäter drohen meist damit, die Geiseln zu töten, wenn ihre Forderungen nicht erfüllt werden.

Geld Geld ist ein Mittel, den Handel (das Kaufen und Verkaufen von Waren) zu vereinfachen. Früher wurde Ware gegen Ware getauscht: zum Beispiel ein Getreidesack gegen ein Pfund Salz oder Essen, Kleidung und Schlafstätte gegen die Arbeit am Hof. Diese Tauschwirtschaft war umständlich. Sie verhinderte, dass sich jemand auf bestimmte Arbeiten als Handwerker spezialisieren konnte. In der Geldwirtschaft wurden Waren und Arbeitsleistungen zunächst durch ein Stück edles Metall ersetzt, das einen bestimmten Wert hatte. Mit ihm konnte man leichter eintauschen, was man wollte. Und man konnte diese Münzen auch sparen oder verleihen. Gold verdirbt nicht, Getreide schon.
Heutiges Geld erhält seinen Wert nicht durch das Gold und Silber, das in den Münzen steckt, sondern dadurch, dass der Staat seinen Wert garantiert. Seit 400 Jahren gibt es bei uns Papiergeld. Es wird auf eine sehr komplizierte Weise gedruckt, um Fälschern das Handwerk zu erschweren.

Gelenk Gelenke sind die beweglichen Verbindungen zwischen den Knochen unseres Körpers. Gelenkbänder halten die Knochen zusammen; der Knorpel, ein sehr zähes und zugleich elastisches Körpergewebe, sorgt dafür, dass Stöße gedämpft werden. Damit es im Gelenk nicht reibt und knirscht, geben bestimmte Zellen im Gelenkbereich eine Art Schmierflüssigkeit ab. Auch bei beweglichen Verbindungen von Maschinenteilen spricht man von Gelenken.

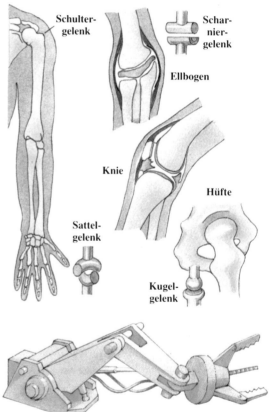

Gemeinde Die ⇨ Bürger einer Gemeinde wählen ihre Vertreter in den Gemeinderat. Hier werden unter dem Vorsitz des Bürgermeisters die Entscheidungen über Angelegenheiten der Gemeinde getroffen, zum Beispiel über Straßen und Schulen, Müllabfuhr und Wasserversorgung, Krankenversorgung und Sportanlagen. Die Gemeinde kann eine Großstadt sein, aber auch ein Dorf oder eine Gruppe von Dörfern.

Gemüse Zum Gemüse zählen fast alle essbaren Pflanzen außer Obst, Getreide und Nüssen. Man unterscheidet Hülsenfrüchte (wo die Pflanzensamen in Hülsen stecken) wie Erbsen, Kichererbsen, Linsen und Bohnen; Wurzel- und Knollengemüse wie Kartoffeln, Möhren und Zwiebeln; Blattgemüse wie Salat und Spinat; Fruchtgemüse wie Zucchini, Paprika oder Tomaten. Gemüse enthält alle lebenswichtigen Vitamine und zählt neben Getreide zu den wichtigsten Nahrungsmitteln. Wer gesund leben will, sollte viel Gemüse essen.

Generation Menschen, die ungefähr gleich alt sind, gehören derselben Generation an. In Familien spricht man von den Generationen der Kinder, Eltern und Großeltern.

Generator Ein Generator verwandelt mechanische Energie (zum Beispiel Wasserkraft, Windkraft oder die Kraft des in Kraftwerken erzeugten heißen Dampfes) in elektrische Energie um. Auch der Fahrraddynamo ist ein kleiner Stromgenerator.

Genie Menschen mit einer ungewöhnlichen Begabung auf einem oder mehreren Gebieten nennt man „Genies". Es gibt geniale Künstler, Techniker, Politiker oder Wissenschaftler.

Genossenschaft In einer Genossenschaft schließen sich Menschen zusammen, um gemeinsam etwas zu erwirtschaften, was jeder Einzelne, auf sich gestellt, nicht zu Stande brächte. Wohnungsgenossenschaften bauen für ihre Mitglieder günstige Wohnungen, und in den bäuerlichen Genossenschaften kaufen die Bauern zu niedrigeren Preisen ein, was sie zum Betrieb brauchen; oder sie kaufen Maschinen, die sie gemeinsam benutzen.

Geo Das griechische Wort für ⇀ Erde. Geografie ist Erdkunde (eigentlich: Beschreibung der Erde). Geologie ist die Wissenschaft, die sich mit dem Aufbau und der Geschichte der Erde beschäftigt. In der Geometrie wurde früher die Erde vermessen; heute ist sie ein Teil der Mathematik, der mit der Berechnung von Flächen und Körpern zu tun hat.

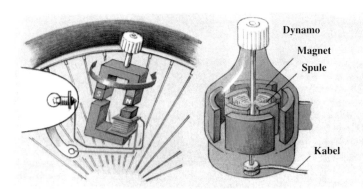

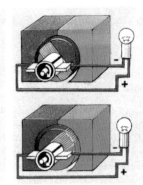

Dynamo

Magnet

Spule

Kabel

Gericht Wer im Verdacht steht, dass er gegen ein ⇨ Gesetz verstoßen hat, wird vor Gericht gestellt. Richter müssen in Strafprozessen darüber urteilen, ob die Angeklagten tatsächlich schuldig sind oder nicht. Der Staatsanwalt bringt vor, was gegen den Angeklagten spricht. Die Verteidigung bemüht sich um einen für den Angeklagten günstigen Ausgang des Prozesses und kümmert sich darum, dass alles, was für ihn spricht, im Urteil berücksichtigt wird. Am Ende eines Prozesses steht entweder ein Freispruch oder die Verurteilung. Bei der Verhandlung schwerer Verbrechen, wie etwa Mord, wirken neben den Berufsrichtern auch Laienrichter (Schöffen) mit.

In Zivilprozessen geht es um private oder geschäftliche Streitigkeiten, zum Beispiel um ungerechte Mieterhöhungen oder um nicht zurückgezahlte Schulden. Auch hier treffen Gerichte Entscheidungen.

Germanen Zur Zeit des römischen Weltreichs, vor 2.000 Jahren, lebten im Norden Europas die Völkergruppen der Germanen. Die vielen germanischen Völker bestanden aus Stämmen und diese wiederum aus Sippen, also Großfamilien. Einer der Sippenältesten war der Gaufürst und damit zugleich Richter bei Streitigkeiten. Der höchste germanische Gott war Wotan.

Die Germanen waren geschickte Handwerker, Ackerbauern und Viehzüchter. Von den Römern wurden sie als unzivilisiert, wild, groß, rothaarig und blauäugig beschrieben. Zum Schutz gegen die germanischen Krieger bauten die Römer an Donau und Rhein Schutzwälle, den Limes.

Im zweiten Jahrhundert unserer Zeit begannen die Germanenvölker auf der Suche nach geeigneten Siedlungsgebieten mit ihren Wanderungen durch ganz Europa. Angeln und Sachsen ließen sich in England nieder, Kimbern und Teutonen zogen nach Oberitalien, Vandalen nach Nordafrika, Goten nach Russland, Franken nach Frankreich und Belgien. In Deutschland siedelten Sueben (Schwaben), Alemannen und andere germanische Völker. Aus den alten germanischen Sprachen, als Gruppe der indogermanischen Sprache, entstanden die modernen Sprachen Deutsch, Englisch, Niederländisch und skandinavische Sprachen, die alle miteinander verwandt sind.

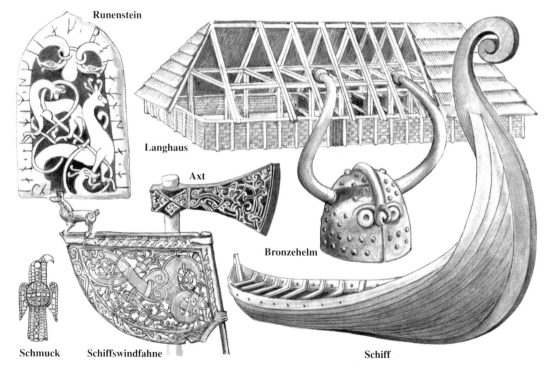

Runenstein

Langhaus

Axt

Bronzehelm

Schmuck   Schiffswindfahne

Schiff

Geschlechtsorgane Beinahe alle Lebewesen haben entweder weibliche oder männliche Merkmale und gehören damit dem weiblichen oder männlichen Geschlecht an: Frau und Mann bei Menschen, Weibchen und Männchen bei Tieren, weibliche und männliche Blüten bei Pflanzen.
Die Geschlechtsorgane (Gebärmutter, Eileiter, Eierstöcke) der Frauen liegen zum größten Teil im Inneren des Körpers. Hier können befruchtete Eizellen neun Monate lang reifen und schließlich zu einem Baby heranwachsen. Außen liegen bei Frauen nur die Schamlippen und der Kitzler (Klitoris). Das sind die äußeren Teile der Scheide (Vagina), die als Schlauch nach innen führt. Männer haben außen ein Glied (Penis) und zwei Hoden in einem Hodensack (Scrotum), in denen sich die Samenzellen bilden.

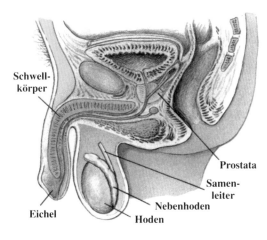

Schwell-
körper

Prostata

Samen-
leiter

Eichel

Nebenhoden

Hoden

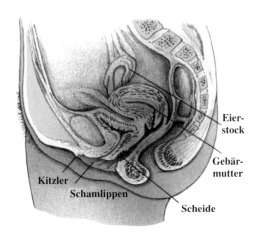

Eier-
stock

Gebär-
mutter

Kitzler

Schamlippen

Scheide

Geschwindigkeit Man gibt die Geschwindigkeit an, indem man misst, wie lange ein Körper dafür braucht, eine bestimmte Strecke zurückzulegen. Wenn zum Beispiel ein Auto 100 Stundenkilometer (km/h) fährt, dann braucht es eine Stunde, um 100 Kilometer zurückzulegen. Die höchste Geschwindigkeit, die es in unserem Universum überhaupt geben kann, ist die Lichtgeschwindigkeit von fast 300.000 Kilometern pro Sekunde.

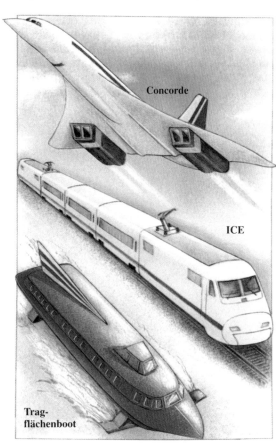

Concorde

ICE

Trag-
flächenboot

Gesetz Gesetze sind die Regeln, die von den Bürgern eines Staates eingehalten werden müssen. Diese Regeln sollen Schwächere vor Stärkeren schützen und möglichst allen Menschen faire Chancen im Leben geben. In einer Demokratie werden Gesetze vom Parlament, also von den Volksvertretern, erlassen. Alle Gesetze müssen die Menschenrechte respektieren. Wer gegen Gesetze verstößt, wird vor ➩ Gericht gestellt und bestraft.

A B C D E F G H I J K L M N O P Q R S T U V W X Y Z

Getreide   Alle Gräser, deren Samen wir essen können, bezeichnen wir als Getreide. Die verschiedenen Getreidesorten wurden von unseren Vorfahren in vielen tausend Jahren aus wilden Gräsern gezüchtet. Mit dem Getreide entstanden die ersten sesshaften bäuerlichen Kulturen und damit die Zivilisation.

Getreide ist das wichtigste Nahrungsmittel überhaupt. Es enthält ziemlich alles, was wir zum Leben brauchen. In Asien essen die Menschen vor allem Reis, in Afrika Hirse und in Südamerika Mais. Diese Getreidesorten werden gekocht. In Europa wird Getreide (Weizen, Hafer, Roggen, Gerste, Dinkel) hauptsächlich zu Mehl vermahlen und als Brot gegessen. Für das Müsli schroten wir Getreide oder quetschen es zu Flocken. Dadurch können wir es besser verdauen.

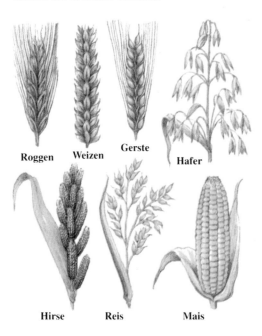

Roggen   Weizen   Gerste   Hafer

Hirse   Reis   Mais

Getriebe   Das Getriebe eines ⇀ Autos sorgt dafür, dass die Kraft des Motors möglichst günstig eingesetzt wird. Auf steilen Bergfahrten zieht der Motor das Auto langsam, aber kräftig hoch. Der Fahrer hat den ersten Gang eingelegt. Auf der Autobahn kann bei derselben Motorleistung (Drehzahl) schneller gefahren werden, weil ein höherer Gang eingelegt ist. Auch Fahrräder mit Gangschaltung haben eine Art Getriebe.

Gewerkschaft   Wenn sich Arbeiter und Angestellte (Arbeitnehmer) zu einer Gewerkschaft zusammenschließen, können sie ihre Forderungen viel besser durchsetzen. Gewerkschaften kämpfen für gerechten Lohn und gute Arbeitsbedingungen. Meistens bringen die Verhandlungen mit den Arbeitgebern (den Besitzern der Firmen oder Betriebe) ein für beide Seiten annehmbares Ergebnis. Andernfalls können Gewerkschaften zum Streik aufrufen. Die ersten deutschen Gewerkschaften gab es im Jahr 1860. Zuvor hatten die Arbeiter kaum Rechte. Sie mussten doppelt so lange arbeiten wie heute und waren den Fabrikbesitzern ausgeliefert. Wer protestierte oder krank wurde, konnte einfach entlassen werden.

rote Pfeile: Warmluft; blaue Pfeile: Kaltluft

Gewitter   Bei einem Gewitter stoßen kalte und warme, feuchte und trockene Luftmassen aufeinander und bauen Wolkengebirge auf. In den Wolken entsteht elektrische Spannung, die sich in Blitzen entlädt. Blitze erzeugen beim Aufzucken luftleere Räume, in die die Luft donnernd zurückstürzt. Wir hören den Donner erst später, weil Schall viel langsamer (330 Meter pro Sekunde) unterwegs ist als Licht. Je länger der Zeitraum zwischen Blitz und Donner ist, desto weiter ist das Gewitter entfernt. Blitze schlagen in die höchsten Punkte auf der Erdoberfläche ein, zum Beispiel in Türme oder hohe Bäume. Sie können Menschen töten. Es ist daher sicherer, nass zu werden und sich vielleicht sogar in eine Senke zu hocken, als unter einem frei stehenden Baum zu stehen. Blitzableiter auf Häusern ziehen Blitze an, leiten sie aber durch einen Draht in die Erde.

A
B
C
D
E
F
G
H
I
J
K
L
M
N
O
P
Q
R
S
T
U
V
W
X
Y
Z

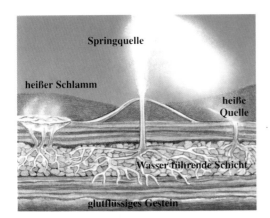

Geysir An manchen Stellen der Erde ist die Kruste sehr dünn und das glühend heiße Erdinnere sehr nah an der Oberfläche. Wenn Wasser in Felsspalten in die heiße Tiefe fließt, fängt es an zu kochen und dehnt sich als Wasserdampf explosionsartig (wie in einer Dampfmaschine) aus. Das nachgeflossene Wasser wird wie in einem Springbrunnen aus der Erde in die Luft geschleudert. Solche Geysire gibt es in vulkanischen Gebieten, zum Beispiel in Island. Manche schießen das Wasser in regelmäßigen Abständen bis zu 100 Meter hoch und zeigen ein fantastisches Naturschauspiel.

Gift Gifte sind Stoffe, die Mensch und Tier krank machen oder sogar töten können. Sie führen dazu, dass bestimmte Organe nicht mehr richtig arbeiten können. Gifte können künstlich hergestellt werden oder kommen auch in der Natur vor, zum Beispiel Schlangengifte oder das Gift von Pilzen oder von Giftpflanzen. Natürliche Gifte können, in sehr geringen Mengen verwendet, auch heilsame Wirkungen haben. Die allergiftigsten Stoffe sind das Plutonium aus Atomfabriken und Dioxin, das bei der Herstellung von Kunststoffen entsteht. Wir sind von verschiedensten Giften umgeben. „Wohngifte" nennt man die giftigen Bestandteile von Farben, Möbeln und Teppichen aus Kunstfasern. In vielen Lebensmitteln sind Spuren von Pflanzengiften und giftigen Farb- und Konservierungsstoffen. Naturbelassene, giftarme Lebensmittel aus biologischem Anbau gibt es in Naturkostläden und Reformhäusern.

Giraffe Giraffen werden bis zu sechs Meter hoch und sind damit die höchsten Landtiere. Sie leben in der afrikanischen Savanne und können bequem das Laub der Bäume abfressen. Sie haben einen besonders langen Hals und ein auffällig geflecktes Fell.

Glas Vor etwa 5.000 Jahren stellten Menschen zum ersten Mal Glas durch Zusammenschmelzen von Quarzsand und Soda bei Temperaturen von über 1.000 Grad Celsius her. Seit 2.000 Jahren gibt es Glasgefäße, doch Flachglas wurde erst vor 400 Jahren erfunden. Bei seiner Erzeugung wird geschmolzenes Glas auf einer Metallplatte ausgegossen. Seitdem kann man Fenster mit größeren Glasflächen erzeugen. Zuvor waren Glasscheiben klein und rund gewesen – daher das Wort „Scheibe" auch für rechteckige Glasflächen.

Gletscher Gletscher heißen kilometerlange Ströme aus ⇨ Eis im Hochgebirge oder in polaren Gebieten. Sie bewegen sich tatsächlich vorwärts, manche nur wenige Millimeter am Tag, andere einen Meter pro Stunde. Im Tal fließt ein Gletscher als Gletscherbach ab. Oben fällt immer neuer Schnee, der sich im Laufe von Jahren und Jahrzehnten in Eis verwandelt. Polare Gletscher können drei Kilometer dick werden. Wenn ein Gletscher reißt, tun sich die gefürchteten Gletscherspalten auf.

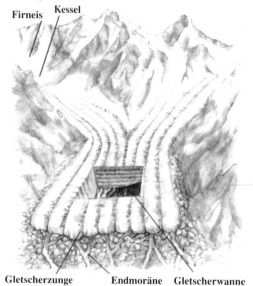

Firneis Kessel

Gletscherzunge   Endmoräne Gletscherwanne

Globus Globus nennt man unseren Erdball oder ein Modell der Erdkugel, auf dem die Meere, Flüsse und Gebirge eingezeichnet sind. Den ersten Globus baute der Nürnberger Geograf Martin Behaim vor 500 Jahren.

Glühbirne Der Glaskolben einer Glühbirne oder Glühlampe ist mit einem nicht brennbaren Gas gefüllt. Wenn durch den Glühfaden Strom fließt, dann glüht er zwar und leuchtet, kann aber nicht verbrennen, denn zum Verbrennen ist immer ⇨ Sauerstoff nötig.

Gold Wegen seines Glanzes, seiner Beständigkeit und Seltenheit ist Gold, ein Edelmetall, ein Sinnbild für Reichtum und Macht. Gold rostet nicht und wird von Säuren nicht angegriffen. Es kann hauchdünn ausgewalzt (Blattgold) oder zu feinen Fäden versponnen werden. Goldlegierungen dienen als Zahnfüllungen oder Zahnhülle. Gold wird in Bergwerken abgebaut, wo es das Gestein in feinen Adern durchzieht oder in Form von Goldkörnern im Flusssand gefunden wird.

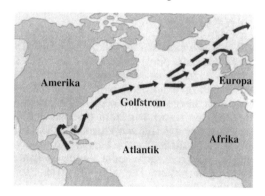

Amerika   Europa
Golfstrom
Atlantik   Afrika

Golfstrom Ohne den Golfstrom wäre es in Norddeutschland so kalt wie in Sibirien. Diese mächtige, warme Meeresströmung fließt vom Golf von Mexiko quer über den Atlantik und umspült die Küstengebiete von Nordeuropa. Dabei kühlt der Golfstrom zwar von fast 30 Grad auf zehn Grad im Winter ab. Aber das genügt, um in Irland, an geschützten Stellen, noch Palmen wachsen zu lassen.

Gorilla　Gorillas sind die größten und stärksten Menschenaffen, haben aber ein sehr friedliches Familienleben. Sie ernähren sich hauptsächlich von Früchten und schlafen in Schlafnestern in Bäumen. Gorillas sind vom Aussterben bedroht. Wenn nämlich Tierfänger junge Gorillas rauben wollen, kämpfen alle erwachsenen Tiere der Herde bis zum Tod um ihre Jungen. Gegen die Maschinengewehre der Jäger haben sie keine Chance.

Gott　Christen, Juden und Moslems glauben an ein allmächtiges, unsichtbares Wesen, eine überirdische Person, die sie geschaffen hat und die ihr Schicksal in der Hand hat. Die Gläubigen beten zu ihrem Gott um Hilfe und Erlösung. Man nennt diese Religionen den Ein-Gott-Glauben (Monotheismus) im Gegensatz zu Religionen, in denen viele Götter verehrt werden (Polytheismus). Es gibt aber auch Religionen ohne Gott. Jemand, der nicht an einen Gott glaubt, ist ein ⇨ Atheist.

Grammatik　Die Grammatik ist ein Teil der Sprachwissenschaft. Sie beschäftigt sich mit den Formen und Regeln von Wörtern und Sätzen. Auch das Buch, in dem diese Regeln und Formen aufgezeichnet sind, nennt man eine „Grammatik".

Grafik　Grafiker entwerfen Plakate oder Buchumschläge, und sie gestalten Schriften und Bücher. Das griechische Wort „Graph" (oder „Graf") hat immer mit Schreiben, Beschreiben oder Zeichnen zu tun. Orthografie ist Rechtschreibung, Geografie ist die Beschreibung der Erde. Die „Graphik" (oder Grafik) selbst ist eigentlich die Schreib- oder Zeichenkunst.

Greenpeace　„Greenpeace" ist der Name einer großen Umweltschutz-Organisation, die auf der ganzen Welt gegen die Naturzerstörung eintritt. Der Name heißt: „Grüner Frieden". Greenpeace-Mitarbeiter verhindern zum Beispiel in tollkühnen Aktionen das Auslaufen von Giftmüllschiffen aufs Meer oder führen wissenschaftliche Untersuchungen durch.
Andere Umwelt-Vereinigungen sind zum Beispiel: Friends of the Earth (Freunde der Erde), Robin Wood oder Earth First (Erde zuerst).

Greifvögel　⇨ Bussard, ⇨ Geier, Falke, Habicht, ⇨ Adler, Eule und Sperber sind Greifvögel. Sie schlagen ihre Beute mit ihren Fängen und greifen dabei mit großer Kraft zu. Mit ihrem gebogenen Schnabel zerreißen sie ihre Opfer. Heimische Greifvögel stehen unter Artenschutz. Sie dürfen nicht gejagt werden.

Gummi　Die Europäer lernten dieses zähe, federnde Material erst bei der Eroberung Südamerikas kennen, wo Gummi aus dem Harz des Kautschukbaumes gewonnen wird. Heute kann man Gummi auch synthetisch (künstlich) erzeugen.

Haar   Hai

Haar   Wir Menschen haben im Durchschnitt 100.000 Haare auf dem Kopf: Dunkelhaarige mehr, Rothaarige weniger. Männer sind stärker behaart als Frauen.

Ihnen wachsen auch im Gesicht, auf der Brust und am Bauch Haare. Im Alter bilden sich im Haar keine Farbstoffe mehr. Es wird grau und dann weiß. Täglich verlieren wir ungefähr 100 Haare. Pro Woche wächst das Haar etwa zwei Millimeter. Jedes einzelne Haar wächst aus einem Haarfollikel heraus; das ist eine kleine Vertiefung. Der Mensch hat davon etwa fünf Millionen.

Hafen   Im Hafen finden ⇨ Schiffe einen geschützten Liegeplatz zum Ausladen („Löschen") und Einladen („Verstauen") der Ladung. Hier sind sie sicher vor schlimmen Stürmen, vor hoher See und vor Eisgang. In großen Häfen ist das Wasser tief genug, um auch Frachtschiffe mit großem Tiefgang einfahren lassen zu können. Sie werden von kleinen Schleppern gezogen. Häfen sind in Molen und Hafenbecken unterteilt. Riesige Kräne auf Schienen heben Container von den Schiffen und laden sie oft gleich danach auf Eisenbahnwaggons. Getreide und andere lose Güter werden direkt in die Speicher gesaugt.

Haftpflicht   Die Pflicht zum Schadenersatz, wenn jemand an dem Schaden eines anderen Schuld hat, nennt man Haftpflicht. Wenn man haftpflichtversichert ist, bezahlt die Versicherung die angerichteten Schäden. Autofahrer müssen haftpflichtversichert sein.

Hagel   Hagelkörner bilden sich in hohen Gewitterwolken, wenn warme, feuchte Luft auf sehr kalte Luftmassen trifft. Die Tröpfchen gefrieren und können zu hühnereigroßen Eisbrocken anwachsen, die dann auf die Erde fallen. Hagel kann ganze Ernten vernichten.

Hai   Haie sind Überbleibsel aus der Urzeit der Erde, als die ⇨ Fische noch keine Gräten, sondern Knochenplatten hatten und auch keine Schuppen, sondern eine harte, raue Haut. Haie haben auch keine Fischblase, sondern müssen ständig in Bewegung bleiben, um nicht unterzugehen. Die meisten der 200 Haiarten bringen lebende Junge zur Welt. Einige große Haie sind gefährliche Räuber, zum Beispiel der sieben Meter lange Menschenhai oder Blauhai. Sie können Blut im Wasser aus vielen Kilometern Entfernung wahrnehmen und fallen auch Menschen an.

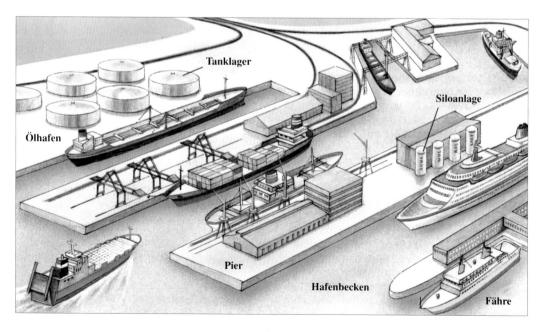

Tanklager

Siloanlage

Ölhafen

Pier

Hafenbecken

Fähre

Halbaffen In den afrikanischen und asiatischen Tropenwäldern leben bepelzte Nachttiere, die mit den Affen verwandt sind. Diese Lemuren oder Halbaffen haben riesige Augen und einen langen Schwanz.

Schlanklori

Koboldmaki

Katta

Handel Als in der Frühzeit die Menschen alles selbst herstellten, was sie zum Leben benötigten – Geräte, Bekleidung, Lebensmittel –, brauchte man noch keinen Handel. Zuerst entwickelte sich der Tauschhandel, das heißt, man tauschte Ware gegen Ware (⇨ Geld). Erst mit der Arbeitsteilung entwickelte sich der Beruf des Händlers. Jetzt waren Bauern nur für Nahrungsmittel zuständig, Handwerker für vielerlei verschiedene Geräte, und sie alle brauchten wiederum die Erzeugnisse anderer Berufe. Der Händler schaltete sich ein. Er erzeugte nichts selbst, aber er kaufte zum Beispiel beim Bauern Getreide ein und verkaufte es mit Gewinn an Handwerker und Bürger.
Heute kauft der Lebensmittelhändler seine Waren beim Großhändler ein und verkauft sie an seine Kunden weiter. Der Großhändler wiederum hat sich die Waren in großen Mengen beim Erzeuger besorgt. Händler (Kaufleute) besorgen und verkaufen alles, was Menschen brauchen oder haben wollen: von Gemüse bis zu Kunstwerken, von Maschinen bis zu Socken, von Urlaubsreisen bis zu Versicherungsscheinen.

Handwerk In Handwerksberufen wurden früher die Erzeugnisse tatsächlich mit der Hand hergestellt. Bäcker, Schreiner, Schneider und Schmiede nennt man auch heute noch Handwerker, obwohl in ihren Werkstätten moderne, oft computergesteuerte Maschinen arbeiten. Viele Handwerksberufe gibt es heute nicht mehr, zum Beispiel Seifensieder und Kannengießer, Kupferstecher, Wagner und Goldschläger. Dafür sind neue Berufe entstanden, wie Installateur, Mechaniker, Elektriker oder Optiker. Heute gibt es 120 Handwerksberufe, die Mädchen und Jungen offen stehen. In Handwerksbetrieben wird (anders als in Fabriken) zumeist auf Bestellung gearbeitet. Der ausgebildete Handwerker heißt Geselle, eine weitere Qualifikation hat der Meister.

Hardware Alle harten Teile eines ⇨ Computers – die, die man anfassen kann – bilden seine Hardware, die „harte Ware". Computer-Hardware braucht zum Funktionieren die passende „Software", die „weiche Ware". Software ist die Bezeichnung für die Computer-Programme, also für die Anweisungen, was der Computer wann zu tun hat.

Harn ⇨ Urin

Harpune Mit Harpunen jagen Naturvölker wie die ⇨ Eskimos Fische und andere Tiere, die im Wasser leben. Dieser Wurfspieß hat einen Widerhaken, der sich im Körper des Opfers verhakt, und eine Fangleine, an der man das erlegte Tier zu sich heranziehen kann.

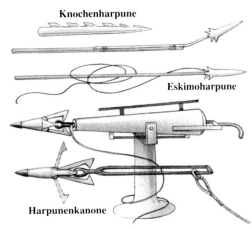

Knochenharpune

Eskimoharpune

Harpunenkanone

A B C D E F G H I J K L M N O P Q R S T U V W X Y Z

Hase Hasen können fast 70 Stundenkilometer schnell laufen und dabei auch noch Haken schlagen. Ein einzelner Hund wird einen gesunden Hasen niemals erwischen. Doch wie ein Sprichwort sagt: „Viele Hunde sind des Hasen Tod." Bei uns sind die etwa 70 Zentimeter großen, langohrigen nagetierähnlichen → Säugetiere selten geworden, weil es nur noch wenige Hecken und andere Verstecke gibt, dafür aber viele Autos und Jäger. Hasen fressen Gras, Laub und Gemüse. Sie zeugen sehr viele Nachkommen. Osterhasen sind ein altes Symbol für die Fruchtbarkeit der Natur im Frühling. Mit den Hasen sind auch die Kaninchen verwandt, die in unterirdischen Bauten leben.

Haut Ein Erwachsener ist von etwa anderthalb Quadratmetern Haut umhüllt. Damit ist die Haut das größte Organ unseres Körpers. Die Oberhaut (Epidermis) wächst immer wieder von innen her nach und stirbt außen ab. Darunter liegt die dicke Lederhaut (Corium), die aus lebenden Zellen, sehr empfindlichen Nervenenden, Haarwurzeln und Schmerzpunkten besteht.
Die Haut hält Schmutz und Krankheitskeime vom Eindringen in den Körper ab. Sie ist von außen nach innen wasserdicht; von innen nach außen kann jedoch der Schweiß austreten. Schweiß kühlt nicht nur, sondern mit ihm scheiden wir auch Giftstoffe aus. Die Haut regelt die Körpertemperatur. Bei Kälte ziehen sich die oberen Blutgefäße zusammen (Gänsehaut!), das Blut bleibt tiefer im Körper und dadurch wärmer. Bei Hitze fließt Blut näher an der Hautoberfläche, und wir strahlen Körperwärme ab. Schließlich melden die Nervenzellen in der Haut Druck, Schmerzen, Wärme und Kälte.
Die Haut ist gegen zu viel Sonne sehr empfind-

lich; lange Sonnenbäder bringen nicht nur einen Sonnenbrand, sondern können auch zu bösartigen Wucherungen der Hautzellen (Hautkrebs) führen.

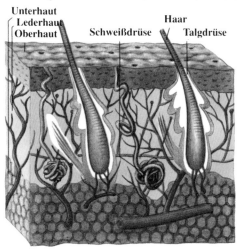

Unterhaut
Lederhaut
Oberhaut
Schweißdrüse
Haar
Talgdrüse

Hebel Eine Stange, die auf einem Stein aufliegt und am kürzeren Ende eine Kiste heben soll, ist ein Hebel. Je länger der Hebelarm ist, den wir bewegen, desto schwerere Lasten können am anderen Ende hochgehoben werden. Allerdings müssen wir den langen Hebelarm über eine weitere Strecke bewegen. Auch eine Wippe kann wie ein Hebel wirken, wenn ein kleines Kind weit draußen am einen Ende den Erwachsenen hochhebt, der nahe am Drehpunkt sitzt.

Heide Die Heidelandschaft ist fast baumlos und mit niedrigen Sträuchern und Heidekraut bewachsen. Die Lüneburger Heide zum Beispiel ist Naturschutzgebiet.
Als „Heiden" haben früher die Christen alle ungetauften Menschen bezeichnet. Heute verwendet man diesen Ausdruck nur noch selten.

Arnika **Schlüsselblume** **Spitzwegerich** **Ringelblume** **Brennnessel** **Hirtentäschel** **Kamille**

Heilpflanze Viele Pflanzen enthalten heilkräftige Stoffe. Kamille zum Beispiel hilft bei Entzündungen und Magenschmerzen. Früher bestanden alle Medikamente (Pillen, Salben und Tees) aus Stoffen, die aus Heilpflanzen oder Heilkräutern gewonnen wurden. Doch auch in vielen Tabletten von heute sind pflanzliche Wirkstoffe enthalten. Wichtige Heilpflanzen sind zum Beispiel Fenchel, Wegerich, Ringelblume, Arnika oder die Brennnessel.

Heilsarmee Anstatt mit Waffen kämpft die Heilsarmee mit Suppenküchen und Heimen für arme Menschen. Sie ist eine christliche Vereinigung, die sich das Ziel gesetzt hat, Not und Elend in der ganzen Welt zu bekämpfen und die christliche Lehre zu verkünden. Ihre „Soldaten" tragen Uniformen. Bei Konzerten sammeln sie oft Geld, das sie für hilfsbedürftige Menschen ausgeben.

Heizung Eine Wohnungsheizung ist keine moderne Erfindung. Schon im Altertum waren die Häuser der Oberschicht mit einer Zentralheizung ausgestattet. Dabei wurde Wasserdampf in Leerräume unter den Fußböden geleitet. In den meisten Häusern war im Winter jedoch jahrhundertelang nur ein Raum warm: die Küche, wo das Feuer im Herd brannte. Heute haben die meisten Wohnungen Zentralheizungen. In einem zentralen Brenner (in der Zentralheizung des Hauses oder im Fernheizwerk) werden Öl, Gas oder Kohle verheizt und Wasser erhitzt. Das Heißwasser wird durch Rohre in die Heizkörper transportiert und erwärmt so die Räume.

Herz Das Herz des Menschen ist ein faustgroßer, hohler Muskel, der ohne Unterlass Blut durch den ganzen Körper pumpt. Unser Herz schlägt normalerweise siebzigmal in der Minute. Bei einem Herzstillstand fließt kein Blut mehr durch den Körper. Nach drei Minuten stirbt das Gehirn ab, der Mensch ist tot.

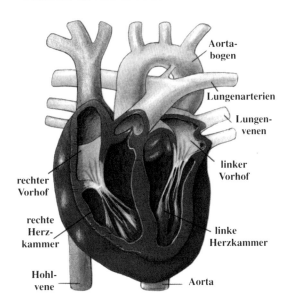

Aortabogen

Lungenarterien

Lungenvenen

linker Vorhof

rechter Vorhof

rechte Herzkammer

linke Herzkammer

Hohlvene

Aorta

Heuschnupfen Fliegt im Frühjahr oder Sommer feiner Blütenstaub von Gräsern und Bäumen durch die Luft, bekommen viele Menschen einen Heuschnupfen. Die Nase läuft oder juckt, die Augen sind entzündet, und in schweren Fällen tritt sogar ⤳ Fieber auf. Heuschnupfen ist eine krankhafte Überreaktion (⤳ Allergie) auf Pollenflug.

97

Hexe

Hinduismus

Hexe   Früher gab es in vielen Völkern und Kulturen außergewöhnliche Frauen, denen besondere Fähigkeiten zugeschrieben wurden: Sie standen im Ruf, als Hexen Krankheiten heilen, aber auch durch Flüche Krankheiten und Unglück heraufbeschwören zu können. Einst, im christlichen Mittelalter, wurden solche Frauen von der Kirche grausam verfolgt. Hunderttausende wurden auf dem Scheiterhaufen verbrannt, weil sie angeblich mit dem Teufel im Bunde standen. Oft genügte es, wenn eine Frau rote Haare hatte. Sie wurde so lange gefoltert, bis sie sagte, was die Priester und Folterknechte hören wollten, und anschließend ermordet. Auch unsere Märchenhexen werden meist als böse, hässliche, alte Frauen dargestellt, die übel enden.

Hieroglyphen   Die Zeichen einer alten Bilderschrift, wie die der Ägypter, heißen „Hieroglyphen". Die ersten Hieroglyphen wurden vor 5.000 Jahren in Stein gemeißelt. Ihre Bedeutung ging verloren, und erst vor rund 100 Jahren konnten sie wieder entschlüsselt werden. Manchmal bezeichnet man im Scherz eine unleserliche Handschrift als Hieroglyphen.

Auge   Vogel   fliegen   gehen   finden

Hi-Fi   Die Abkürzung für High-Fidelity – hohe Wiedergabetreue. Hi-Fi-Geräte (zum Beispiel CD-Spieler, Kassettengeräte, Rundfunkgeräte, Plattenspieler oder auch Lautsprecher) geben den Klang der Musik originalgetreu wieder.

Himalaja   Der höchste Gebirgszug der Welt liegt zwischen der Tiefebene im Norden Indiens und dem Hochland von Tibet. Höchster Berg des Himalaja und zugleich der Welt ist der Mount Everest (8.848 Meter).

Wischnu

Schiwa

Brahman

Hinduismus   Die meisten Inder, über eine halbe Milliarde Menschen, gehören der hinduistischen oder brahmanischen Religion an. Hindus glauben, dass alle Menschen immer wieder auf die Welt kommen müssen, und zwar so lange, bis sie endlich ein gutes Leben ohne Gier und Hass führen. Ein grausamer Mensch wird im nächsten Leben vermutlich arm und krank sein. Wer hingegen ein anständiges Leben führt, hat nach hinduistischer Auffassung die Chance auf eine glückliche Wiedergeburt. Ziel des Lebens ist es, einst ein heiliger Mensch zu werden und sich schließlich mit der Weltseele (Gott oder Brahman) zu vereinigen. Der Hinduismus kennt viele hundert Götter. Aber sie alle sind nur Erscheinungsformen des Brahman. Die hinduistische Gesellschaft ist streng nach Bevölkerungsgruppen oder Kasten gegliedert. Die Mitglieder einer hohen Kaste halten sich auf ihre vornehme Herkunft viel zugute. Sie glauben, dass sie sich ihre Vorrechte im vorhergegangenen Leben verdient haben. Mit den armen Angehörigen niederer Kasten oder gar den ausgestoßenen Kastenlosen wollen sie nichts zu tun haben. Der indische Politiker Mahatma Gandhi, der Indien in die Unabhängigkeit führte, kämpfte gegen diese Einstellung. Er war selbst ein Hindu, wollte aber Gerechtigkeit für alle Menschen schaffen, unabhängig von ihrer Herkunft und Religion.

Damhirsch

Ren

Rothirsch

Elch

Hirsch   Hirsche sind, genau wie Rinder, wiederkäuende ⇒ Huftiere. Die Männchen tragen ein Geweih, das jedes Jahr abgeworfen wird und immer wieder frisch und immer größer nachwächst. Weibchen (Hirschkühe) und Junge halten sich in Rudeln auf. Im Herbst tauchen auch die männlichen Hirsche auf und kämpfen miteinander um die Gunst der Weibchen. In dieser Brunftzeit stoßen sie röhrende Rufe aus. Bei uns gibt es Rothirsche und Damhirsche. Zu den Hirschen gehören auch Rehe, Elche und Rentiere.

Hit   Das englische Wort heißt eigentlich „Glücksfall", „Treffer". Bei uns ist ein Hit ein erfolgreiches Musikstück, ein Schlager.

Hitler   Der deutsche Politiker und Diktator Adolf Hitler, geboren 1889 in Österreich, wollte Deutschland mit Krieg und Unterdrückung anderer Völker zur vorherrschenden Macht auf der ganzen Welt machen. Seine faschistische NSDAP (Nationalsozialistische Deutsche Arbeiterpartei) war äußerst judenfeindlich (antisemitisch) und antidemokratisch eingestellt. In den Notzeiten nach dem Ersten Weltkrieg hatten die Nazis großen Zulauf, weil sich viele Deutsche nach einem star-

ken Führer sehnten. Von Hitler hofften sie, er würde Arbeitslosigkeit und Geldentwertung mit „eiserner Faust" beseitigen. Auch fürchteten sie sich vor dem Kommunismus.

1933 wurde Hitler Reichskanzler. Es begann eine zwölf Jahre lange Diktatur, in der Millionen Menschen verfolgt und ermordet wurden, darunter vor allem politisch anders Denkende, Homosexuelle, Juden und Zigeuner, später auch Angehörige der besiegten Völker und kriegsgefangene Soldaten. Durch Arbeitsprogramme und Aufrüstung kam die Wirtschaft zunächst wieder in Gang, sodass die meisten Deutschen die Augen vor den schrecklichen Taten ihrer Regierung verschlossen. Außerdem war offener Widerstand nahezu unmöglich. 1939 führte Hitler Deutschland in den Zweiten Weltkrieg, der in der totalen Niederlage und Aufteilung Deutschlands endete. Adolf Hitler tötete sich wenige Tage vor Kriegsende im Jahr 1945 selbst.

Hobby   Was jemand in seiner Freizeit am liebsten macht, das ist sein Hobby. Das beliebteste Hobby der Welt ist Briefmarkensammeln.

Hochschule   ⇒ Universität

Höhle   Höhlen sind Hohlräume im Gestein unter der Erde. Meistens sind sie in Millionen von Jahren durch Wasser ausgeschwemmt worden. Andere Höhlen sind gleichzeitig mit den Bergen entstanden. Große Höhlensysteme ziehen sich viele Kilometer tief in die Berge hinein. Nur ein geringer Teil der Höhlensysteme auf der Erde ist überhaupt erforscht. Der blinde Grottenolm, augenlose Fische, Höhlenkrebse und sogar Höhlenschnecken haben sich in Höhlen entwickelt. Seit dem letzten Eiszeitalter haben Menschen in Höhlen und Höhleneingängen gewohnt und Zuflucht vor der Witterung und vor wilden Tieren gesucht.

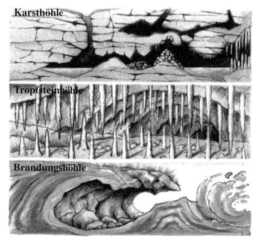

Karsthöhle

Tropfsteinhöhle

Brandungshöhle

Holmes   Sherlock Holmes, der berühmteste Detektiv der Welt, ist eine Romanfigur des englischen Schriftstellers Sir Arthur Conan Doyle. Sherlock Holmes löst alle seine Fälle durch scharfes Nachdenken und seine unglaubliche Kombinationsgabe.

Holz   Trotz Plastik und Metall ist Holz – das Material der Stämme, Äste und Wurzeln von Bäumen – immer noch einer der wichtigsten Rohstoffe. Jeder Europäer verbraucht pro Jahr durchschnittlich das Holz von fünf Bäumen. Papier und Pappe werden aus Holz hergestellt, man braucht es beim Hausbau und für Möbel, und in vielen armen Ländern wird mit Holz gekocht und geheizt.
Das Holz tropischer Bäume ist besonders hart und wertvoll, und deshalb werden die Regenwälder in

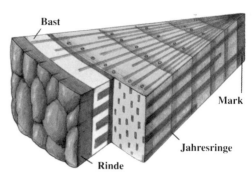

Bast

Mark

Jahresringe

Rinde

Afrika, Asien und Amerika rücksichtslos abgeholzt. Insgesamt gibt es über tausend Holzarten, vom federleichten Balsaholz bis zum schweren, schwarzen Ebenholz, vom harten Eichenholz bis zum weichen Pappelholz.

Homosexualität   Schwule Männer und lesbische Frauen fühlen sich sexuell zum eigenen Geschlecht hingezogen. Sie sind homosexuell. In der Antike fand niemand etwas dabei, wenn ein Mann einen Mann liebte und eine Frau eine Frau. Das Christentum und später auch der Staat verfolgten die Homosexualität als Sünde und Verbrechen. Homosexualität ist jedoch nichts Anstößiges, für das man sich schämen muss. Weil das so ist, können sich Homosexuelle heute offen zu ihren Gefühlen bekennen.

Horizont   Dort, wo in Ebenen oder am Meer der Himmel und die Erde scheinbar zusammenfließen, liegt der Horizont. Diese Linie begrenzt unser Gesichtsfeld, weil die Erde rund ist und wir nicht um Kurven schauen können. Von engstirnigen, fanatischen Menschen sagt man, sie haben einen „engen Horizont". Sie sind nicht weitblickend.

Hornisse ⇨ Wespe

Horoskop Viele Menschen glauben, dass es einen Zusammenhang gibt zwischen der genauen Stellung der Sterne bei ihrer Geburt und ihrer Persönlichkeit und ihrem Lebenslauf. Diese Stellung von Sternen und Planeten zueinander wird im persönlichen Horoskop aufgezeichnet. Astrologen deuten das Horoskop und ziehen daraus Schlüsse. Das chinesische Horoskop deutet nicht das Sternbild des Menschen (zum Beispiel Schütze, Waage, Zwillinge), sondern zieht Schlüsse aus seinem Geburtsjahr.

Hubschrauber ⇨ Flugzeug

Huftiere Säugetiere, deren Zehen zu Hufen aus Horn verwachsen sind, nennen wir Huftiere; das sind zum Beispiel Schweine, Pferde, Rinder oder Hirsche.

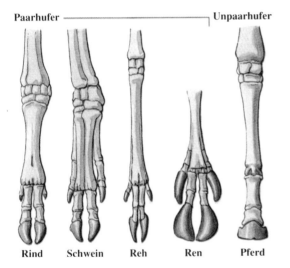

Paarhufer ———————— **Unpaarhufer**

| Rind | Schwein | Reh | Ren | Pferd |

Huhn Unser Haushuhn stammt von nordischen Wildhühnern ab. (Andere Wildhühner sind Fasan und Auerhahn.) Haushühner legen jährlich bis zu 300 Eier. Die meisten Eier stammen aus Fabriken (Hühnerbatterien), in denen zehntausende Hühner ihr ganzes kurzes, qualvolles Leben in einem Käfig verbringen müssen, dessen Grundfläche nicht größer ist als dieses Buch. Sie sehen nie Tageslicht, dürfen niemals am Boden scharren und können ihre Flügel nie aufplustern. Wer sich

an dieser Quälerei nicht mitschuldig machen will, kann auch Eier von frei laufenden Bauernhof-Hühnern kaufen. Solche Eier sind natürlich etwas teurer.

Humus Die Überreste von Pflanzen und Tieren werden in der Erde von Bakterien und Pilzen in fruchtbare, schwarze Erde verwandelt: in Humus. Besonders schnell geht das auf dem Komposthaufen. Essensreste, Kartoffelschalen und andere organische Abfälle sollten daher, wo immer möglich, nicht im Hausmüll, sondern auf dem Kompost landen.

Hund Es gibt etwa 400 Haushunderassen, die alle vom Wolf abstammen und eigentlich ⇨ Raubtiere sind. Aber im Laufe von vier Jahrtausenden haben Menschen dem Hund viele wilde Eigenschaften seiner wölfischen Ahnen weggezüchtet. Hunde dienten von Anfang an als Helfer für Jäger und Hirten. Heute gibt es Jagdhunde wie Setter, Windhunde und Dackel (die in Fuchsbauten kriechen können), Wachhunde oder Hofhunde wie Spitz und Schnauzer, Schäferhunde wie den Deutschen Schäferhund oder den Collie und Familienhunde wie Boxer oder Pekinesen. Hunde können für besondere Aufgaben ausgebildet werden, zum Beispiel als Blindenhunde, die Sehbehinderte sicher durch die Stadt führen können. Hunde haben einen ungeheuer scharfen Geruchssinn. Als Polizei-Spürhunde stöbern sie Rauschgift im Gepäck auf, als Lawinenhunde finden sie Menschen, die von Lawinen verschüttet wurden. Gefährlich sind Kampfhunde wie der Mastiff. An der ehema-

Papillon

Dogge

Barsoi

Yorkshireterrier

Airedale-terrier

Deutscher Schäferhund

Dackel

Mops

Bernhar-diner

Pekinese

Deutsch Kurzhaar

Chow-Chow

Pudel

Afghane

Husky

Collie

ligen deutsch-deutschen Grenze wurden scharfe Hunde darauf abgerichtet, Flüchtlinge zu stellen. Die größten Hunde sind die Dänischen Doggen, die so groß wie Kälber werden können. Kleine Terrier dagegen wiegen oft weniger als 500 Gramm.

Hunger Für uns, die wir in einem reichen Teil der Welt leben, ist Hunger das unangenehme Gefühl, das wir manchmal haben, wenn wir ein paar Stunden nichts gegessen haben. Für die meisten Menschen der → Dritten Welt hingegen ist Hunger eine grausame Bedrohung, die sie ihr Leben lang begleitet. Etwa 30.000 Kinder sterben täglich an Hunger, Unterernährung und an den damit verbundenen Krankheiten. Auch bei uns hat es früher oft Hungersnöte gegeben.

Hyäne Hyänen sind hundeartige, nächtliche Räuber. Sie sind nachts in den Wüsten und Steppen von Afrika und Asien unterwegs, um → Aas aufzustöbern oder um kranke und alte Tiere zu reißen. Sie greifen sogar Löwenrudel an.

Hygiene Hygiene hat mit Gesundheit und Gesundheit mit Sauberkeit und Körperpflege zu tun. Unhygienisch ist es zum Beispiel, sich von seinem Hund ablecken zu lassen. Im Speichel des Hundes können Krankheitserreger sein, wie etwa die Eier des Bandwurmes. Zur Hygiene gehört auch, dass man sich vor dem Essen die Hände wäscht. Viele Seuchen, wie etwa die Cholera, konnten besiegt werden, indem das Trinkwasser vom Abwasser getrennt wurde.

Ideal

Ideal   Das Wort „Ideal" stammt aus der griechischen Philosophie und bedeutet „Urbild", „Musterbild an Vollkommenheit". Ideale sind die Ziele unserer Wünsche, also alles, was wir für besonders gut und erstrebenswert erachten. Einen Idealisten nennen wir einen Menschen, der für eine Idee kämpft, ohne dass er selbst einen persönlichen Vorteil davon haben muss; zum Beispiel für die Idee der Menschenrechte.

identifizieren   Die Identität einer Person besagt, wer sie ist. Wenn die Polizei einen Menschen identifiziert, dann stellt sie fest, um wen es sich handelt. Das kann durch einen Ausweis geschehen oder auch durch ⤳ Fingerabdrücke. Manchmal spricht man auch von der Identität eines Volkes oder von der Identität einer Minderheit in einem Land, in dem ein anderes Volk die Mehrheit stellt. Die Sorben zum Beispiel sind eine kleine slawische Volksgruppe in Deutschland. Sie wollen ihre Identität bewahren, das heißt ihre eigene Sprache und Kultur pflegen, damit diese nicht eines Tages in Vergessenheit geraten.

Igel   Igel sind kleine, kurzbeinige ⤳ Säugetiere mit einer langen, spitzen Schnauze und einem dichten Stachelkleid. Gegen natürliche Feinde sind Igel perfekt geschützt. Sie rollen sich zusammen und bilden eine stachelige Kugel, von der Hunde oder Füchse sofort ablassen, wenn sie sich das Maul blutig gebissen haben. Igel wissen instinktiv, dass ihnen kein natürlicher Feind etwas anhaben kann, wenn sie sich zusammenrollen. Gegen die Autos aber nützt diese Verteidigungsstellung nichts, und jährlich werden deshalb viele zehntausend Igel totgefahren.

Iglu   Das Schneehaus der ⤳ Eskimos heißt „Iglu". Es ist als Halbkugel aus „Ziegeln" aufgemauert, die aus gepresstem Schnee bestehen. Schnee ist ein schlechter Wärmeleiter, also ein Isolierstoff. Durch die Körperwärme der Menschen und Lampen ist es im Iglu immer einige Plusgrade warm.

illegal   Alles, was gegen das ⤳ Gesetz verstößt, ist illegal. Zum Beispiel ist es illegal, geschützte Computerprogramme zu kopieren und weiterzugeben. Das lateinische Wort „legal" bedeutet „gesetzlich". „Illegal" heißt „ungesetzlich".
Es kann Situationen geben, in denen sich Illegales als falsch erweist. In Diktaturen sind zum Beispiel Demonstrationen illegal. Als die Bürger der früheren DDR auf die Straße gingen und die kommunistische Diktatur stürzten, war das ein Verstoß gegen die Gesetze der DDR; es war illegal, aber im Nachhinein trotzdem richtig.

Illusion   Illusion ist Selbsttäuschung. Wer sich Illusionen macht, der gibt sich Wunschträumen hin. Er hofft zum Beispiel auf etwas besonders Schönes, obwohl er eigentlich weiß, dass es nicht Wirklichkeit werden kann.

Illustrierte   Eine Zeitschrift mit vielen Bildern und Bildreportagen ist eine Illustrierte. Die ersten illustrierten Zeitschriften, die im letzten Jahrhundert erschienen, zeigten noch keine Fotos, sondern Illustrationen, also Zeichnungen; daher der Name.

Imitation Eine Imitation ist eine Nachahmung. Man kann viele Naturstoffe wie Holz, Marmor oder Perlen künstlich nachmachen. Imitationen sind billiger als das Vorbild; oft ist es vernünftiger, sich mit ihnen zufrieden zu geben. Pelzimitationen aus Kunstfaser zum Beispiel sehen genauso aus und fühlen sich genauso an wie echte Pelze. Aber man muss dafür keinem Tier das Fell über die Ohren ziehen.

immun Wer genug Abwehrstoffe gegen einen Krankheitserreger hat, der ist gegen diese Krankheit immun, das heißt geschützt. Bei manchen Krankheiten bildet der Körper erst während der Krankheit die nötigen Abwehrzellen. Man bekommt sie deshalb nur einmal und ist danach gegen diese Krankheit immun.

Impfung Bei einer Impfung wird der Körper angeregt, die Abwehrstoffe gegen bestimmte Krankheiten zu bilden. Wer geimpft ist, kann nicht mehr von der Krankheit angesteckt werden, gegen die er geimpft ist. Durch Impfungen sind gefährliche Krankheiten wie Kinderlähmung, Cholera und Pocken fast gänzlich ausgerottet worden. Der Trick bei der Impfung ist folgender: Mit dem Impfstoff wird eine sehr kleine Menge von Krankheitserregern in den Körper gebracht. Das richtet weiter keinen Schaden an, aber der Körper beginnt sofort, Schutzstoffe gegen diese Krankheit aufzubauen. Wenn jetzt wirklich eine Ansteckung droht, ist der Körper darauf vorbereitet und wird mit der Attacke leicht fertig.

Import Wer Waren aus dem Ausland ins Inland bringt, der importiert sie. Ein anderes Wort für Import ist Einfuhr. Der Gegensatz zu Import ist ↪ Export, Ausfuhr.

Indianer Ursprünglich waren die Ureinwohner Amerikas asiatische Jägervölker. Ihre Einwanderung über Sibirien und Alaska hatte schon vor 16.000 Jahren begonnen. Die Indianer (spanisch: Indios) verdanken ihren Namen einem Irrtum des spanischen Seefahrers Christoph Kolumbus, der vor 500 Jahren glaubte, die Welt umsegelt und Indien erreicht zu haben.
Die indianischen Kulturen waren höchst vielfältig.

Außer ihrer gemeinsamen Herkunft hatten die Maya, Inka und Azteken in Mittel- und Südamerika und Irokesen, Apachen, Sioux oder Mohikaner in Nordamerika nicht viel gemeinsam. Es gab unter ihnen friedfertige Bauernvölker wie die Hopi, die in den mächtigen Lehmbauten ihrer Pueblos lebten und Mais anbauten. Und es gab gefürchtete Jäger und Krieger wie die Apachen, die den getöteten Feinden die Kopfhaut (den ↪ Skalp) abzogen und sie als Siegeszeichen am Gürtel trugen. In Mittel- und Südamerika waren nebeneinander und nacheinander städtische Gesellschaften und komplizierte Staatswesen wie die Zivilisationen der Inka und Azteken entstanden. Sie bauten gewaltige Pyramiden als Tempelanlagen und stellten astronomische Berechnungen an. Mit grausamen Menschenopfern wollten sie ihre Götter versöhnen. Andere Indio-Völker lebten im tropischen Regenwald wie Steinzeitmenschen.
Alle indianischen Kulturen fielen über kurz oder lang den spanischen und englischen Eroberern und Missionaren zum Opfer: Die überlebenden Indios Mittel- und Südamerikas wurden mit Gewalt getauft. Sie vermischten sich zum großen Teil mit den Spaniern und (in Brasilien) Portugiesen. Heute leben nur noch wenige ursprüngliche Indio-Völker tief im Regenwald. Ihnen droht jetzt der Tod durch Holzfäller und nachrückende Siedler.
Die meisten nordamerikanischen Indianervölker ließen sich nicht so leicht „zivilisieren". Sie wehrten sich länger und erfolgreicher gegen die Eindringlinge. In ihrer letzten großen Schlacht besiegten Sioux und Cheyenne noch 1876 am Little Big Horn eine Streitmacht der US-Armee. Doch insgesamt waren die Indianervölker untereinander viel zu tief verfeindet, um sich gemeinsam gegen die Weißen zu stellen. Manche Stämme verbündeten sich mit den weißen Eroberern und rückten, nun mit Gewehren bewaffnet, gegen andere Indianervölker vor. Immer weiter wurden die Ureinwohner in den Westen zurückgedrängt. Alkohol lähmte ihre Widerstandskraft; die von den Weißen eingeschleppten Pocken rotteten ganze Stämme aus. Gewaltige Bisonherden, die wichtigste Jagdbeute der Prärieindianer, wurden mit Gewehren von Eisenbahnzügen aus niedergemäht. Nur noch etwa 800.000 Indianer leben heute unter schlechten Verhältnissen in Reservaten in den USA und Kanada.

Industrie   In Industriebetrieben (Fabriken) werden Waren in großer Menge von Maschinen hergestellt. Sie sind dadurch billiger als Einzelanfertigungen auf Bestellung. Durch den Einsatz von Maschinen können pro Mitarbeiter viel mehr Güter erzeugt werden. Zur Industrie zählen auch Bergwerke und Kraftwerke, die die nötigen Rohstoffe liefern und die Anlagen mit Strom versorgen. Unsere Gesellschaft nennt sich auch „Industriegesellschaft". Fast alles, was wir kaufen, ist industriell hergestellt; sogar die meisten Lebensmittel. Die Industrie hat ungeheure Reichtümer hervorgebracht, bisher aber viel zu wenig Rücksicht auf den Umweltschutz genommen. Luft und Wasser standen ja kostenlos zur Verfügung. Heute erkennen auch viele Politiker, dass die Industrie umdenken muss. Sie muss sich umweltfreundliche, neue Energiequellen erschließen, und sie muss aufhören, giftigen Abfall in die Luft und in das Wasser abzugeben.

Infektion   Ansteckung mit einer Krankheit heißt „Infektion". Infektionskrankheiten werden durch Bazillen und Viren von einem Lebewesen auf ein anderes übertragen. Manche Krankheitserreger schweben in der Luft und werden eingeatmet. Andere können durch Berührung einer kranken Person übertragen werden. Wieder andere Erreger werden übertragen, wenn das Blut eines Kranken mit offenen Wunden eines anderen Menschen in Kontakt kommt.

Inka   ⇀ Indianer

Initiative   ⇀ Bürgerinitiative

Insekten   Fast eine Million verschiedene Insektenarten gibt es auf der Welt. Insekten sind die größte und vielfältigste Gruppe von Tieren, und sie leben überall: in tropischen und arktischen Ge-

Libelle

Ohrwurm

Maulwurfsgrille

Feuerwanze

Schabe

Großes Heupferd

Gottesanbeterin

Schmeißfliege

Wespe

Floh

Hornisse

Gelbrandkäfer

Stubenfliege

Rinderbremse

Stechmücke

Hainlaufkäfer

Bläuling

Rotes Ordensband

Nashornkäfer

wässern, in Alpenbächen und Oasen, im Gebirge, in der Wüste und sogar im ewigen Eis der Antarktis.

Die meisten Insekten haben sechs Beine und ein Außenskelett, also einen Panzer. (Wirbeltiere, zum Beispiel Säugetiere, werden von einem inneren Knochengerüst gestützt). Die größten Insekten sind die Gespensterheuschrecken, die über 30 Zentimeter lang werden können; Milben hingegen sind nur ein Fünftel Millimeter groß: 50 Milben hintereinander ergeben einen Zentimeter.

Insekten legen zumeist Unmengen von Eiern und können sich unter günstigen Bedingungen daher rasend schnell vermehren. Bei manchen Insektenarten schlüpfen aus den Eiern fertige Insekten, bei anderen Larven (die den ausgewachsenen Tieren manchmal ähnlich sehen, manchmal nicht) oder Raupen. Die Larven und Raupen von Käfern und Schmetterlingen verwandeln sich in Puppen, in denen das Tier heranwächst.

Bienen, Ameisen, Wespen oder Hummeln sind Staaten bildende Insekten. Die Tiere leben nicht für sich, sondern für ihre Lebensgemeinschaft, in der sie spezielle Aufgaben erfüllen müssen. Insektenstaaten haben oft hunderttausende „Bürger" und errichten erstaunliche Bauwerke. Alle Insektenarten erfüllen ihre Aufgabe im Kreislauf der Natur. Sie bestäuben Blüten, und sie verwerten Abfallstoffe und verwandeln sie in fruchtbare Erde. Einige Insektenarten, wie etwa die ⇨ Bienen, dienen den Menschen als Haustier. Viele andere jedoch gelten als Schädlinge für Feld und Wald, und die Menschen versuchen sie mit Giften auszurotten.

Insel Inseln sind ringsum von Wasser umgebene Stücke Festland. Die Insel Grönland ist ungefähr zehnmal so groß wie Deutschland und damit die größte Insel der Welt. Manche Inseln, wie England und Irland, waren früher durch eine Landbrücke mit dem Festland verbunden.

Andere Inseln (wie Grönland) sind seit undenklichen Zeiten von den Kontinenten getrennt, oder sie sind (wie die Hawaii-Inseln) bei Vulkanausbrüchen aus dem Meer aufgetaucht. Halbinseln wie Italien ragen in das Meer, sind jedoch auf einer Seite mit dem Festland verbunden. Eine Gruppe von mehreren Inseln nennt man „Archipel".

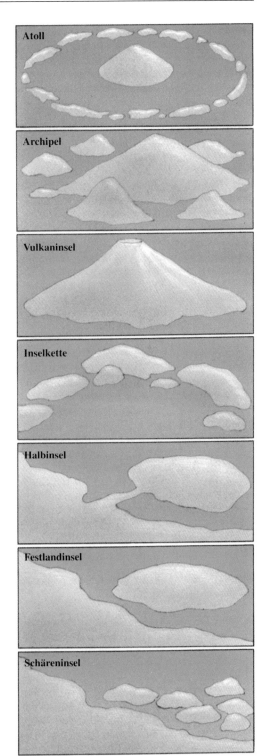

Atoll

Archipel

Vulkaninsel

Inselkette

Halbinsel

Festlandinsel

Schäreninsel

Instinkt Ihr Instinkt sagt Tieren, was sie fressen sollen, wie sie sich bei Gefahr verhalten sollen oder wie sie sich zum Beispiel auf den Winter vorbereiten müssen. Was Tiere instinktiv tun, das haben sie nicht erst erlernen müssen, sondern das wissen sie von Geburt an. Instinkte sind also vererbte Verhaltensweisen. Natürlich haben auch Menschen Instinkte. Wenn wir uns plötzlich bedroht fühlen, dann machen wir den instinktiven Versuch davonzulaufen. Erst dann denken wir darüber nach. Menschen ab einem gewissen Alter können überlegen, ob sie ihren Instinkten folgen sollen oder nicht. Babys folgen, wie Tiere, nur ihren Instinkten.

Intelligenz Wer sich klug und umsichtig verhält und wer aus Erfahrungen Schlüsse ziehen kann, der ist intelligent. Intelligente Menschen (und Tiere) können neue Situationen schnell erfassen und sich angemessen verhalten. Der so genannte Intelligenzquotient (IQ) zeigt lediglich, wie gut jemand einen bestimmten Test, den Intelligenztest, besteht. Der durchschnittliche IQ liegt bei 100. Der IQ sagt aber nicht, wie intelligent jemand überhaupt ist. Es gibt nämlich viele verschiedene Arten von Intelligenz, wie technische Intelligenz, sprachliche Intelligenz oder künstlerische Intelligenz. Soziale Intelligenz ist die Fähigkeit, mit seinen Mitmenschen vernünftig und freundschaftlich umzugehen. Sie kann nicht so gut gemessen werden wie zum Beispiel die Fähigkeit, Rechenaufgaben zu lösen. Trotzdem ist sie sehr wichtig. Ein ⇨ Genie, das beim Intelligenztest einen IQ von 150 erreicht, kann im praktischen Leben ein jämmerlicher Versager sein.

international All das, was mehrere Länder betrifft, ist international.

Islam Die ⇨ Religion der Moslems (Mohammedaner) ist der Islam. Das Wort bedeutet: „Ergebung in Gottes Willen". Was für Juden und Christen die Bibel ist, das ist für Moslems der Koran: das heilige Buch, in dem Allah (Gott) durch seinen Propheten Mohammed zu den Menschen gesprochen hat. Der Araber Mohammed lebte vor 1.300 Jahren. Seine Lehre eroberte im Sturm den Nahen Osten und später große Teile Asiens. Im Mittelalter beherrschten die moslemischen Reiche der Araber und Türken auch Spanien und die Balkanhalbinsel. Heute hat der Islam etwa 800 Millionen Anhänger, die sich in die Glaubensrichtungen der Schiiten und Sunniten spalten. Der Koran regelt das ganze Leben der Gläubigen. Der Islam sagt: Wer an Allah glaubt und nach seinen Geboten lebt, der kommt nach dem Tod ins Paradies.

isolieren „Isolieren" heißt, „etwas von seiner Umgebung trennen". Das Wort kommt vom lateinischen „Insula", Insel. Wie eine Insel durch Wasser vom Festland getrennt ist, so fließt zum Beispiel auch elektrischer Strom in Kabeln, die durch eine Hülle von der Außenwelt isoliert sind. Das Innere einer Thermosflasche ist durch eine Isolierschicht gegen die Außenwand isoliert, sodass die Wärme drinnen bleibt. Auch Menschen können isoliert sein, wenn sie keine Freunde haben und einsam sind. In Krankenhäusern gibt es eine Isolierstation: Wer eine ansteckende Krankheit hat, muss von den anderen Patienten getrennt werden, sonst würde er sie anstecken.

Israel Den Staat Israel gibt es seit 1948. Bis dahin hieß dieses Gebiet Palästina. Das an der Ostküste des Mittelmeeres gelegene Israel ist die Heimat der ⇨ Juden. Weil auch Jesus Christus dort gelebt und gelehrt hat, gilt es auch den Christen als das Heilige Land. Vor etwa 2.000 Jahren wurden die Juden von den Römern aus ihrer Heimat vertrieben und in alle Welt zerstreut; das Land wurde vor allem von Arabern besiedelt. Vor hundert Jahren wollten sich viele Juden wieder in der Heimat ihrer Vorfahren ansiedeln. Während des Zweiten Weltkrieges und später wanderten immer mehr Juden in Israel ein. Sie wollten wieder einen eigenen Staat haben, in dem sie sich sicher vor Verfolgungen fühlen konnten. Den Israelis gelang es, ihre neue Heimat in einen modernen Staat zu verwandeln. Die alteingesessenen Araber (Palästinenser) jedoch fühlten und fühlen sich von den Juden überrannt und unterdrückt. Es kam zu blutigen Kriegen zwischen Israel und seinen arabischen Nachbarländern, aber auch zum Aufstand der Palästinenser in den von Israel besetzten Gebieten. Israel hat vier Millionen Einwohner; eine Million davon sind Palästinenser.

Juden

Juwel

Juden Das jüdische Volk sieht Abraham als seinen Stammvater und Moses als den Begründer der jüdischen Religion an. Im Jahr 70 unserer Zeit wurden die Juden von den Römern aus ihrer Urheimat in Israel (Palästina) vertrieben. Sie siedelten sich in vielen europäischen, nordafrikanischen und asiatischen Ländern an. Doch ihre Religion und Kultur gaben die meisten von ihnen nicht auf. Immer wieder wurden sie verfolgt und vertrieben. Unter antisemitischen (antijüdischen) Angriffen litten auch Menschen jüdischer Abstammung, die sich von der jüdischen Religion längst losgesagt hatten. Die heiligen Bücher der Juden sind das Alte Testament der Bibel und der Talmud. Darin heißt es, dass Gott mit den Juden einen besonderen Bund geschlossen hat. Deshalb halten sich die Juden für ein von Gott auserwähltes Volk. Gläubige Juden warten auf den Messias, der die Welt von allem Bösen erlösen soll. Die Regeln der jüdischen Religion sind in der Thora festgelegt. Der Vorsteher einer Gemeinde ist der Rabbi. Juden feiern ihre Gottesdienste am Sabbat (Samstag) in der Synagoge. Viele der größten deutschen Künstler, Philosophen und Wissenschaftler hatten jüdische Vorfahren: zum Beispiel Heinrich Heine, Karl Marx oder Albert ⇀ Einstein. Die Nationalsozialisten unter Adolf ⇀ Hitler wollten das gesamte jüdische Volk ausrotten. In den Konzentrationslagern wurden Millionen ermordet. Heute gibt es etwa 15 Millionen Juden; sechs Millionen davon leben in den USA, drei Millionen in Israel.

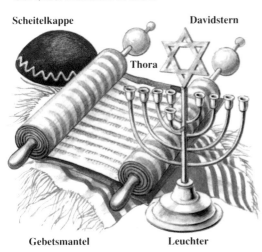

Scheitelkappe

Davidstern

Thora

Gebetsmantel

Leuchter

Judo Judo (oder Jiu-Jitsu, japanisch für „sanfter Weg") ist eine Erfindung buddhistischer Mönche, die sich auf ihren Wanderungen in China und Japan bei Überfällen von Wegelagerern verteidigen mussten. Sie wollten als Buddhisten aber brutale Waffengewalt vermeiden. Deshalb entwickelten sie die Kunst, einen bewaffneten Angreifer mit bloßen Händen zu Fall zu bringen, indem man die Wucht seines Angriffs ausnutzt. Heute gehört Judo zur Ausbildung von Polizeibeamten in aller Welt. Auch viele Mädchen und Frauen besuchen Judo-Kurse. Damit können sie sich mit einfachen Griffen und ohne Waffen vor zudringlichen Männern schützen. Judo ist aber vor allem eine Sportart. Einen Judo-Sportler nennt man „Judoka".

Jurist Richter, Rechtsanwälte und manche Beamte sind Juristen. Sie haben Rechtswissenschaften (Jura) studiert und wissen daher, was in den Gesetzen steht und wie man sie verstehen und anwenden muss.

Juwel Juwelen sind kostbare, geschliffene ⇀ Edelsteine. Juweliere handeln mit Edelsteinen, Schmuckstücken und kostbaren Uhren.

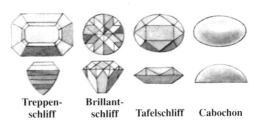

Treppen- schliff

Brillant- schliff

Tafelschliff

Cabochon

A B C D E F G H I J K L M N O P Q R S T U V W X Y Z

Kabel

Käfer

Kabel Der elektrische Strom fließt in Kabeln. Die isolierende Umhüllung sorgt dafür, dass der Strom nicht an die Umgebung abgeleitet wird, sondern beim Verbraucher ankommt. In Telefonkabeln fließen die schwachen Telefonströme. Moderne Kabel leiten nicht Stromimpulse, sondern Lichtimpulse (Schwankungen in der Lichtstärke) in Lichtfasern weiter. Sie können viele tausend Gespräche gleichzeitig weiterleiten. Beim Kabelfernsehen werden die Bilder und Töne nicht über elektromagnetische Wellen durch die Luft, sondern durch Kabel weitergeleitet.

Käfer Käfer sind ~ Insekten. Es gibt etwa über 300.000 Arten. Die kleinsten Käfer sind so winzig, dass 40 Stück hintereinander auf eine Strecke von einem Zentimeter passen. Die größten Käfer werden bis zu 15 Zentimeter lang. Alle Käfer legen Eier, aus denen Larven schlüpfen. Sie sind Allesfresser und kommen fast überall auf der Erde vor: in Gebirgen, Wüsten, im Dschungel und in den Polargebieten. Bei uns leben zum Beispiel die Marienkäfer, Maikäfer oder Borkenkäfer. Es gibt auch Wasserkäfer. Sie können tauchen, müssen aber, wie alle Insekten, immer wieder Luft holen.

Schichtaufbau eines Kabels

Kaffee Kaffee kann munter machen. Verantwortlich dafür ist eine Substanz namens „Koffein", die den Kreislauf in Schwung bringt. In Europa kennen wir Kaffee erst seit etwa 400 Jahren. Das Ursprungsland des Kaffees ist Arabien. Von dort kam er mit den Türken zu uns. Kaffeefrüchte wachsen auf Kaffeesträuchern und sind so groß und rot wie Kirschen. Unter ihrer Hülle liegen zwei grüne Bohnen. Erst beim Rösten beginnen sie zu duften. Kaffee wird in etwa 50 tropischen Ländern angebaut.

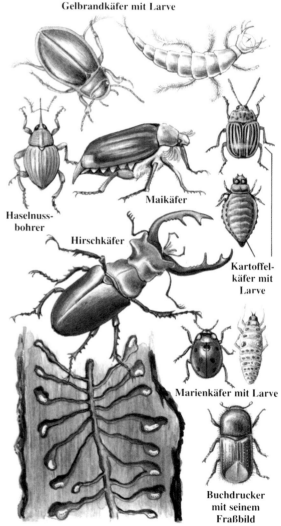

Gelbrandkäfer mit Larve

Maikäfer

Haselnuss-
bohrer

Hirschkäfer

Kartoffel-
käfer mit
Larve

Marienkäfer mit Larve

Buchdrucker
mit seinem
Fraßbild

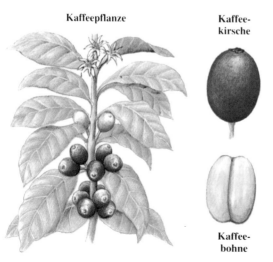

Kaffeepflanze

Kaffee-
kirsche

Kaffee-
bohne

Kaiser   Der römische General Julius Cäsar war vor 2.000 Jahren der erste Alleinherrscher des Römischen Reiches. Von seinem Namen stammt das Wort „Kaiser" für den Herrscher eines Reiches. Der erste mittelalterliche Kaiser war im Jahr 800 der Frankenkönig Karl der Große. Bis zum Ende des Ersten Weltkriegs gab es in Europa drei verschiedene Kaiser: den deutschen Kaiser, den Kaiser von Österreich-Ungarn und den russischen Zaren. Heute gibt es nur einen Kaiser, den Kaiser von Japan. Er hat jedoch keine große politische Macht.

Kajak   Kajaks sind die einsitzigen Boote der ⇒ Eskimos, mit denen sie auf Fischfang oder Jagd fahren. Sie bestehen aus einem Holzgestell, das mit Tierhaut bespannt ist, und sind bis auf den Einstieg völlig geschlossen, sodass geschickte Kajakfahrer sogar eine Rolle drehen können, ohne dass das Boot voll läuft. Unsere modernen Kajaks sind Sport-Paddelboote.

Kakao   Die Kakaobohne ist der Samen des tropischen Kakaobaumes. Aus Kakaobohnen wird das Kakaopulver gewonnen, und daraus kann man sich eine Tasse Kakao zubereiten. Kakao ist auch der Hauptbestandteil von Schokolade. Kakao (Trinkschokolade) und Schokolade lernten die Europäer erst von den südamerikanischen Indios kennen.

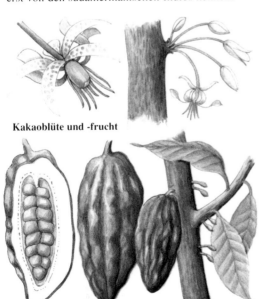

Kakaoblüte und -frucht

Kalender   Der Kalender ist eine Zeiteinteilung; er unterteilt das Jahr in Monate, Wochen und Tage und richtet sich dabei nach dem Umlauf der Sonne. Die Zeit zwischen dem längsten Tag des Jahres (Sommersonnenwende) und dem nächsten längsten Tag beträgt nach unserer modernen Rechnung 365 Tage und sechs Stunden – also ein Jahr. Die überzähligen sechs Stunden werden alle vier Jahre, im Schaltjahr, berücksichtigt. Ein Schaltjahr hat also 366 Tage; der Februar hat dann einen Tag mehr.

Dromedar

Kamel

Kamel   Die Kamele zählen zu den ältesten Haustieren der Menschheit. Das einhöckrige Dromedar ist das Last- und Reittier in den nordafrikanischen Wüsten und Steppen. Das asiatische Kamel (Trampeltier) hat zwei Höcker. Auch das südamerikanische Lama gehört zu den Kamelen. Dromedare und Trampeltiere speichern in ihren Höckern Fett, aus denen sie bis zu 17 anstrengende Wandertage lang Flüssigkeit und Nahrung beziehen können. Bei Sandstürmen können sie ihre Nasenlöcher zuklappen.

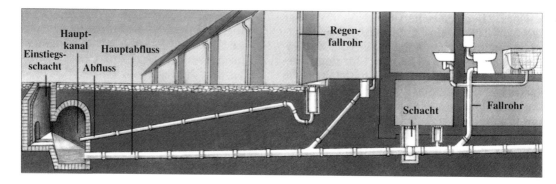

Einstiegsschacht · Hauptkanal · Abfluss · Hauptabfluss · Hauptabfluss · Regenfallrohr · Schacht · Fallrohr

Kanal Kanäle sind künstliche Wasserwege, auf denen Schiffe von einem Fluss, See oder Meer zum anderen fahren können. Kanäle über Land waren früher wichtige Transportwege. Heute ersparen sie den Schiffen weite Umwege. Die größten Kanäle sind der Suezkanal zwischen Mittelmeer und Rotem Meer und der Panamakanal zwischen Atlantik und Pazifik. Unterirdische Kanäle gibt es unter unseren Städten und Dörfern. In ihnen fließt das Schmutzwasser aus den Häusern in die Kläranlagen.

Känguru Kängurus sind Gras fressende Beuteltiere, die nur in Australien vorkommen. Sie haben besonders lange Hinterbeine, einen kräftigen langen Schwanz und kurze Vorderbeine. Wenn die Jungen geboren werden, sind sie kaum größer als einen Zentimeter. Nach der Geburt krabbeln sie sofort in den Beutel der Mutter, wo sie noch acht Monate lang bleiben. Aus den Zitzen im Beutel saugen sie Muttermilch. Die größten Känguruarten, wie das Rote Riesenkänguru, werden über zwei Meter hoch. Dennoch sind sie sehr scheue Tiere. Auf der Flucht können sie mit ihren mächtigen Hinterläufen über zehn Meter weite Sprünge machen.

Kannibalen Bei einigen Naturvölkern war es Sitte, das Fleisch oder bestimmte Organe wie das Herz oder das Hirn eines getöteten Feindes oder anderer Toten aufzuessen. Diese Menschenfresser nennt man „Kannibalen". Es gab sie zum Beispiel in Neuguinea und Brasilien. Sie glaubten, die Kraft, die Tapferkeit oder die Weisheit des Toten durch den Verzehr in sich aufnehmen zu können.

Kanu In Kanus paddelten früher die ⤳ Indianer über die Flüsse und Seen. Sie bauten ihre Boote aus Tierhäuten und Baumrinden, oder sie höhlten Baumstämme zu Einbäumen aus. Moderne Kanus sind Sport-Paddelboote.

Kartoffel Erst seit 200 Jahren werden bei uns Kartoffeln gegessen. Sie stammen ursprünglich aus Südamerika, wo diese Knollengewächse seit jeher angebaut wurden. Bei uns pflanzte man Kartoffelstauden zuerst als exotische Ziersträucher in Parks an. Die Bauern wollten mit den Knollen dieser „neumodischen" Pflanze nichts zu tun haben. Der Preußenkönig Friedrich der Große musste erst den Befehl ausgeben, Kartoffeln anzubauen und zu essen.

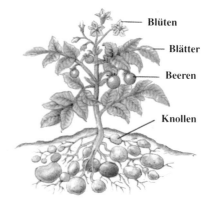

Blüten · Blätter · Beeren · Knollen

Käse   Käse ist ein Milchprodukt. Die Milch von Kühen, Schafen oder Ziegen wird mit Lab (aus dem Magen neugeborener, frisch geschlachteter Kälber) zum Gerinnen gebracht. Dabei trennt sich die Milch in den festen Quark oder Topfen und in eine dünne Flüssigkeit namens Molke. Dem Quark setzt man bestimmte Gewürze und Schimmelpilze zu. Die winzig kleinen Pilze verwandeln ihn in Käse, der dann gepresst und – je nach Sorte – weiter gelagert wird. Die Art der Gewürze, die Sorte der angesetzten Schimmelpilze und die Dauer der Reifezeit machen den Geschmack des Käses aus. Es gibt unzählig viele Käsesorten, vom weichen, milden Frischkäse bis zum harten Emmentaler und würzigen Parmesan. Viele Käsesorten haben ihren Namen nach ihrem Herkunftsort. Der Emmentaler zum Beispiel stammt aus dem Schweizer Emmental und der Parmesan aus der italienischen Region Parma.

Kastanie   Die braunen, glänzenden Früchte des Kastanienbaumes stecken in grünen, stacheligen Hüllen. Es gibt zwei Kastanienarten. Die braunen, glänzenden Kastanien stammen vom Rosskastanienbaum. Sie sind ein gutes Wildfutter im Winter. Die Früchte der Edelkastanie heißen Maronen. Man kann sie in der Pfanne oder im Backrohr rösten und heiß essen.

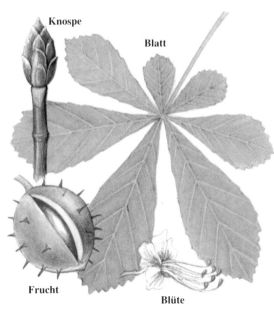

Knospe
Blatt
Frucht
Blüte

Katalog   Kataloge sind Verzeichnisse von Waren oder Buchtiteln. Wer zum Beispiel ein bestimmtes Buch ausleihen möchte, der kann im Katalog einer ⇨ Bibliothek nachschauen. In Versandkatalogen sind alle Waren und Preise aufgeführt. Meistens ist auch ein Bild dabei. So kann man also von zu Hause aus bestellen, was man kaufen möchte. Das Paket kommt dann mit der Post.

Katapult   Früher waren Katapulte Kriegsmaschinen, mit denen man schwere Steine weit schleudern konnte. Sie funktionierten wie riesige Hebel. Auf dem Hebelarm lag in der Pfanne das Geschoss; dann wurde der Arm fest gespannt und losgelassen. Mit einem Katapult konnten Breschen (Löcher) in Festungsmauern geschossen werden. Heute verwendet man Pressluft-Katapulte, um Flugzeuge auf kurzen Startbahnen (zum Beispiel auf Flugzeugträgern) rasch zu beschleunigen und in die Luft zu „schießen".

Katastrophe   Schwere Unglücksfälle, wie Flugzeugabstürze oder Großbrände, nennt man „Katastrophen". Erdbeben, Vulkanausbrüche oder Überschwemmungen sind Naturkatastrophen. Bei Umweltkatastrophen – zum Beispiel beim Leckschlagen eines Öltankers – sind oft Menschen nicht direkt betroffen. Dafür kommen Tiere und Pflanzen um, und die Umwelt wird auf lange Sicht verseucht.

Katze Alle Katzen sind ~ Raubtiere – auch unsere Hauskatzen, die sich so gerne streicheln lassen. Aber wenn Mieze Mäuse fängt, dann ist sie so wild, schlau und flink wie ihre Verwandten, die wilden, großen Raubkatzen. Die Hauskatze stammt von der Europäischen Wildkatze ab, die bei uns schon fast ausgestorben ist. Katzen sehen in der Nacht viel besser als Menschen, weil sie die Pupillen im Auge weit öffnen können. Katzen sind seit vielen tausenden von Jahren Haustiere. Früher hielten sie die Häuser und Speicher von Mäusen und Ratten frei. Die alten Ägypter verehrten Katzen als geheimnisvolle, heilige Tiere. Es gibt verschiedene Katzenrassen wie Perserkatzen, Angorakatzen, Siamkatzen oder die Europäische Hauskatze. Zu den wilden Raubkatzen gehören die Löwen, Leoparden, Jaguare, Pumas und Luchse.

Wildkatze

Kartäuserkatze

Siamkatze

Kurzhaarkatze

Angorakatze

Abessinierkatze

Kiefer Kiefern sind Nadelbäume. Bei uns wächst vor allem die Föhre, die lange Nadeln trägt. Kieferknochen (Oberkiefer und Unterkiefer) sind die Gesichtsknochen, in denen die Zähne stecken.

Kiemen ~ Fische und andere Wassertiere wie Krebse und Muscheln atmen nicht durch Lungen, sondern durch Kiemen. Das sind stark durchblutete Ausstülpungen der Haut. Durch die Kiemen nehmen Fische den lebenswichtigen ~ Sauerstoff aus dem Wasser auf.

Klee Wer auf einer Wiese ein Kleeblatt mit vier Blättern findet, hat Glück gehabt: Klee hat normalerweise nur drei Blätter. Deshalb gilt vierblättriger Klee auch als Glücksbringer. Klee wird als Futterpflanze angebaut. Er verbessert auch die Fruchtbarkeit des Bodens. Insgesamt gibt es mehr als 300 Kleesorten.

Kleptomanie Es gibt Menschen, die können gar nicht anders: Sie müssen klauen, was sie kriegen können, auch wenn sie die gestohlenen Dinge gar nicht gebrauchen können. Sie leiden an Kleptomanie (Klausucht). Kleptomanen sind seelisch krank und nicht kriminell. Sie wollen sich ja gar nicht bereichern und bereuen anschließend den Diebstahl. Besonders schwer haben es Kleptomanen in Supermärkten, wo die Waren griffbereit ausliegen.

Klima

Klima   „Klima" heißt die Witterung, die in einem bestimmten Gebiet der Erde meistens herrscht. Jede Region hat ihr eigenes Klima. Wir leben in einem ständig feuchten Klima. Das tropische Regenwaldklima beiderseits des Äquators ist heiß und feucht, das tropische Savannenklima heiß und trocken. Wüstenklima ist immer trocken, in verschiedenen Wüstengebieten im Winter auch sehr kalt (zum Beispiel in der asiatischen Wüste Gobi). Das Klima wird zum Beispiel durch die Nähe zum Äquator und zu den Polen, durch die Gestalt der Erdoberfläche (Berge, Täler, Land, Meer) und die Höhenlage bestimmt. Auch wir Menschen verändern das Klima. Das Abholzen des tropischen Regenwaldes kann in riesigen Gebieten Wüstenklima erzeugen.

Durch die Abgase von Industrie und Autos und durch Verbrennen von Kohle und Erdöl verändern wir die Zusammensetzung der Erdatmosphäre. Die Wärme kann nicht mehr in den Weltraum abstrahlen. Sie wird durch die Abgase (zum Beispiel Kohlendioxid) wie in einem Glashaus zurückgehalten. Die durchschnittliche Lufttemperatur auf der Erde steigt. Man nennt das den ⇨ „Treibhauseffekt". Diese globale (weltweite) Erwärmung könnte furchtbare Folgen haben. Das in den polaren Gebieten als Eis festgehaltene Wasser könnte schmelzen, der Meeresspiegel daher steigen und Küstengebiete überfluten. Weltweite Klimaveränderungen können fruchtbare Gebiete austrocknen. Hunderte Millionen Menschen müssten sich eine neue Heimat suchen.

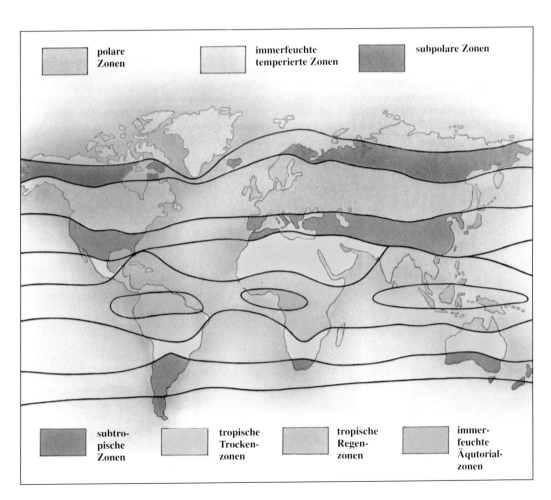

Kobra   Diese bis zu fünf Meter lange Giftschlange ist vor allem in Indien beheimatet. Wegen ihrer Zeichnung auf dem Rücken nennt man sie auch „Brillenschlange". Sie kann tödliches Gift verspritzen. Dabei zielt sie auf die Augen des Angreifers. Oder sie beißt mit ihren Giftzähnen zu.

Kohle   Kohle besteht aus den versteinerten Überresten von Pflanzen und Bäumen, die vor vielen Millionen Jahren auf der Erde gewachsen sind. Über diese Biomasse schoben sich Schichten von Gestein und Erde. Durch Druck und Hitze wurde aus den Pflanzenresten zunächst Torf und später Kohle. Steinkohle ist 250 Millionen Jahre alt, Braunkohle nur 50 Millionen Jahre. Steinkohle muss zumeist aus tieferen Schichten gefördert werden. Große Vorkommen gibt es in den USA, Russland, Polen und Deutschland. Braunkohle kann im Tagebau viel einfacher gefördert werden. Man trägt die oberste Erdschicht ab und räumt die darunter liegende Braunkohle ab. Die Nutzung der Braunkohle ist umweltschädlicher als die der Steinkohle: Sie enthält viel Schwefel und verpestet beim Verbrennen ohne Filter die Luft. Sie hat einen geringeren Brennwert, und man muss daher für dieselbe Heizleistung mehr Braunkohle verfeuern. Außerdem reißt der Tagebau tiefe Wunden in die Landschaft, die hinterher mühsam wieder begrünt werden muss. In Deutschland gibt es riesige Braunkohlevorräte. Die Weltvorräte an Kohle insgesamt werden bei gleich bleibendem Verbrauch noch mindestens 300 Jahre reichen.

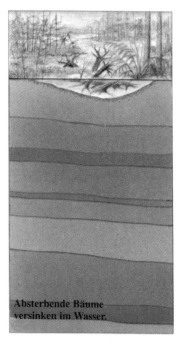

Absterbende Bäume versinken im Wasser.

Sand und Ton lagern sich darüber ab; die Bäume werden zu Torf.

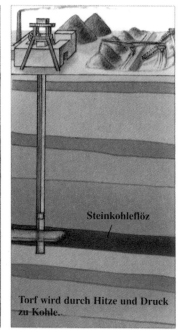

Torf wird durch Hitze und Druck zu Kohle.

Steinkohleflöz

Kohlendioxid Wo immer Holz, Kohle oder anderes organisches Material verbrennt, entsteht unter anderem das ungiftige und geruchlose Gas Kohlendioxid. Auch beim Ausatmen produzieren Menschen und Tiere Kohlendioxid. Pflanzen nehmen Kohlendioxid auf und verwandeln es in Kohlenhydrate.

Kohlenhydrate Kohlenhydrate sind wichtige Bestandteile unserer Nahrung und haben nichts mit der Kohle zum Verheizen zu tun. Diese Substanzen werden als Stärke und Zucker von Pflanzen erzeugt und bestehen aus den Elementen Wasserstoff, Sauerstoff und Kohlenstoff. Kartoffeln zum Beispiel sind besonders reich an Kohlenhydraten.

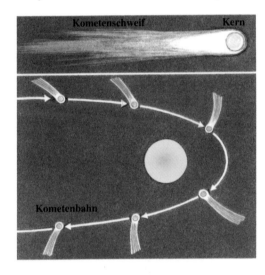

Kometenschweif Kern

Kometenbahn

Komet Kometen durchkreisen in weiten, regelmäßigen Bahnen als kleine Himmelskörper unser Sonnensystem. Nur wenige sind von der Erde aus sichtbar; und auch nur dann, wenn sie in die Nähe der Sonne geraten. Dann leuchtet ihr bis zu viele Millionen Kilometer langer Gasschweif auf. Der Kometenkern besteht aus Eis und zusammengebackenem Staub. Er ist mit einem Durchmesser von einem bis 100 Kilometer relativ klein. Früher hielt man Kometen für die Vorboten besonderer Ereignisse. Der berühmteste Komet ist der Halleysche Komet, der alle 76 Jahre aus den Tiefen des Weltraumes in die Nähe der Sonne zurückkehrt. Das nächste Mal wird er im Jahr 2062 von der Erde aus sichtbar sein.

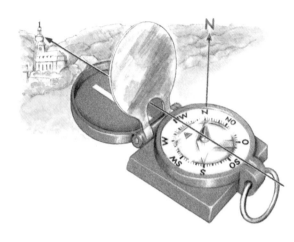

Kompass Ein Kompass zeigt die Himmelsrichtung an. Er macht sich den Erdmagnetismus zu Nutze. Seine Nadel weist immer in Richtung Nordpol. Und wenn man weiß, wo Norden ist, kennt man auch die anderen Himmelsrichtungen.

Kondom Ein zarter Gummi, den sich Männer über den Penis ziehen können, ist ein Kondom. Kondome verhindern, dass beim Geschlechtsverkehr ein Kind gezeugt wird. Sie schützen auch vor ansteckenden Krankheiten wie Aids.

König Früher waren Könige, „Männer von vornehmer Abstammung", in vielen Ländern die absoluten Herrscher – niemand konnte sich ihren Anweisungen widersetzen. Parlamente und Räte hatten nur die Aufgabe, den König oder die Königin zu beraten. Heute haben Könige keine politische Macht mehr. Sie sind eine Art Präsident ihres Landes. Damals wie heute konnte man nicht durch eigene Leistung, sondern fast nur durch Geburt in eine Königsfamilie König oder Königin werden. Monarchen gibt es z. B. noch in folgenden Ländern: Belgien, König Albert II.; Bhutan, König Jigme Sinhye Wangchuk; Dänemark, Königin Margarethe II.; Großbritannien, Königin Elizabeth II.; Japan, Kaiser Akihito; Jordanien, König Abdullah I.; Marokko, König Hassan II.; Nepal, König Birendra Bir Bikram Shah Dev; Niederlande, Königin Beatrix; Saudi-Arabien, König Fahd ibn Abdul Aziz; Spanien, König Juan Carlos I.; Schweden, König Carl XVI. Gustav; Thailand, König Bhumipol Adulaydei Rama IX.

Konkurrenz Konkurrenten stehen miteinander im Wettbewerb: Sie konkurrieren miteinander. Konkurrenz herrscht zum Beispiel zwischen Firmen, die dasselbe Produkt verkaufen wollen, oder zwischen Sportlern bei einem Wettbewerb oder in der Schule.

Konsument Der Konsument ist der Verbraucher. Er gebraucht oder verbraucht das, was er gekauft hat. Lebensmittel, Fernsehfilme, Kleider – all das sind Konsumartikel. „Konsumentenschutz" nennt man die Regeln und Gesetze, die verhindern sollen, dass Käufer von Erzeugern und Händlern übervorteilt werden. Dazu gehört zum Beispiel die Bestimmung, dass auf Lebensmitteln stehen muss, woraus sie bestehen und wie lange sie haltbar sind.

Kontinent Die großen Landmassen auf der Erde nennt man „Kontinente" oder „Erdteile". Da Asien und Europa zusammenhängen, spricht man auch von „Eurasien".

Kontinent	Fläche in Millionen Quadratkilometern
Asien	44,4
Afrika	30,2
Amerika (Nord und Süd)	43,0
Antarktis	13,3
Europa	10,4
Australien und Ozeanien	8,5

Kontrast Weiß und schwarz, süß und sauer, hell und dunkel: Das sind Kontraste, nämlich starke Gegensätze oder Unterschiede.

Konzentration Die Zusammenfassung von Kräften. Meistens meint man die geistigen Kräfte: Wer sich konzentriert, ist voll und ganz bei der Sache.

Konzentrationslager In Konzentrationslagern ⇒ isolieren Diktaturen ihre politischen Gegner oder sonstige missliebige Personen, um sie durch Zwangsarbeit auszubeuten oder zu töten. Während der nationalsozialistischen Herrschaft wurden Millionen Menschen in KZ ermordet; vor allem Juden, Zigeuner, Homosexuelle oder politisch und religiös anders Denkende. Die KZ in den kommunistischen Ländern hießen „Arbeitslager" oder „Umerziehungslager".

Koralle Korallen sind Hohltiere, die in warmen Meeren fest auf dem Meeresboden sitzen. Sie haben feste Außenskelette. Wenn sie sterben, setzen sich junge Tierchen auf die Ablagerungen, und die Korallen wachsen höher und höher. Koralleninseln oder Korallenriffe bestehen also aus den Überresten abgestorbener Tiere. Aus den roten oder weißen Edelkorallen kann man schöne Schmuckstücke machen.

1 Korallen wachsen um eine Insel.
2 Die Insel versinkt, das Korallenriff wächst weiter.
3 Ein Atoll ist enstanden.

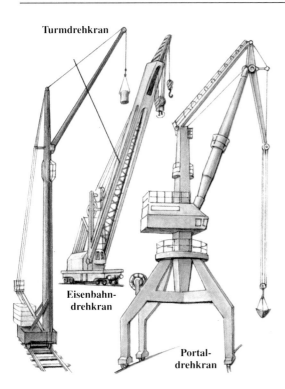

Turmdrehkran

**Eisenbahn-
drehkran**

**Portal-
drehkran**

Kran Kräne sind Maschinen, die schwere Lasten heben und versetzen. Ein großer Kran kann sogar eine Lokomotive heben.

Krankenhaus Die modernen Krankenhäuser sind fast wie kleine Städte mit verschiedenen Abteilungen, in denen kranke Menschen untersucht, behandelt und gepflegt werden. In die Unfallstation werden die Opfer von Verkehrs- oder Arbeitsunfällen mit dem Krankenwagen eingeliefert und sofort versorgt. Hier herrscht Dienst rund um die Uhr. In den Operationssälen der chirurgischen Abteilung operieren Fachärzte (Chirurgen) die Kranken. Kinderabteilungen sind so ausgestattet, dass sich auch junge Patienten wohl fühlen können. Für sie gibt es Spielsachen und Bücher. In der Ambulanz kann man leichtere Krankheiten behandeln lassen und anschließend wieder nach Hause gehen. Infektionsabteilungen pflegen Kranke, die an ansteckenden Krankheiten leiden. Krankenhäuser sind mit modernsten Geräten ausgestattet. Die Behandlung ist sehr teuer. Sie wird von der Krankenkasse oder von der Krankenversicherung bezahlt.

Kredit Wer jemandem Geld leiht, der gibt ihm Kredit. Das Wort heißt eigentlich „Vertrauen". Der Geldgeber oder Gläubiger vertraut darauf, dass ihm der Kreditnehmer die Summe zum vereinbarten Zeitpunkt auch wieder zurückgibt. Für die Gewährung eines Kredites oder Darlehens verlangt der Kreditgeber, meist eine Bank, einen Zuschlag: die Zinsen. Mit einer Kreditkarte kann man einkaufen, ohne bar zu bezahlen. Der Verkäufer bekommt den Kaufpreis von der Kreditkarten-Firma, und diese Organisation holt sich das verliehene Geld wieder vom Inhaber der Kreditkarte zurück. Die wichtigsten Kreditkarten-Unternehmen sind Visa, Eurocard, Diners Club und American Express.

Krokodil Krokodile sind Panzerechsen. Sie leben in heißen Ländern am Wasser (vorwiegend Süßwasser) und lassen ihre Eier von der Sonne ausbrüten. Die größten Krokodile werden fast zehn Meter lang. Beim Tauchen können Krokodile ihre Nasenlöcher und Ohren durch Klappen fest verschließen. Meistens lauern sie knapp unter der Wasseroberfläche ihren Beutetieren auf: Fischen und Wasservögeln, aber auch Säugetieren, die zum Trinken an das Ufer von Flüssen und Seen kommen. Sumpfkrokodile leben in Indien und Australien, Nilkrokodile in Afrika und Alligatoren in Amerika und China. Kaimane sind eine Art kleiner Alligatoren.

Kröte Kröten erinnern an ↝ Frösche, sind jedoch plumper. Sie haben kurze Beine und eine warzige Haut, durch die sie eine giftige Flüssigkeit absondern können. Kröten gehören zur Tierfamilie der Lurche (↝ Amphibien). Sie sind zumeist Nachttiere, und sie brauchen eine feuchte Umgebung. Es gibt etwa 200 Krötenarten. Die meisten von ihnen leben in den heißen Ländern Afrikas und Amerikas.

Kultur Die Art, wie Menschen miteinander umgehen, wie sie die Welt beschreiben oder wie sie ihre Empfindungen ausdrücken – das alles ist Kultur: Sprache, Wissenschaft, Religion, Philosophie, Kunst, Sitten und Gebräuche, Lebensformen. In verschiedenen Kulturen drücken sich Menschen unterschiedlich aus. Gebräuche, die für weiße Europäer unverständlicher Humbug sein können, können für australische Aborigines zum Beispiel größte Bedeutung haben. Aus den Verschiedenheiten der Kulturen können sich oft Missverständnisse ergeben. Mitteleuropäer fühlen sich leicht bedroht, wenn ihnen ein Fremder beim Gespräch zu nahe kommt. In südeuropäischen Kulturen kann das aber ein Gebot der Höflichkeit sein. Meistens halten wir das für richtig und selbstverständlich, was in der Kultur üblich ist, in der wir aufgewachsen sind.
Früher lebten die meisten Menschen in einer „monokulturellen" Gesellschaft – es gab eine einzige anerkannte Lebensform. Heute müssen, durch die Öffnung von Grenzen und durch Einwanderung von Menschen aus anderen Völkern, zum Beispiel nach Mitteleuropa, viele verschiedene Lebensformen und Kulturen miteinander auskommen. In einer „multikulturellen" (vielkulturellen) Gesellschaft müssen wir lernen, kulturelle Verschiedenheiten zu respektieren.

Kupplung Wenn beim Autofahren ein anderer Gang eingelegt werden soll und der Fahrer das Kupplungspedal drückt, wird das ↝ Getriebe vom ↝ Motor getrennt. Dann sorgt ein Mechanismus dafür, dass die beiden Zahnräder des Getriebes die passende Geschwindigkeit haben und ineinander gleiten können. Der Autofahrer lässt die Kupplung los und fährt im neuen Gang weiter.

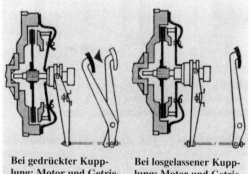

Bei gedrückter Kupplung: Motor und Getriebe getrennt

Bei losgelassener Kupplung: Motor und Getriebe verbunden

Kur Wer lange krank war oder eine schwere Operation überstanden hat, erholt sich unter ärztlicher Aufsicht bei einer Kur. Kurorte haben zumeist heilkräftiges Wasser oder besonders gute Luft.

Kurzschrift Wer die Kurzschrift (Stenografie) beherrscht, der kann ein schnelles Gespräch Wort für Wort mitschreiben. Einer der Tricks dabei ist, dass ganze Silben oder Wörter in eigenen Zeichen zusammengefasst werden. Damit geht das Schreiben viel schneller. Bei Gerichten und in Parlamenten gibt es „Stenografen", berufsmäßige „Kurzschreiber", die alles mitstenografieren.

Labor

Labor In einem Laboratorium (Abkürzung: Labor) führen Naturwissenschaftler (Physiker, Chemiker, Biologen) oder Techniker Versuche und Untersuchungen durch. In medizinischen Labors untersucht man Blut oder andere Körperflüssigkeiten auf bestimmte Merkmale; so kann man Krankheiten feststellen. Kriminaltechnische Labors helfen der Polizei, Verbrechen aufzuklären.

Lama Das etwa hirschgroße, höckerlose Kamel der südamerikanischen Anden heißt Lama. Es dient den Indios vor allem als Lasttier und Wolllieferant und ist das einzige größere Haustier, das ursprünglich in Amerika beheimatet war.

Landkarte Eine Landkarte ist das verkleinerte Abbild einer Landschaft, wie man sie aus der Vogelperspektive – also im Darüberfliegen – sehen würde. Die wichtigsten Merkmale, wie Ortschaften, Flüsse, Berge, Straßen und Bahnlinien, sind durch Symbole dargestellt. Den Grad der Verkleinerung nennt man den Maßstab einer Karte. Bei einem Maßstab von 1:100.000 entspricht ein Zentimeter auf der Karte einer Strecke von 100.000 Zentimetern in der Wirklichkeit; und das ist dann ein Kilometer.

Landwirtschaft

Landwirtschaft Bauern treiben Landwirtschaft: Ackerbau und Viehzucht. Landwirtschaftliche Produkte wie Getreide und Gemüse werden entweder direkt von Menschen gegessen, oder sie dienen als Viehfutter. Später verzehren Menschen die Milch, die Eier oder das Fleisch der Tiere.

Vor 10.000 Jahren haben Menschen damit begonnen, Haustiere zu halten und Felder zu bestellen, anstatt als Jäger und Sammler herumzustreifen. Sie bauten Getreide, Gemüse und Hülsenfrüchte an. Das sind ursprünglich die wichtigsten Nahrungsmittel für uns Menschen: in Europa das aus gemahlenem Getreide (Mehl) gebackene Brot, in Amerika und Afrika ein Brei aus Hirse oder Maisschrot und in Asien Reis.

Im modernen Ackerbau wird der Boden mit riesigen Maschinen bearbeitet. Der Boden wird mit Kunstdünger gedüngt, und Unkraut und Insekten werden mit giftigen Spritzmitteln vernichtet. Eine andere Form des Ackerbaus ist die biologische Landwirtschaft. Bio-Bauern spritzen kein Gift und bringen keinen Kunstdünger aus. Getreide und Gemüse aus biologischem Landbau sind teurer, weil der Bauer mehr Arbeit damit hat. Dafür schützen Bio-Bauern die Umwelt, und in den Feldfrüchten ist weniger Gift enthalten.

Landschaft

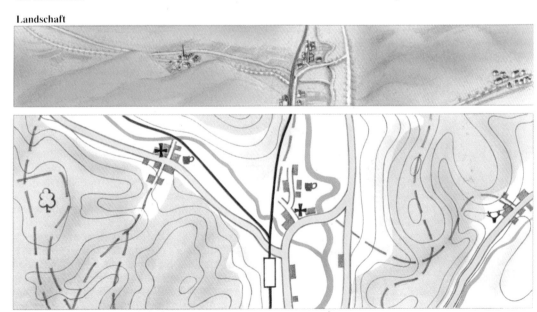

Landkarte der obigen Landschaft

Das System der modernen industriellen Landwirtschaft ist unsinnig und grausam gegen Menschen und Tiere. In Europa herrscht eine gigantische Überproduktion an Getreide, Milch und Fleisch. Die europäischen Bauern und Händler werden dafür mit 70.000 Millionen Mark jährlich vom Staat unterstützt (subventioniert), weil sie ihre Produkte nicht verkaufen können. Kunstdünger, Gülle aus der Massentierhaltung und Pflanzengifte verseuchen den Boden und das Grundwasser.

Ungefähr die Hälfte der Weltproduktion von Getreide wird an Kühe und Schweine verfüttert, die in den reichen Ländern unter grausamen Bedingungen gehalten und getötet werden. Das Vieh der Reichen frisst also das Brot der Armen. Dabei könnte die Landwirtschaft leicht alle Menschen der Welt gut und gesund ernähren. Denn dasselbe Stück Land ernährt zehn Menschen, wenn darauf Brotgetreide angebaut wird, aber nur einen Menschen, wenn mit dem auf diesem Stück Land angebauten Futter Schlachtrinder gemästet und aus ihrem Fleisch Hamburger oder Würstchen produziert werden.

Lappen   Im Norden Skandinaviens, in Lappland, leben etwa 200.000 Lappen, sie nennen sich selbst Samen. Die Angehörigen dieses Volkes sind zumeist kleinwüchsig und dunkelhaarig. Sie leben von der Jagd, vom Fischfang und von ihren riesigen Rentierherden, mit denen sie als ⇀ Nomaden durch den hohen Norden Europas ziehen.

Laser   Laserstrahlen sind eng gebündelte und verstärkte – daher energiereiche – Lichtstrahlen. Man setzt sie vor allem dort ein, wo es auf höchste Genauigkeit ankommt. Mit ihnen kann man zum Beispiel bei Operationen viel präziser schneiden als mit einem Skalpell aus Metall.

Lasso   Dieses bis zu 15 Meter lange Wurfseil ist eines der wichtigsten Arbeitsgeräte von Viehhirten (Cowboys) und Tierfängern in Amerika, Australien und Afrika. Wenn man richtig trifft, zieht sich die Schlinge um den Kopf oder den Körper des Tieres zusammen.

Lava   ⇀ Vulkane

Lawine   Wenn Schneemassen an steilen Gebirgshängen ins Rutschen kommen, stürzen sie als Lawinen zu Tal. Seltener sind Stein- und Schlammlawinen. Besonders hoch ist die Lawinengefahr bei Tauwetter. Grundlawinen bestehen aus schwerem, nassem Schnee, Staublawinen aus trockenem Pulverschnee. Oft genügt ein Ruf, und die Schallwellen lösen eine kleine Lawine aus, die im Herabstürzen immer größere Schneemassen mit sich reißt. Lawinen verschütten oft Straßen und Ortschaften. Früher schützten die Bannwälder (Schutzwälder) die Siedlungsgebiete in den Alpen vor Lawinen. Durch das ⇀ Waldsterben gehen diese Wälder zu Grunde. Sie können durch Schutzbauten aus Beton nur teilweise ersetzt werden, sodass die Lawinengefahr in manchen Alpentälern insgesamt immer größer wird. Der tägliche Lawinenwarndienst macht auf die aktuellen Gefahren aufmerksam. Dennoch werden immer wieder Skifahrer von Lawinen erfasst. Speziell

ausgebildete Lawinenhunde können meterhoch verschüttete Lawinenopfer aufspüren.

Leben   Die Art und Weise, wie Lebewesen (Menschen, Tiere, Pflanzen) existieren, nennen wir „Leben". Lebewesen unterscheiden sich von unbelebten Stoffen dadurch, dass sie wachsen und sich fortpflanzen können. Das Fremdwort für Leben lautet „Bio", und mit der belebten Natur und den Gesetzmäßigkeiten im Ablauf des Lebens von Pflanzen, Tier und Mensch befasst sich die Biologie. Entstanden ist das Leben vor über drei Milliarden Jahren im Meer.

Leber   Dieses für den Menschen lebenswichtige Organ ist die größte Drüse im Körper. Sie funktioniert wie ein kompliziertes chemisches Labor. Die Leberläppchen (etwa eine Million) entgiften die Abfallprodukte des Körpers, speichern Zucker, bilden Eiweißstoffe und erzeugen Galle, die für die Verdauung wichtig ist. Die Leber ist etwa anderthalb Kilogramm schwer und liegt in der rechten Seite des oberen Bauchbereichs.
Darunter schließt sich der etwa sieben bis neun Meter lange ⇀ Darm an. Links von der Leber, aber wie diese unterhalb des Brustkorbs, liegt der ⇀ Magen.

Legende   Legenden, wundersame Geschichten über Heilige, waren vor allem im Mittelalter beliebt.
Den erklärenden Text zu einer Abbildung oder einer ⇀ Landkarte nennt man auch Legende.

Leuchtturm   Auf (natürlichen oder künstlichen) Inseln an Hafeneinfahrten oder an gefährli-

chen Küstenabschnitten stehen Leuchttürme. Ihre Leuchtfeuer weisen den Schiffskapitänen bei Nacht und schlechter Sicht den sicheren Fahrweg und warnen vor Untiefen, also vor flachen Stellen. Auf Leuchttürmen können sogar Hubschrauber landen. Einige Meter über dem Meeresspiegel gibt es ein Eingangspodest für Schiffbrüchige. Die Abbildung zeigt dir, wie ein Leuchtturm aufgebaut ist.

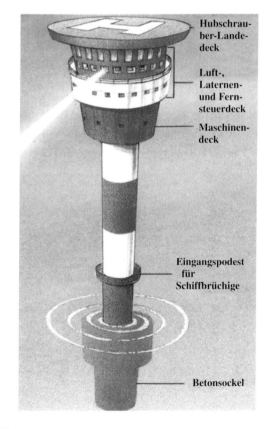

Hubschrauber-Landedeck

Luft-, Laternen- und Fernsteuerdeck

Maschinendeck

Eingangspodest für Schiffbrüchige

Betonsockel

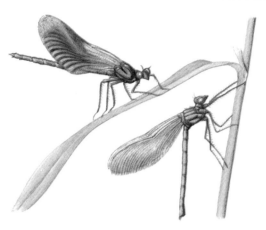

Libelle   Libellen zählen zu den besten Fliegern der Tierwelt: Sie können vorwärts und rückwärts fliegen, gerade auf- und absteigen und in der Luft stehen bleiben. Sie sind Raubinsekten und jagen Käfer, Fliegen und Schmetterlinge, die sie mit den Beinen greifen. Aus der Nähe kann man den riesigen Kopf und die gefährlichen Fresswerkzeuge gut ausmachen. Die größten Libellen werden 15 Zentimeter lang. Ihre Larven leben im Wasser.

Licht   Wenn wir etwas sehen, dann nehmen wir mit Auge und Gehirn eine spezielle Art von elektromagnetischen Wellen wahr. Diese besondere Art von Strahlung heißt „Licht". (Andere, für uns unsichtbare elektromagnetische Wellen sind zum Beispiel Radiowellen.) Wir nehmen Licht wahr, das von einer Lichtquelle (zum Beispiel Sonne, Feuer, glühender Draht in der Glühlampe) ausgestrahlt oder das von einem Gegenstand reflektiert wird. Je nach der Frequenz (Wellenlänge) des Lichts sehen wir verschiedene Farben. Weißes

Licht ist eine Mischung aus allen Farben. Wenn ein Lichtstrahl durch ein Prisma fällt, spaltet er sich in die verschiedenen Frequenzen auf. Man sieht die Farben, aus denen er besteht.

Manche festen Körper, wie zum Beispiel Glas, lassen Lichtstrahlen fast ungehindert durch. Sie sind durchsichtig. Andere Stoffe werfen das Licht mehr oder weniger stark zurück: am stärksten ein Spiegel, am schwächsten ein schwarzer Gegenstand. Schwarze Farbe verschluckt Licht und verwandelt die Lichtenergie in Wärmeenergie. (Deshalb sind schwarze Stoffe in der Sonne heißer als helle Stoffe!)

Lichtgeschwindigkeit   Nichts auf der Welt ist schneller als Licht. Die Geschwindigkeit seiner Ausbreitung beträgt etwa 300.000 Kilometer pro Sekunde. Dies ist die absolut höchste Geschwindigkeit, die erreicht werden kann. Sonnenlicht braucht etwa acht Minuten, bis es zur Erde gelangt, das Licht des Mondes etwas über eine Sekunde. Die Strecke, die ein Lichtstrahl in einem Jahr durcheilt (etwa neuneinhalb Billionen Kilometer), heißt Lichtjahr. Die gigantischen Entfernungen im Weltraum werden in Lichtjahren angegeben.

Liechtenstein   Zwischen Österreich und der Schweiz liegt das kleine Fürstentum Liechtenstein. Die Hauptstadt heißt Vaduz. Liechtenstein ist ein bedeutender Handelsplatz. Viele internationale Firmen haben dort ihren offiziellen Hauptsitz, weil sie in Liechtenstein weniger Steuern zahlen müssen als in den Ländern, in denen sie tatsächlich tätig sind.

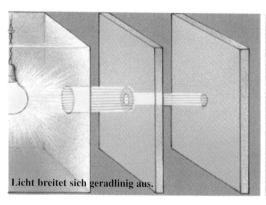

Licht breitet sich geradlinig aus.

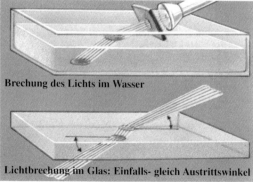

Brechung des Lichts im Wasser

Lichtbrechung im Glas: Einfalls- gleich Austrittswinkel

Linse   Linsen sind Hülsenfrüchte und zählen zu den ältesten und wichtigsten Kulturpflanzen der Menschheit. In vielen afrikanischen und asiatischen Ländern sind sie – zusammen mit Hirse oder Reis – ein Grundnahrungsmittel.

Von der Form der Linse kommt auch der Name der optischen Linse. Das ist ein geschliffenes Stück Glas, das Licht sammelt oder, je nach Schliff, zerstreut. Linsen braucht man für den Bau von Mikroskopen, Fernrohren und Fotoapparaten. Mit der Linse einer Lupe kann man Sonnenstrahlen so stark auf einen Punkt konzentrieren, dass die gebündelte Sonnenenergie ein Loch in das Material brennt oder brennbare Stoffe entzündet.

Lokomotive   Zugmaschinen für Eisenbahnzüge heißen Lokomotiven. Moderne Loks fahren mit Strom. Auf nicht elektrifizierten Bahnstrecken sind auch Dieselloks im Einsatz. Die ersten Lokomotiven fuhren mit Dampf. Das Wort „Lokomotive" ist lateinisch und heißt: „etwas, das sich von der Stelle bewegt".

Lot   Ein Stück Metall, das an einem Faden hängt, ist ein Lot. Handwerker bestimmten früher damit die Senkrechte. In der Schifffahrt stellte man mit dem Lot die Wassertiefe fest. Daher kommt der Ausdruck „etwas ausloten".

Lotse   Lotsen sind besonders ausgebildete Seeleute mit bester Ortskenntnis in schwierigen Fahrwassern. Sie kommen an Bord und übernehmen das Kommando eines Schiffes beim Durchfahren gefährlicher Gewässer oder beim Einlaufen in einen Hafen. Fluglotsen regeln per Funk den Flugverkehr vom Tower (Kontrollturm) eines Flughafens aus. Jeder Flugkapitän muss ihren Anweisungen gehorchen.

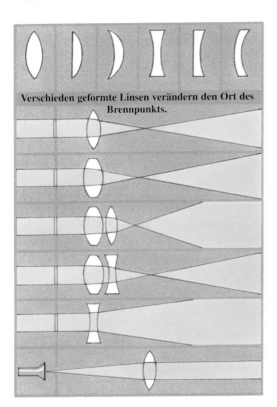

Verschieden geformte Linsen verändern den Ort des Brennpunkts.

Löwe   Löwen leben und jagen in Rudeln in den Steppen Afrikas und Vorderindiens. Diese großen Raubkatzen werden etwa einen Meter hoch und bis zu zwei Meter lang. Die Weibchen sind für die Beschaffung von Nahrung und für die Aufzucht der Jungen zuständig; die Männchen verteidigen höchstens einmal das Revier gegen Eindringlinge. Dem Menschen gehen Löwen nach Möglichkeit aus dem Weg. Gefährlich sind sie nur, wenn sie angegriffen werden oder sehr hungrig sind. Wegen der imposanten Haartracht des Männchens und wegen seines schauerlichen Brüllens nennt man den Löwen den „König der Tiere". Auf vielen Wappen ist ein Löwe abgebildet, als Symbol der Kraft und Tapferkeit.

Luft   Luft ist das Gasgemisch, das die Erde wie eine Hülle (⇨ Atmosphäre) umgibt. Sie besteht zu fast vier Fünfteln aus Stickstoff, zu einem Fünftel aus Sauerstoff, den Rest bilden andere Gase. Luft ist für die Lebewesen der Erde unbedingt notwendig. Wir Menschen brauchen zum Beispiel den Sauerstoff zum Atmen. Der Gehalt an Sauerstoff in der Luft nimmt ab, je höher man einen Berg hinaufsteigt. Deshalb brauchen Bergsteiger in großen Höhen Sauerstoffgeräte. Die Lufthülle schützt uns auch vor zu starker Strahlung aus dem Weltraum.

Luftfahrt   Der uralte Traum der Menschen, sich in die Lüfte erheben und fliegen zu können, hat sich heute erfüllt: durch Maschinen. Die Geschichte der Luftfahrt beginnt mit dem Heißluftballon der Brüder Montgolfier, die 1783 erstmals in den Himmel stiegen. Das war ein welterschütterndes Ereignis. Die Wissenschaft konnte beweisen, was sie alles praktisch leisten konnte. Auch die Politik veränderte sich in dieser Zeit radikal.

Denn die Luft gehörte niemandem. Hier herrschte Freiheit. Der französische König erkannte den revolutionären Gedanken. Niemand, sagte er, dürfe über ihm schweben, außer Gott. Er versuchte sogar, das Ballonfliegen zu verbieten. Hundert Jahre später tat die Luftfahrt den Sprung vom Ballon zum Luftschiff und Flugzeug. Luftschiffe waren durch ihre gigantischen Ballons ebenfalls leichter als Luft, konnten mit Motorkraft jedoch auch gegen den Wind steuern. Gleichzeitig starteten tollkühne Männer die ersten Versuche mit Fluggeräten, die schwerer als Luft waren.

Der Deutsche Otto Lilienthal flog mit seinem Gleitflieger, einer Art Flugdrachen, im Jahr 1891 immerhin 350 Meter weit. Zwölf Jahre später starteten die amerikanischen Brüder Wright zum ersten – ein paar dutzend Meter weiten – Flug mit einem Flugzeug, das von Propeller und Verbrennungsmotor angetrieben wurde. Heutige Passagierflugzeuge fliegen mit Düsenantrieb und fast Schallgeschwindigkeit (die Concorde sogar mit Überschall) von Kontinent zu Kontinent.

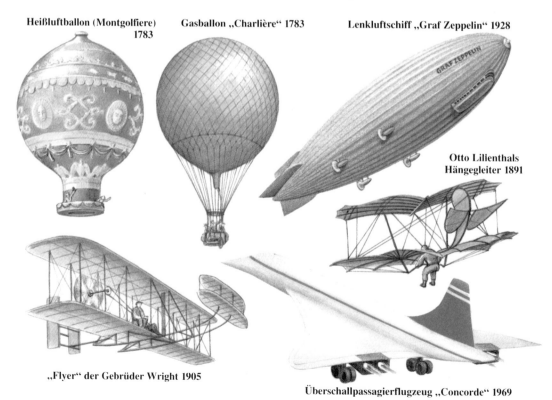

Heißluftballon (Montgolfiere) 1783

Gasballon „Charlière" 1783

Lenkluftschiff „Graf Zeppelin" 1928

Otto Lilienthals Hängegleiter 1891

„Flyer" der Gebrüder Wright 1905

Überschallpassagierflugzeug „Concorde" 1969

Made

Made Diese Insektenlarven sehen wie winzige helle Würmer aus. Fliegen und Bienen entwickeln sich zum Beispiel aus Maden.

Magazin In einem Magazin lagern Waren aller Art. In einem Zeitschriften- oder Fernsehmagazin werden die verschiedensten Themen behandelt. Das Magazin einer Schusswaffe nimmt die Patronen auf.

Magen Unser Magen ist ein Teil des Verdauungstraktes. Durch die Speiseröhre rutschen die Speisen und Getränke in dieses sackformige Organ. Dort werden sie mithilfe der Magensäfte in ihre Bestandteile zerlegt. Die weitere Verdauungsarbeit findet dann im Darm statt. Im Magen haben etwa anderthalb Liter Flüssigkeit Platz.

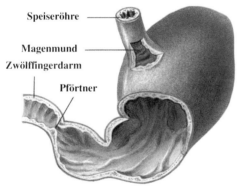

Speiseröhre
Magenmund
Zwölffingerdarm
Pförtner

Maikäfer Maikäfer, die bei uns nur noch selten vorkommen, gehören zu den Blatthornkäfern. Ihre Larven (Engerlinge) leben vier Jahre lang in der Erde und ernähren sich von Wurzeln. In manchen Jahren, wenn das Wetter günstig ist, können die ausgewachsenen Maikäfer in ungeheuren Massen auftreten; in anderen Jahren hingegen bekommen wir kaum einen dieser großen, braunen, fliegenden Käfer zu Gesicht.

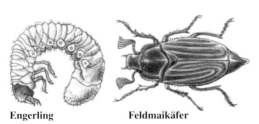

Engerling   Feldmaikäfer

Margarine

Manager Die leitenden Angestellten von größeren Firmen nennt man „Manager". Das englische Wort „to manage" heißt: etwas fertig bringen.

Manuskript Ein Manuskript ist eigentlich ein mit der Hand (lateinisch „manus") geschriebener Text („scriptus"), der noch nicht gedruckt worden ist. Heute schreiben Schriftsteller jedoch nicht mehr mit der Hand, sondern mit der Schreibmaschine oder mit dem Computer. Ihren Text nennt man trotzdem noch das „Manuskript".

Marathon(lauf) Von dem griechischen Ort Marathon, der 42 Kilometer von Athen entfernt liegt, hat dieser Langstreckenlauf seinen Namen. Von Marathon aus startete im Jahr 490 vor Christus ein Bote, um den Athenern die Nachricht vom Sieg ihrer Armee über die Perser zu überbringen. Nachdem er den Athenern die gute Nachricht mitgeteilt hatte, brach er vor Erschöpfung tot zusammen. Die heutige Marathon-Strecke ist exakt 42.195 Meter lang. Die weltbesten Läufer legen diese Strecke in etwas über zwei Stunden zurück.

Märchen Vor vielen hundert Jahren entstanden die Volksmärchen und wurden zunächst nur mündlich von Erzähler zu Erzähler überliefert. Diese fantasievollen Geschichten waren früher bei Erwachsenen genauso beliebt wie bei Kindern. Im vergangenen Jahrhundert schrieben die Sprachwissenschaftler Jacob und Wilhelm Grimm die bekanntesten Märchen auf und gaben ihr berühmtes Werk „Kinder- und Hausmärchen" heraus. „Kunstmärchen" sind märchenhafte Erzählungen, von denen der Autor bekannt ist. Berühmte Märchenerzähler sind Hans Christian Andersen, Wilhelm Hauff oder Ludwig Bechstein, die im 19. Jahrhundert lebten.

Margarine Als im vorigen Jahrhundert die Margarine erfunden wurde, war sie bloß ein billiges Speisefett aus Öl und Rinderfett und sollte Butter ersetzen. Moderne, hochwertige Margarine besteht heute jedoch aus reinen, gesunden Pflanzenölen. Viele Vegetarier und gesundheitsbewusste Menschen essen deshalb Margarine.

Marine Die Seeflotte eines Landes nennt man „Marine". Die Schiffe der Handelsmarine sind für den Transport von Waren und Menschen zuständig. Die Kriegsmarine besteht aus Kriegsschiffen, wie Kanonenbooten, Flugzeugträgern und U-Booten.

Marionette Puppen mit beweglichen Gliedern, die an Fäden hängen oder an dünnen Stangen befestigt sind, nennt man „Marionetten". Im Marionettentheater führt man mit diesen Puppen Theaterstücke auf.

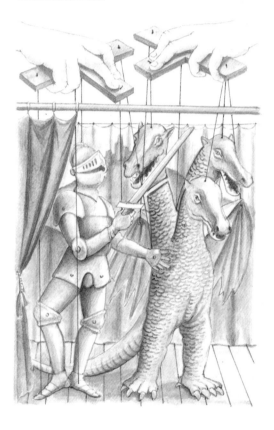

Markt Auf dem Markt treffen sich die Verkäufer und die Käufer von Waren. In früheren Zeiten wurden alle Geschäfte auf den Märkten abgewickelt, die im Zentrum der Städte und in größeren Dörfern abgehalten wurden. Die Preise für die Waren wurden zwischen den Erzeugern und Händlern auf der einen Seite und den Kunden (Konsumenten) auf der anderen Seite ausgehandelt.

Marmor Dieses wertvolle Gestein ist sehr beständig, hart und lässt sich dennoch gut bearbeiten. Marmor ist aus Kalkstein entstanden. Es gibt ihn in vielen verschiedenen Farben – von blendend Weiß über Rot, Gelb bis zu Grau und Schwarz. Bildhauer und Architekten verwenden Marmor für Standbilder und für die Fassaden und Böden von teuren Häusern.

Maschine Eine Maschine nimmt den Menschen körperliche Arbeit ab. Die einfachsten Maschinen sind Rollen, Hebel und Keile, die seit dem Altertum zum Heben und Bewegen von schweren Lasten verwendet wurden. Moderne Kraftmaschinen verwandeln Wärmeenergie (⇝ Dampfmaschine, ⇝ Verbrennungsmotor) oder elektrische Energie (Elektromotor) in mechanische Energie. Sie treiben Autos und Flugzeuge, Werkzeugmaschinen und Kräne, Züge und Haushaltsgeräte an. Ohne Maschinenkraft wäre unsere moderne Welt undenkbar.

Maulwurf Maulwürfe sind Insektenfresser, haben eine rüsselartige Nase, starke Grabschaufeln an den Vorderbeinen und ein messerscharfes Gebiss; sie sind fast blind. Sie graben Gänge durch die Erde und fressen dabei Regenwürmer, Engerlinge und Insekten. Maulwürfe sind ungeheuer gefräßig. Nach einem Tag ohne Nahrung wären sie verhungert. Deshalb legen sie sich unterirdische Vorratskammern an, in denen sie oft hunderte durch Biss gelähmte Regenwürmer aufbewahren. Die Maulwurfshügel sind zugleich Erdauswurf und Lüftungsschächte für die unterirdischen Bauten. Das Wort „Maulwurf" bedeutet eigentlich „Haufenwerfer".

Maus Mäuse sind ⇀ Nagetiere und mit den Ratten, Eichhörnchen und Murmeltieren verwandt. Es gibt fast 2.000 Mäusearten. Die Hausmaus lebt am liebsten in menschlichen Siedlungen, wo sie sich gern über Lebensmittelvorräte hermacht. Mäuse vermehren sich ungeheuer rasch. Schon nach sechs Wochen sind sie geschlechtsreif. Ein Mäusepaar könnte, unter idealen Bedingungen, innerhalb eines Jahres viele Millionen Nachkommen haben. Weiße Mäuse werden speziell für Tierversuche gezüchtet und in Labors millionenfach getötet.

Wald- und Feldmaus

Hausmaus

Meditation Wenn jemand meditiert, konzentriert er sich mit geschlossenen Augen auf ein bestimmtes inneres Bild, auf einen Klang oder auf eine körperliche Empfindung (zum Beispiel auf den Fluss des Aus- und Einatmens). Zu diesen Versenkungsübungen gehört meist auch eine bestimmte Körperhaltung, zum Beispiel das aufrechte Sitzen mit untergeschlagenen Beinen. Im ⇀ Buddhismus, ⇀ Hinduismus (Brahmanismus) und Taoismus, aber auch im griechisch-orthodoxen ⇀ Christentum haben Mönche ausgefeilte Meditationstechniken entwickelt. Sie empfehlen Meditation als einen Weg zu innerem Frieden. Auch westliche Psychologen haben herausgefunden, dass Versenkungsübungen kreativer, aufnahmefähiger und innerlich ruhiger machen können.

Medium Ein Medium ist ein Übermittler oder Überbringer. Das lateinische Wort bedeutet „Mitte". Medien wie Zeitungen, Fernsehen und Radio übermitteln Nachrichten an den Leser, Zuschauer oder Hörer. Ein spiritistisches Medium ist jemand, der behauptet, auf geheimnisvolle Weise zwischen der Welt der Menschen und der übersinnlichen Geisterwelt vermitteln zu können. In den Naturwissenschaften versteht man unter einem Medium die Umgebung, in der ein physikalischer, chemischer oder biologischer Prozess abläuft.

Medizin Die Heilkunde oder Medizin ist eine Wissenschaft. Sie untersucht gesunde und kranke Lebewesen, erforscht Krankheiten und versucht herauszufinden, was man zur Vorbeugung (Verhinderung) und Heilung von Krankheiten unternehmen kann. Auch Heilmittel (Medikamente) nennt man in der Umgangssprache oft „Medizin".

Meer

Meer Meere sind große, zusammenhängende Wassermassen zwischen den einzelnen ⇨ Kontinenten und bedecken mehr als zwei Drittel der gesamten Erdoberfläche. Sie sind bis zu elf Kilometer tief. Die größten Meere sind der Atlantische, der Pazifische und der Indische Ozean. Das wärmste Meer ist mit 35 Grad Celsius das Rote Meer zwischen Arabien und Afrika. In der Tiefsee herrschen Temperaturen von etwa vier Grad. Der Salzgehalt ist von Meer zu Meer verschieden. Er liegt im Durchschnitt bei dreieinhalb Prozent – das heißt, ein Liter Meerwasser enthält 35 Gramm Salz. Meerwasser kann von Landlebewesen nicht getrunken und nicht zum Bewässern von Land verwendet werden. Unter den Meerestieren gibt es Vertreter fast aller Tiergruppen, auch der Säugetiere – zum Beispiel Wale und Delfine. Neben den 20.000 Fischarten leben im Meer etwa doppelt so viele Arten von Weichtieren (Schnecken und Muscheln) oder Stachelhäutern (wie Seesterne). Die meisten Meerestiere halten sich in der Nähe der Oberfläche auf. Nur Tiefseefische und Riesenkraken leben in der schwarzen, kalten Dunkelheit der Tiefsee. Mächtige Strömungen wie der warme Golfstrom durchziehen die Ozeane. Der Meerwasserspiegel steigt und fällt regelmäßig. Diese Erscheinung nennt man die „Gezeiten" oder ⇨ „Ebbe und Flut".

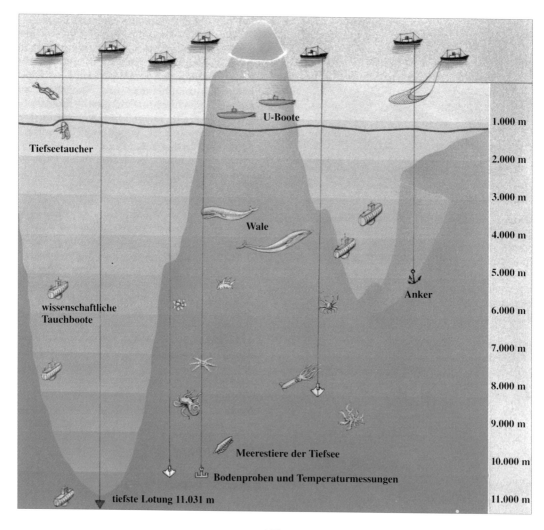

Tiefseetaucher

U-Boote 1.000 m

2.000 m

Wale 3.000 m

4.000 m

Anker 5.000 m

wissenschaftliche Tauchboote 6.000 m

7.000 m

8.000 m

9.000 m

Meerestiere der Tiefsee 10.000 m

Bodenproben und Temperaturmessungen

tiefste Lotung 11.031 m 11.000 m

Meerschweinchen   Diese etwa 20 Zentimeter langen, niedlichen ⇨ Nagetiere sind beliebte Heimtiere. Mit Schweinen haben sie nichts zu tun. Ihren seltsamen Namen haben sie, weil sie Laute wie junge Schweine von sich geben und weil sie ursprünglich über das Meer aus Südamerika nach Europa gebracht wurden.

Megafon   Das trichterförmige Sprachrohr verstärkt die Stimme und bündelt den Schall in eine bestimmte Richtung. (Das Wort „Megafon" heißt „starker Ton".) Polizisten und Feuerwehrleute im Einsatz oder Redner auf Demonstrationen verwenden Megafone, um sich besser verständlich zu machen.

Mensch   Der Mensch ist das vielseitigste, gefährlichste und intelligenteste Lebewesen auf der Erde. Biologisch gesehen gehört er zu den ⇨ Säugetieren, genauer, zu den Primaten. Seine nächsten Verwandten im Tierreich sind ⇨ Schimpansen, ⇨ Gorillas und ⇨ Orang-Utans. (Schimpansen sind dem Menschen sogar näher verwandt als den Gorillas!) Der biologische Name lautet: „Homo sapiens" – der „vernünftige Mensch".

Die ersten menschenähnlichen Lebewesen gab es vor drei bis sechs Millionen Jahren. Sie liefen auf den Hinterbeinen und hatten daher ihre Hände frei. Die langen Finger und der Daumen erlaubten ihnen, Gegenstände und Waffen zu verwenden. Aufrechter Gang, Gebrauch von Werkzeug und Waffen und ein größeres Gehirn: Das waren die wichtigsten Unterschiede zu den Affen. Es gab eine ganze Reihe von verschiedenen Typen von Vormenschen, die sich im Lauf der Zeit entwickelten und wieder ausstarben. Vor etwa einer Million Jahren entwickelte sich ein Menschentyp, den die Wissenschaft „Homo erectus" – „aufrechter Mensch" nennt. Er war wohl der Vorläufer des „Homo sapiens", des „vernünftigen Menschen".

Australopithecus   Homo erectus   Homo sapiens   Homo neanderthalensis   Homo sapiens sapiens

Mensch

Der ⇨ Neandertaler, der vor 100.000 Jahren in Europa lebte, war eine Seitenlinie des Homo sapiens. Wahrscheinlich wurde er vor 35.000 Jahren vom modernen Menschentyp ausgerottet, zu dem die heutigen Menschen aller Rassen zählen.

Die Entwicklung des Gehirns und seiner geistigen Fähigkeiten machte den Menschen allen anderen Tierarten überlegen. Vormenschen und Menschen waren (und sind) körperlich schwach. Sie hatten keine scharfen Krallen und Zähne, sie waren nicht flink und vermehrten sich längst nicht so schnell wie andere schwache Tierarten. Aber sie konnten ihre Intelligenz einsetzen, wenn es darum ging, wilden Tieren und Naturgewalten zu trotzen und die Welt umzugestalten. Feuer, Kleidung und Hütten halfen gegen die Kälte. Waffen erlaubten es ihnen, sich mit weit stärkeren Tieren anzulegen.

Die frühen Menschen konnten einander ihre Erfahrungen mitteilen und sie von Generation zu Generation weitertragen und anhäufen. Für Menschen war es wichtig, klug und umsichtig zu sein, wichtiger, als scharfe Reißzähne zu haben. Menschen sind in der Lage, in den afrikanischen Regenwäldern und in den arktischen Eisgebieten, in steinzeitlichen Höhlen und in den Wolkenkratzern moderner Städte zu überleben. Überall können sie ihr Leben erfolgreich organisieren.

Der Erfolg hat uns Menschen aber auch hochmütig gemacht. Wir glauben oft, dass die Erde nur für uns da ist und dass wir sie und unsere Mit-Lebewesen, die Pflanzen und Tiere, ungestraft vergiften und ausplündern können. Dabei übersehen wir, dass auch wir zur Natur gehören und auf sie angewiesen sind. Die Natur braucht den Menschen nicht.

Entwicklung der Schädelkapazität

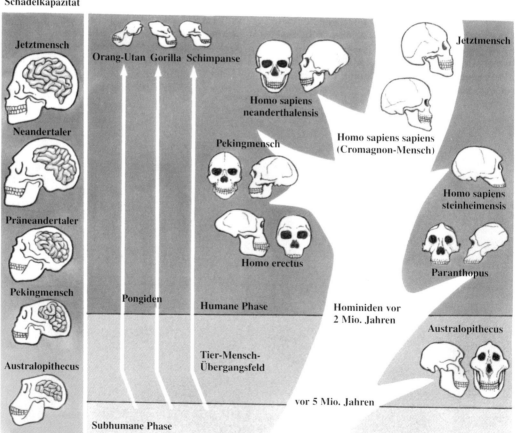

Menschenrechte Alle Menschen haben bestimmte Grundrechte, die ihnen niemand, auch nicht der Staat, rauben darf. Diese Rechte nennt man „Menschenrechte". Dazu gehört das Recht auf Sicherheit und Freiheit. Kein Mensch darf von einem anderen als Eigentum betrachtet werden. Jeder Mensch hat das Recht, sich gegen Unterdrückung zur Wehr zu setzen. Er darf im Rahmen der Gesetze leben und arbeiten, wie und wo er will. Jeder Mensch darf seine Meinung frei äußern. Niemand darf wegen seiner Volkszugehörigkeit, politischen Meinung und/oder wegen seines religiösen Glaubens benachteiligt werden. Menschenrechte sind in den Verfassungen demokratischer Staaten festgeschrieben.

Mikroskop Mit einem Mikroskop kann man winzigste Gegenstände sichtbar machen. Es besteht aus dem Objektiv (einem System von Linsen, die das Bild des Objekts immer weiter vergrößern) und dem Okular, durch das man das ins Riesenhafte vergrößerte Bild betrachten kann. Die stärksten Mikroskope arbeiten nicht direkt mit dem sichtbaren Licht, sondern mit Elektronenstrahlen. Sie erreichen hunderttausendfache Vergrößerungen. Rastermikroskope können sogar die Atomstruktur von Stoffen abbilden.

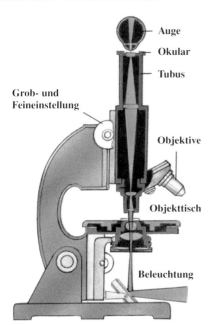

- Auge
- Okular
- Tubus

Grob- und Feineinstellung

- Objektive
- Objekttisch
- Beleuchtung

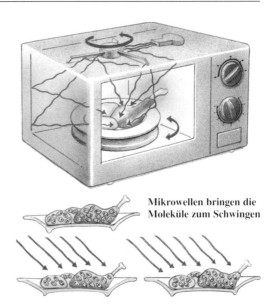

Mikrowellen bringen die Moleküle zum Schwingen

Mikrowelle Tiefgefrorene Speisen lassen sich im Mikrowellenherd mithilfe sehr kurzwelliger elektromagnetischer Strahlen sehr rasch auftauen. Man kann damit auch kochen. Mikrowellen dringen in das Kochgut ein und bringen die Moleküle zum Schwingen. Sie reiben aneinander und erzeugen dadurch Wärme.

Milch Milch ist die undurchsichtige, weiße Flüssigkeit, mit der Säugetiere ihre Jungen ernähren. Sie wird in den Milchdrüsen der Weibchen erzeugt. Die Babys saugen sie aus den Zitzen. Auch für menschliche Babys – Säuglinge – ist Muttermilch in den ersten Lebensmonaten die wichtigste Nahrung. Menschen sind die einzigen Lebewesen, die noch als Erwachsene Milch trinken – aber nicht die Milch der Menschenmutter, sondern die Milch von Säugetieren, zum Beispiel von Kühen, Schafen oder Ziegen. Viele Menschen, vor allem Kinder, sind gegen die Milch von Tieren allergisch und können sie nicht verdauen. Milch besteht hauptsächlich aus Wasser und Fett. Dazu kommen Mineralstoffe und Vitamine.
Die Zusammensetzung ist von Tierart zu Tierart verschieden. Käse, Butter, Quark (Topfen) oder Jogurt sind beliebte Milchprodukte in der westlichen Welt. Menschen anderer Kulturen, zum Beispiel Japaner und Chinesen, trinken keine Tiermilch.

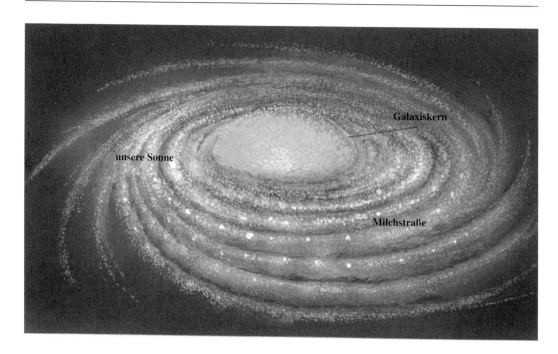

Milchstraße   Die Milchstraße ist ein Sternensystem (Galaxie), das nachts als schwach leuchtender, breiter Streifen am Himmel zu sehen ist. Durch ein Fernrohr kann man erkennen, dass es aus einzelnen Sternen, Sternenhaufen und Nebeln besteht. Insgesamt bilden etwa 200 Milliarden Sterne die Milchstraße. Die Sonne und ihre Planeten, also auch die Erde, gehören dazu.

Von außen betrachtet würde die Milchstraße wie eine gigantische Diskusscheibe mit spiralförmigen Ausläufern aussehen. Die Entfernungen sind so groß, dass das Licht von einem Ende der Milchstraße zum anderen 100.000 Jahre unterwegs ist. Der Durchmesser unserer Galaxis beträgt also 100.000 Lichtjahre. Unsere Sonne liegt in einem Nebenarm. Was wir am Himmel von der Milchstraße sehen, ist ihr Zentrum. Dort ballen sich die meisten Sterne zusammen. Wie alles im Universum dreht sich auch die Milchstraße um ihre eigene Achse. Unsere Erde rotiert um die Sonne und braucht dafür ein Jahr; die Sonne rotiert um das Zentrum der Milchstraße und braucht für einen Umlauf 225 Millionen Jahre. Diese gigantische Galaxis ist jedoch nur ein winziger Bruchteil des ganzen Universums. Die Gesamtzahl aller Galaxien schätzt man auf 500 Millionen.

Mineralien   Alle Stoffe in der Erdkruste, die nicht von Lebewesen erzeugt wurden, nennt man Mineralien. Substanzen wie zum Beispiel Quarz, Gips, Schwefel, Steinsalz, Diamanten gehören zu den Mineralien. Insgesamt gibt es etwa 2.000 reine oder gemischte Mineralarten. Mineralwasser ist Trinkwasser, das viele Mineralien wie Kalzium, Eisen, Salz, Jod oder Kalium enthält. Mineralöl nennt man das aus unterirdischen Lagerstätten stammende Erdöl.

Achat   Calcit

Malachit   Azurit

Minister Die Leiter der obersten staatlichen Behörden nennt man Minister. Sie sind keine Beamte, sondern als Politiker Mitglieder der Regierung. Ein Minister ist dafür verantwortlich, dass die Beschlüsse der Regierung und des Parlamentes von den staatlichen Stellen ausgeführt werden. Ministerien sind zum Beispiel: Finanzen (Steuern, Staatsausgaben), Außenministerium (Verhältnis zu anderen Staaten), Innenministerium (Verhältnis zwischen Bürger und Staat; Polizei), Landwirtschaftsministerium, Verteidigungsministerium, Sozialministerium und Wirtschaftsministerium.

Mittelalter Das Mittelalter ist der Zeitabschnitt vom Zusammenbruch des Römischen Reichs (etwa um 500 n. Chr.) bis zur Entdeckung Amerikas 1.000 Jahre später. In dieser Zeit bestimmte der christliche Glaube das Leben der europäischen Völker. Zur Ehre Gottes wurden prachtvolle Kathedralen gebaut und grausame Feldzüge gegen Heiden und Ketzer geführt. Nebeneinander blühten hohe religiöse Ideale und finsterer Aberglaube. Die politische Macht lag meist in den Händen von Fürsten, Königen und Bischöfen. Jedoch blühten im Mittelalter auch die Städte auf.

Die mittelalterlichen Gesellschaften in Europa waren streng geordnet. Jeder Mensch hatte seinen Platz. Adelige waren überzeugt, bessere Menschen zu sein als Bürger oder gar Bauern. Leibeigene (Sklaven) hatten überhaupt keine Rechte; sie galten als Eigentum des Herrn. Man glaubte, dass Gott die Welt so eingerichtet hatte, wie sie eben war. Jeder Aufruhr gegen die Ordnung galt deshalb zugleich als Gotteslästerung. An den Universitäten diskutierten die berühmtesten Philosophen die Frage, ob Frauen überhaupt richtige Menschen seien.

Die hygienischen Verhältnisse waren miserabel. Selbst in den Städten wurden die Nachttöpfe aus den Fenstern geleert. Es gab keine Kanäle. Das Trinkwasser war oft verseucht, und in den Kellern wimmelte es von Ratten. Immer wieder brachen Seuchen aus, ohne dass die Menschen den Zusammenhang zwischen Reinlichkeit und Gesundheit verstanden. Fast niemand konnte lesen und schrei-

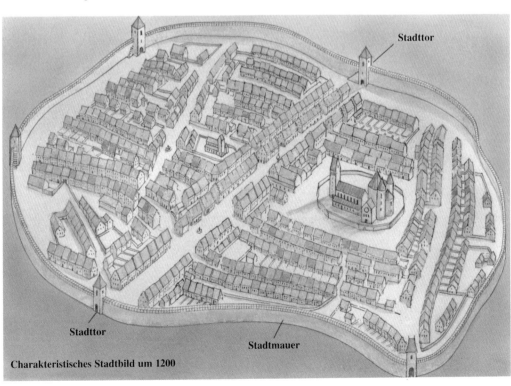

Charakteristisches Stadtbild um 1200

ben. Auch die Ritter und meisten Fürsten waren Analphabeten. Schulen gab es nur an den Klöstern, wo eine hauchdünne Schicht von gebildeten Kirchenmännern verstand, worum es im Christentum überhaupt ging. Die Bibel gab es nur in lateinischer Sprache, der Sprache der Religion, der Wissenschaften und der Politik. Erst Martin Luther übersetzte sie am Ende des Mittelalters in Deutschland in die Sprache des Volkes. Mit der lutherischen Reformation, mit dem Aufkommen der Naturwissenschaften und mit den großen Seereisen nach Amerika und rund um Afrika ging das Mittelalter zu Ende.

Mond Monde sind Himmelskörper, die sich um Planeten drehen. Unser Mond ist von der Erde etwa 400.000 Kilometer entfernt und damit unser nächster Nachbar im Universum. Dieser Himmelskörper umkreist die Erde in 27,3 Tagen (das Wort „Monat" kommt von „Mond"). Der Mond ist viel kleiner als die Erde.

80 Monde würden die Erde füllen. Deshalb ist auch seine Anziehungskraft viel geringer. Ein (mit Raumanzug) auf der Erde 100 Kilogramm schwerer Astronaut wiegt auf dem Mond nur 17 Kilogramm. Dort gibt es weder Luft noch Wasser. Die Oberfläche ist stark zerklüftet. Es gibt hohe Gebirge, Ebenen und etwa 50.000 Krater. Im Jahr 1969 betrat der amerikanische Astronaut Neil Armstrong als erster Mensch den Mond. Seine Fußabdrücke werden noch Millionen Jahre sichtbar bleiben: Es gibt keinen Wind, der die Spuren im Mondstaub verwehen könnte. Der Mond leuchtet nicht von selbst. Er wird von der Sonne angestrahlt. Wir sehen immer nur diesen Teil des Mondes, der von ihr beschienen wird. Deshalb scheint der Mond von Nacht zu Nacht seine Gestalt zu ändern: vom Vollmond über die Mondsicheln bis zum blassen Neumond. Die Erde ist nicht der einzige Planet in unserem Sonnensystem, der einen Mond hat. Der Mars zum Beispiel hat zwei und der Jupiter nach neuesten Erkenntnissen der Astronomie sechzehn Monde.

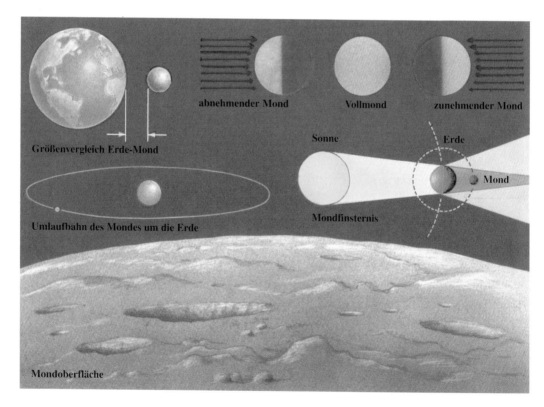

abnehmender Mond

Vollmond

zunehmender Mond

Größenvergleich Erde-Mond

Sonne

Erde

Mond

Umlaufbahn des Mondes um die Erde

Mondfinsternis

Mondoberfläche

Moor Moore sind ständig feuchte Sumpfland-
schaften mit bestimmten Pflanzenvorkommen,
deren Überreste sich im Laufe der Zeit in Torf verwandeln. Früher gab es viel mehr solcher Moore.
Sie wurden oft mit Gräben entwässert und tro-
ckengelegt, um Ackerland oder Weiden zu bekommen. Oder man hat den Torf (eine Vorstufe zur
Kohle) abgebaut („gestochen") und als Brenn-
material benutzt. Heute stehen viele Moore unter
Naturschutz.

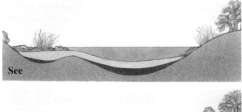

See

Flachmoor

Hochmoorbildung

Hochmoor mit Torf

Morsezeichen Der amerikanische Erfinder
Samuel Morse konstruierte 1837 einen elektrischen Schreibtelegrafen, bei dem die Buchstaben
eines Wortes durch eine Kombination von langen
und kurzen Zeichen dargestellt werden. Eine Serie
von langen oder kurzen Stromstößen kann so als
Nachricht gelesen werden. Morsezeichen kann
man natürlich auch als lange und kurze Lichtzei-
chen oder Töne (Klopfen, Hupen) senden. Das internationale Seenotzeichen lautet: kurz kurz kurz,
lang lang lang, kurz kurz kurz (··· – – – ···), übersetzt in unser normales Alphabet: SOS.

Mosaik Einlegearbeiten aus verschiedenfarbi-
gen Glasstücken oder Steinen nennt man „Mosa-
ike". Manchmal ergeben sie Muster, manchmal
aber auch richtige Bilder (wie ein Puzzle). Mosa-
ike gibt es vor allem an den Wänden oder auf den
Böden alter Kirchen oder herrschaftlicher Häuser.

Moschee Die Kirchen der Mohammedaner
(Muslime) heißen „Moscheen". Große Moscheen
haben einen Säulenhof, eine Kuppel mit Gebets-
raum und spitze Türme (Minarette), von denen aus
der Muezzin (Vorbeter) die Gläubigen zum Gebet
aufruft.

Motor Im Motor wird Energie (elektrische
Energie oder Wärmeenergie) in Bewegungsenergie umgewandelt. Ein Motor ist eine Kraftmaschi-
ne. Das lateinische Wort bedeutet „Beweger".
Elektromotoren werden aus dem Stromnetz (zum
Beispiel auch aus den Oberleitungen der Eisenbahnen) oder aus Batterien gespeist. Verbrennungsmotoren nutzen die Kraft der im Zylinder
explodierenden Gase von Kraftstoffen wie Benzin
oder Diesel. In den Düsenmotoren von Flugzeugen erzeugt der Strom der sich ausdehnenden heißen Gase direkte Schubkraft. In Dampfmaschinen
wird Wasser durch Erhitzen in heißen Wasserdampf verwandelt, der den Kolben im Zylinder
bewegt.

Mount Everest   Der höchste Berg der Erde liegt im ⇀ Himalaja und ist 8.848 Meter hoch. 1953 wurde er zum ersten Mal bestiegen (Edmund Hillary und Tensing Norgay).

Möwe   Möwen sind Wasservögel, die in großen Schwärmen oder Kolonien an Meeresküsten und an den Ufern von Seen und Flüssen leben. Sie haben Schwimmhäute zwischen den drei vorderen Zehen, eine hakenförmige Schnabelspitze und sind dank ihrer langen, spitzen Flügel ausgezeichnete Flieger. Normalerweise ernähren sie sich von Fischen, Krabben und anderen kleinen Wassertieren, in der Nähe von Siedlungen aber auch von Abfällen.

Nordseeschwalbe   Silbermöwe   Lachmöwe   Dreizehenmöwe

Münze   Münzen (geprägte Metallstücke) als Zahlungsmittel gibt es seit 2.700 Jahren. Früher bestanden sie aus Edelmetallen, und der Wert der Münze war meistens genauso groß wie der Wert des dafür verarbeiteten Edelmetalls (Gold, Silber oder eine Mischung daraus). Heutige normale Geldmünzen bestehen aus unedlen Metallmischungen (Legierungen) und erhalten ihren Wert (wie Banknoten) durch eine Garantie des Staates. Nur der Staat darf nämlich Münzen prägen und Geldscheine drucken. Münzensammler zahlen häufig hohe Preise für alte Münzen.

Entwicklung der Münze von der Antike bis heute

Teichmuschel   Herzmuschel   Auster

Muschel   Muscheln sind ⇀ Weichtiere, deren Körper von Muschelschalen umschlossen und somit geschützt ist. Es gibt tausende Arten von Muscheln. Die kleinsten sind nur einige Millimeter groß, während die größten Muscheln bis zu 250 Kilogramm wiegen können. Muscheln leben meist im seichten Wasser von Meeren, Flüssen und Seen. Sie filtern das Wasser und ernähren sich von kleinsten Wassertieren. Viele Muscheln können sich kriechend oder schwimmend fortbewegen. Mit ihren kräftigen Schließmuskeln klappen sie die Schalen auf und zu.

Museum   Im Museum können wir wertvolle und interessante Gegenstände besichtigen. Es gibt Museen für Kunst, Geschichte, Naturwissenschaften, Technik, Völkerkunde oder für besondere Bereiche des täglichen Lebens, wie Post, Eisenbahn oder zum Beispiel alte Spielsachen. In einem Freilichtmuseum sind alte Gebäude originalgetreu wieder aufgebaut. In Heimatmuseen zeigen viele Gemeinden Gegenstände aus der Geschichte und Kultur der näheren Umgebung.

Musical   Ein Theaterstück, das eine lockere Geschichte mit viel Musik, Liedern, oft auch Tanz- und Showeinlagen erzählt, nennt man ein „Musical". Berühmte Musicals sind zum Beispiel „My Fair Lady", „Cats", „Hair", „West Side Story". Die meisten Musicals kommen aus Amerika.

Mustang   Als die ersten Europäer Nordamerika besiedelten, gab es in der Neuen Welt keine Pferde. Die Einwanderer brachten ihre eigenen Pferde mit, von denen einige ausrissen. Sie konnten sich in den ungeheuren Weiten des Westens ungehindert zu riesigen Herden von halb wilden Pferden vermehren, die man „Mustangs" nannte. Die Indianer fingen sie ein und wurden bald ausgezeichnete Reiter.

Nabel Wenn ein Neugeborenes von der Nabelschnur getrennt wird, bleibt am Bauch eine runde Vertiefung zurück. Das ist der Nabel. Während der Schwangerschaft hatte die Nabelschnur das Kind im Mutterleib mit dem Blutkreislauf der Mutter verbunden. Durch sie erhielt das Ungeborene Sauerstoff und Nährstoffe.

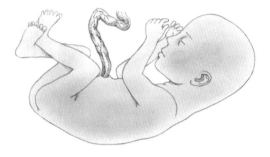

Nagetiere Mäuse, Ratten, Hamster, Eichhörnchen, Murmeltiere, Kaninchen, Biber und noch viele andere Säugetiere sind Nagetiere. Ihre Schneidezähne sind kräftig, scharf und gebogen, die Nagezähne haben keine Wurzeln und wachsen unaufhörlich weiter. Nagetiere müssen daher immer etwas zum Benagen haben, damit sie ihre Zähne abschleifen können.

Narkose Bei einer Operation muss der Körper unempfindlich gegen Schmerzen sein, sonst müsste der Patient zu viel leiden, und der Chirurg könnte nicht arbeiten. Eine künstlich hervorgerufene Betäubung nennt man „Narkose". Ein narkotisierter Patient verliert das Bewusstsein und fällt in einen Tiefschlaf. Er spürt nicht, was mit ihm geschieht. Narkose-Fachärzte sind speziell für ihre Aufgabe ausgebildet. Bei einer örtlichen Betäubung bleibt der Patient wach. Der Zahnarzt zum Beispiel betäubt nur jenen Bereich des Kiefers, in dem gebohrt wird.

Nation Das Wort „Nation" hat zwei verschiedene Bedeutungen. Erstens: alle Menschen, die gemeinsam in einem Staat leben. Die Vereinten Nationen sind ein Bund von Nationen im Sinne von Staaten. Zweitens: alle Menschen, die einem bestimmten Volk angehören. Die Kurden (in der Türkei, im Iran und Irak) oder die Basken (in Spanien und Frankreich) sind eine Nation, ohne dass sie einen Staat haben. Es gibt also auch Nationen (Staaten), in denen verschiedene Nationen (Nationalitäten oder Völker) leben. Ein Nationalist ist jemand, der glaubt, dass die Menschen seines Landes oder Volkes besser, tüchtiger und wertvoller seien als die eines anderen.

typischer Nagerschädel

Prärie-hund

Stachel-schwein

Hüpfmaus

Siebenschläfer

Wanderratte

Hamster

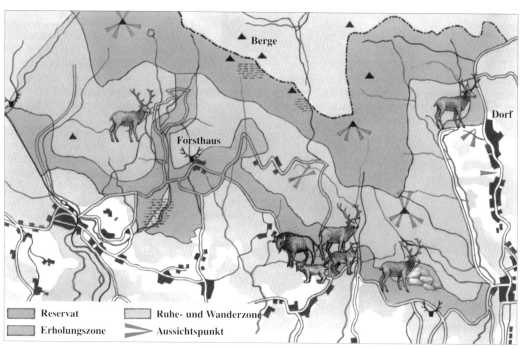

Berge

Dorf

Forsthaus

Reservat	Ruhe- und Wanderzone
Erholungszone	Aussichtspunkt

Landkarte eines Nationalparks

Nationalpark   Große Gebiete, in denen Tiere und Pflanzen unter ganz besonderem Schutz stehen, nennt man „Nationalparks". Hier will man die Natur unversehrt erhalten. Starke Eingriffe in die Landschaft, wie der Bau von Kraftwerken und Autobahnen, sind verboten. Nationalparks gibt es in vielen Ländern: in Deutschland zum Beispiel die Nationalparks Wattenmeer und Bayerischer Wald und in Österreich den Nationalpark Hohe Tauern. Der berühmteste Nationalpark der Welt ist der Yellowstone Park in den USA.

Natur   Alles, was nicht von Menschen geschaffen wurde, gehört zur Natur: von den Himmelskörpern über die Lebewesen auf der Erde bis zu den kleinsten Teilchen, aus denen sich Dinge zusammensetzen. Deshalb gehören zu den Naturwissenschaften die unterschiedlichsten Fächer. Physiker und Chemiker erforschen die Gesetze der unbelebten Natur. Biologen untersuchen, wie lebendige Wesen funktionieren. Ökologen untersuchen die Zusammenhänge im Haushalt der Natur. Psychologen und Mediziner beschäftigen sich mit dem Menschen, der auch ein Teil der Natur ist.

Neandertaler   Neandertaler waren Steinzeitmenschen, die bis vor etwa 40.000 Jahren in Europa lebten. Sie sahen dem heutigen ~ Menschen sehr ähnlich, waren aber kleiner und hatten vorspringende Augenbrauen und Kiefer. Die Neandertaler kannten das Feuer und bestatteten ihre Toten. Man vermutet, dass sie von einer anderen Art von Urmenschen, den Cromagnonmenschen (unseren direkten Vorfahren), ausgerottet wurden. Ihr Name ist von dem Neandertal bei Düsseldorf abgeleitet. Dort wurden 1856 Knochenreste dieser Menschen gefunden.

Nebel Nebel entsteht zum Beispiel, wenn warme Luft über kalten Boden strömt. Dann bilden sich winzige Wassertröpfchen, die über dem Boden schweben und einen dichten, oft undurchsichtigen Schleier bilden. Auto fahren im Nebel ist sehr gefährlich. Sofern man überhaupt etwas sieht, verschätzt man sich leicht bei Entfernungen.

negativ Das Wort „negativ" drückt eine Verneinung oder Ablehnung aus. Wer alles nur negativ sieht, der sieht nur die schlechten Seiten einer Sache; ein negatives Prüfungsergebnis bedeutet, die Prüfung ist schlecht ausgefallen oder wurde gar nicht bestanden; auf dem Negativ eines Fotos erscheint alles Dunkle hell und alles Helle dunkel. Der Gegensatz ist „positiv".

Nektar Der süße, zuckerhaltige Saft am Grund von Blüten heißt „Nektar". Bienen sammeln Nektar und verwandeln ihn in Honig, den sie in den Honigwaben speichern.

Nerven Nerven sind Organe, die den Körper in feinsten Strängen durchlaufen. Sie leiten Reize und Empfindungen weiter an das Gehirn, das diese Meldungen verwertet und daraus ein Gesamtbild entwirft. Befehle, die das Gehirn gibt, werden von Nerven an den Körper weitergeleitet. Die Nerven, die Nervenstränge des Rückenmarks und das Gehirn bilden das Nervensystem. Nervenimpulse sind winzige elektrische Impulse, die von Nervenzelle zu Nervenzelle weitergeleitet werden. Das, was wir als die wirkliche Welt erkennen – alle Farben, Formen, Töne, Gerüche, Schmerzen –, ist das Ergebnis des Zusammenspiels von Sinnesorganen, Nerven und Gehirn. Das menschliche Nervensystem ist viele Millionen Male komplizierter und leistungsfähiger als jeder Computer. Eine einzige Gehirnzelle kann Kontakt zu 200.000 Nachbarzellen aufnehmen – und es gibt acht Milliarden davon! Das Nervennetz im menschlichen Körper hat eine Länge von vielen tausend Kilometern. Es ist ständig aktiv. Nur ein winziger Bruchteil dessen, was sich in uns und um uns ereignet, wird uns auch bewusst. Die meisten Lebensvorgänge (zum Beispiel der unglaublich komplizierte biochemische Vorgang der Verdauung) laufen von selbst ab.

Nilpferd Nil- oder Flusspferde sind große, plumpe Tiere mit kurzen Beinen, die sich am liebsten im Wasser (dort spüren sie ihr gewaltiges Gewicht nicht so sehr), aber auch an Land aufhalten. Sie leben in Afrika südlich der Sahara. Nilpferde werden bis zu fünf Meter lang und drei Tonnen schwer und sind Pflanzenfresser.

Das Zentralnervensystem

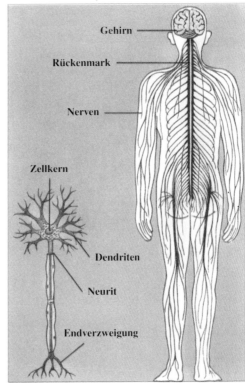

Gehirn

Rückenmark

Nerven

Zellkern

Dendriten

Neurit

Endverzweigung

Die Nervenzelle

Nobel Alfred Nobel, ein schwedischer Fabrikant, erfand vor 150 Jahren den Sprengstoff Dynamit und wurde damit ein reicher Mann. Er sah aber auch, was Dynamit im Kriegswesen Schlimmes anrichten konnte. Deshalb vererbte er sein Vermögen einer Stiftung. Daraus wird seit etwa 100 Jahren jährlich ein Geldpreis (der Nobelpreis) an solche Menschen vergeben, die als Künstler, Politiker und Wissenschaftler besonders viel für die Menschheit geleistet haben.

Nomaden Nomaden leben in Zelten und ziehen mit ihren Viehherden von Weideplatz zu Weideplatz. Sie haben keine festen Städte oder Dörfer, sondern sind ständig unterwegs. Nomadische Völker sind zum Beispiel die arabischen Beduinen in Nordafrika, die Kirgisen und Mongolen in Asien und die Lappen in Nordeuropa.

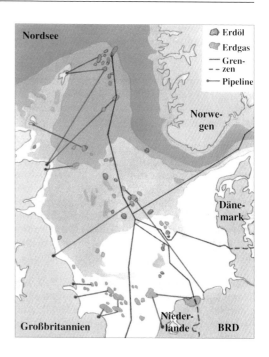

Nordsee Die Nordsee ist ein Randmeer des Atlantischen Ozeans, zwischen Großbritannien und dem europäischen Festland gelegen. Sie beherbergt Erdöl- und Erdgaslager und hat deshalb große wirtschaftliche Bedeutung.
Die Nordsee ist stark verschmutzt. Manchen Ländern dient sie als Müllabladeplatz: Die Müllschiffe fahren einfach auf das offene Meer und öffnen die Klappen ihrer Abfallbehälter. Dazu kommen giftige Industrieabfälle und die von Rhein und Elbe in die Nordsee transportierten Giftstoffe.

Notruf Polizei, Feuerwehr und Rettungsdienst können in Notfällen über eine kurze Telefonnummer verständigt werden. Die Notrufnummern sind von Land zu Land verschieden. Sie sollten immer deutlich sichtbar neben dem Telefon angebracht sein, damit man in einer Notsituation nicht lange suchen muss.

Numerus clausus In Deutschland wollen mehr Schulabgänger auf einer Universität studieren, als es Studienplätze gibt. Der Numerus clausus („beschränkte Zahl") lässt deshalb in manchen Fächern nur Bewerber zu, die beim Abitur eine bestimmte Note erreicht haben.

Oase An manchen Stellen der ⇨ Wüste dringt Grundwasser an die Oberfläche oder lässt sich aus Brunnen schöpfen. Damit können kleinere Gebiete bewässert werden. Es entstehen Siedlungen mit üppigem Pflanzenwuchs. Oasen sind wichtige Halteplätze auf Reisen durch die Wüste.

Obst Zum Obst gehören alle essbaren Früchte und Samen, die auf Bäumen und Sträuchern wachsen. Äpfel und Birnen gehören zum Kernobst. Pflaumen, Pfirsiche und Kirschen haben einen „Stein" als Kern, heißen also Steinobst. Beerenobst sind zum Beispiel Weintrauben und Johannisbeeren. In den warmen Ländern wachsen Südfrüchte wie Zitronen, Orangen, Mandarinen, Datteln und Feigen. Tropisches Obst, zum Beispiel Bananen, Ananas oder Papayas, wird in Kühlschiffen nach Europa geschafft. Obst kann man frisch essen oder zu anderen Produkten weiterverarbeiten: zu Dörrfrüchten, Kompott, Marmelade, Fruchtsaft oder zu alkoholischen Getränken wie Wein, Likör und Schnaps.

Ohr Ohren sind die Gehörorgane von Wirbeltieren. Bei Säugetieren und Menschen besteht das Ohr aus drei Teilen. Das Außenohr mit Ohrmuschel, äußerem Gehörgang und Ohrenschmalzdrüsen dient als eine Art Schalltrichter. Das Mittelohr leitet den Schall weiter. Es besteht aus dem feinen Häutchen des Trommelfells, welches das Ohr nach außen abschließt, und aus den drei Gehörknöchelchen. Das Innenohr (Labyrinth) ist das eigentliche Gehörorgan. Es ist mit Flüssigkeit gefüllt, die durch die Schallwellen zum Erzittern gebracht wird. Die winzigen Wellen reizen bestimmte Sinneszellen. Auf diese Weise werden Schallwellen in Nervenimpulse übersetzt, die dann im Gehirn als Töne, Klänge, Geräusche, Stimmen registriert werden. Im Ohr sitzt auch der Gleichgewichtssinn. Er meldet uns auch bei geschlossenen Augen, welche Lage unser Körper gerade einnimmt.

Das Ohr ist ein empfindliches Organ. Durch laute Musik aus Kopfhörern kann man unheilbar schwerhörig werden. Auch im Alter und nach Krankheiten kann die Hörfähigkeit nachlassen. Hörgeräte verstärken die ankommenden Schallwellen; mit ihrer Hilfe können Schwerhörige an normalen Gesprächen teilnehmen. Taubheit, die Unfähigkeit zu hören, ist eine starke Behinderung. Taube Menschen waren früher aus der Gesellschaft ausgeschlossen. Da sie nicht hören konnten, wie andere Menschen sprechen, blieben sie selbst stumm. Taubstumme galten als „doof". (Das Wort „doof" kommt von „taub".) Heute lernen taube Kinder in Gehörlosenschulen, Worte von den Lippen des Gesprächspartners abzulesen und selbst laut zu sprechen. Taubstumme können sich untereinander auch in der Zeichensprache unterhalten, die u. a. in speziellen Fernsehsendungen für Gehörlose verwendet wird.

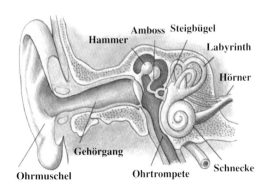

Hammer   Amboss   Steigbügel   Labyrinth   Hörner   Gehörgang   Schnecke   Ohrmuschel   Ohrtrompete

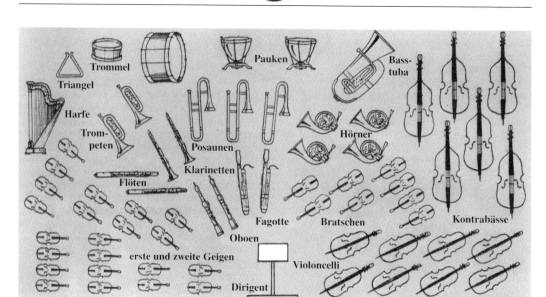

In the orchestra diagram:
Trommel, Triangel, Harfe, Trom-peten, Flöten, Pauken, Basstuba, Posaunen, Klarinetten, Hörner, Fagotte, Bratschen, Kontrabässe, Oboen, erste und zweite Geigen, Violoncelli, Dirigent

Oper In einer Oper wird der ganze Text des Stückes gesungen. Ein großes Orchester begleitet die Sänger. Berühmte Komponisten von Opern sind zum Beispiel Giuseppe Verdi, Wolfgang Amadeus Mozart, Richard Wagner und Richard Strauss. In Operetten („Operchen") wird zwischen den Liedern auch gesprochen und getanzt. Operetten sind nicht so dramatisch wie Opern und gehen immer gut aus.

Optik Die Wissenschaft, die sich mit dem → Licht und seinen Eigenschaften beschäftigt, ist die Optik. Dazu gehört auch die Wahrnehmung von Licht, also das Sehen. Der Optiker oder der Augenarzt kann feststellen, ob man gut sieht oder eine Brille braucht.

Orang-Utan Orang-Utans sind Menschenaf-fen. Sie gehören gemeinsam mit den → Schim-pansen, → Gorillas und → Menschen zu den Pri-maten. Orang-Utans leben in den Regenwäldern der Inseln Borneo und Sumatra. Ihr Name bedeu-tet in der malaiischen Sprache „Waldmensch". Sie werden bis zu zwei Meter groß, haben sehr lange Arme und ein rötlich braunes Fell. Die „Wald-menschen" sind reine Pflanzenfresser. Sie sind sehr scheu und weichen den Menschen aus. Den-noch sind sie von der Ausrottung durch die Menschen bedroht.

Orchester Die Mitglieder eines Orchesters musizieren gemeinsam unter der Leitung ihres → Dirigenten. Einem großen Symphonieorchester gehören über hundert Musiker und fast alle tradi-tionellen Musikinstrumente an. In einem Streich-orchester spielen hauptsächlich Streichmusiker (Violine, Bratsche, Cello, Kontrabass), in einem Blasorchester geben Blasmusiker (Trompete, Po-saune, Waldhorn) den Ton an.

Organ Organe sind Körperteile, die besondere und lebensnotwendige Aufgaben zu erfüllen haben und speziell dafür gebaut sind. Das → Herz zum Beispiel pumpt Blut durch den Körper, die Lunge nimmt Sauerstoff auf, die Sinnesorgane (wie → Augen und → Ohren) sorgen dafür, dass wir etwas sehen und hören können. Organe allein sind nicht lebensfähig. Sie sind immer nur Teil des Organismus, das heißt des ganzen Lebewesens. Staatliche Organe sind Teile der Verwaltung. Die Polizei zum Beispiel ist ein Staatsorgan. Oft versteht man unter „Organ" auch nur die Stimme. Wer ein „lautes Organ" hat, der spricht lauter, als es uns vielleicht angenehm ist. Zeitungen nennt man auch „Presseorgane". Sie vermitteln Nachrichten.

Orgel Eine Orgel ist ein Tasten- und gleichzeitig ein Blasinstrument von mächtigem feierlichem Klang, der die größten Räume füllt. Sie besteht aus einem Pfeifenwerk – Reihen von unterschiedlich großen Pfeifen, die sich in Klangfarbe und Tonhöhe voneinander unterscheiden – und aus dem Spieltisch mit den Tasten für die Hände und den Pedalen für die Füße. In einem Gebläse (Windwerk) wird ein Luftstrom erzeugt. Der Organist betätigt Tasten und Pedale und lässt damit die Luft durch bestimmte Orgelpfeifen streichen. Dieser Luftstrom wird heute durch einen Motor erzeugt; früher musste man einen Blasebalg treten. Die berühmtesten Orgelwerke schrieb im 18. Jahrhundert Johann Sebastian Bach.

Orient Von Europa aus gesehen liegen die orientalischen Länder im Osten, dort, wo die Sonne aufgeht. Das Wort „Orient" kommt vom lateinischen „orien sol", „aufgehende Sonne". Die deutsche Übersetzung lautet „Morgenland". Gemeint sind damit vor allem die vorder- und mittelasiatischen Länder von der Türkei bis Indien.

Original Etwas nicht Nachgemachtes, Echtes, Ursprüngliches ist ein Original. Der Gegensatz zum Original ist eine Kopie oder eine Fälschung.

Orkan Wenn ein Sturm die Windstärke 12 (über 120 Stundenkilometer) erreicht, spricht man von einem „Orkan". Orkane können Holzhäuser umreißen, Autos durch die Luft schleudern und ganze Wälder vernichten. Besonders gefährlich sind Wirbelstürme, die man in Südostasien „Taifun" nennt, in Nordamerika „Tornado" oder als Schneesturm „Blizzard". Tropische Stürme heißen auch „Zyklone".

Ostern Ostern ist das älteste und höchste Fest der Christenheit. Es erinnert die Christen an die Auferstehung Jesu von den Toten. Es wird immer am ersten Sonntag nach dem ersten Vollmond im Frühling gefeiert. Deshalb fällt Ostern jedes Jahr auf ein anderes Datum. Die → Germanen feierten das Osterfest als Fest des Frühlings und des Lichtes. Daran erinnern noch Ostereier und Osterhasen – alte heidnische Symbole für Leben und Fruchtbarkeit.

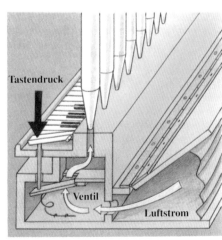

Österreich

Österreich Die Republik Österreich liegt ziemlich genau in der Mitte Europas. Im Westen grenzt das Land an die Schweiz und Deutschland, im Norden an Tschechien, im Osten an Ungarn und die Slowakei und im Süden an Slowenien und Italien. Österreich ist 83.800 Quadratkilometer groß. Zwei Drittel davon sind von den hohen Bergen der Ostalpen bedeckt. Höchster Berg ist mit 3.797 Metern der Großglockner. Der Osten des Landes ist flach und geht in die ungarische Tiefebene über. Die Donau durchfließt Österreich von West nach Ost.

Jeder Vierte der 7,5 Millionen Österreicher lebt in der Hauptstadt Wien, die 1,6 Millionen Einwohner hat. Vor 1918 war Wien die Hauptstadt der österreichisch-ungarischen Großmacht gewesen, zu der neben Deutsch-Österreich auch Ungarn, die Länder des heutigen Tschechien (Böhmen, Mähren), die Slowakei, Slowenien, Kroatien und Teile von Italien, Rumänien, Polen und Russland gehört hatten. Als die Monarchie nach dem Ersten Weltkrieg zerschlagen wurde, entstanden auf ihrem Boden viele neue Staaten. Vom Riesenreich der Habsbur-

ger blieb 1918 nur das kleine Deutsch-Österreich mit seiner großen Hauptstadt Wien übrig. Der österreichische Kaiser musste, ebenso wie sein deutscher Kollege, abdanken. Österreich wurde ein demokratischer Bundesstaat. Im Jahr 1938, als in Deutschland die Nationalsozialisten mit dem gebürtigen Österreicher Adolf Hitler an der Macht waren, wurde Österreich an das Deutsche Reich angeschlossen. Viele Österreicher erhofften sich davon ein Ende der wirtschaftlichen Not. Doch stattdessen kamen Krieg und Terror. Die Nazis verboten den Namen „Österreich" und nannten das Land „Ostmark". Nach der deutschen Niederlage wurde Österreich wieder ein eigener Staat.

Österreich hat neun Bundesländer: Wien (gleichzeitig Bundeshauptstadt), Burgenland, Kärnten, Niederösterreich, Oberösterreich, Salzburg, Steiermark, Tirol und Vorarlberg. Die Bundesländer haben eigene Parlamente, die Landtage. Der wichtigste Wirtschaftszweig ist der Fremdenverkehr in den Alpen und in den vielen Seengebieten. In Österreich gibt es keine Atomkraftwerke.

Palme Palmen gedeihen nur in mildem oder heißem Klima. Die großen, fächerartigen Blätter der Pflanze wachsen am oberen Ende des Stammes. Es gibt viele Sorten. Datteln und Kokosnüsse sind Früchte von Palmen, die wir auch bei uns kaufen können. Eine einzige Kokospalme liefert jährlich 300 bis 450 Nüsse.

Pantomime Ein Pantomime ist ein Schauspieler, der ohne Worte auskommt. Was er sagen will, teilt er durch Bewegungen des Körpers und durch seinen Gesichtsausdruck mit. Das Wort heißt übersetzt „alles durch Schauspiel" – also nicht durch Sprache. Der berühmteste Pantomime ist Marcel Marceau.

Papagei Es gibt über 300 Arten von Papageien. Sie leben in den tropischen Wäldern. Viele davon sind prächtig bunt. Papageien haben meistens einen langen Schwanz, geschickte Greiffüße und einen starken Schnabel. Einige Arten sind besonders stimmbegabt und können alle möglichen Töne, darunter auch Wörter menschlicher Sprachen, nachahmen. Forscher haben herausgefunden, dass manche Papageien diese Wörter nicht nur nachplappern, sondern sie auch gezielt einsetzen können. Ihre Intelligenz und ihr drolliges Gehabe machen Papageien zu beliebten Heimtieren. Wir sollten uns dennoch fragen, ob es in Ordnung ist, ein freiheitsstrebendes, intelligentes Tier ein Leben lang einzusperren.

hellroter Ara

Gelbkopfamazone

Gelbhauben-
kakadu

Pennant-Sittich

Brillenpapagei

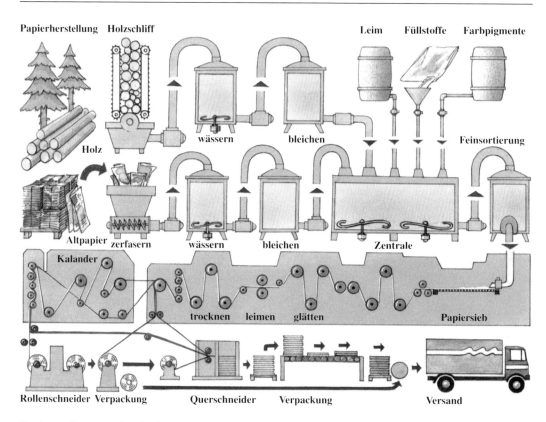

Papierherstellung **Holzschliff** **Leim** **Füllstoffe** **Farbpigmente**

Holz
wässern bleichen
Feinsortierung
Altpapier zerfasern wässern bleichen Zentrale
Kalander Papiersieb
trocknen leimen glätten
Rollenschneider Verpackung Querschneider Verpackung Versand

Papier Das erste dem Papier ähnliche Material stammt aus dem alten Ägypten. Die Ägypter erzeugten vor 4.000 Jahren dünne, beschreibbare Blätter aus dem Mark der Papyrusstaude; daher der Name „Papier". Richtiges Papier erfanden die Chinesen vor 2.000 Jahren. Doch erst vor 1.000 Jahren brachten die Araber das Geheimnis der Papierherstellung nach Europa. Zuvor musste man auf dünnem Leder (Pergament) schreiben. Heute erzeugt man Papier vor allem aus Holz. Ein Brei aus Holzspänen und Chemikalien wird auf riesige Siebe geschüttet, gepresst und geglättet. Recyclingpapier wird aus Altpapier hergestellt und schont daher die Wälder; es wird kein frisches Holz verbraucht.

Parasit Ein Parasit ist ein Schmarotzer, also ein Lebewesen, das auf Kosten anderer Lebewesen lebt. Die Würmer, die im Darm von Säugetieren leben, sind Parasiten. Die Mistel ist ein pflanzlicher Schmarotzer. Sie lebt in den Kronen von Bäumen und zapft die so genannte Wirts-pflanze an. Das Wort kommt aus dem antiken Griechenland. Dort gab es berufsmäßige Possenreißer, „Parasiten" genannt, die in reichen Häusern die Gäste mit Witzen und Spaßen unterhielten. Dafür durften sie gratis mitessen und -trinken.

Partei Menschen mit gleichen politischen Überzeugungen und Interessen schließen sich in modernen ⇀ Demokratien zu einer Partei zusammen. Damit wollen sie die Politik in ihrem Sinne beeinflussen. Jede Partei versucht, bei Wahlen viele Stimmen zu gewinnen, um möglichst viele ⇀ Abgeordnete in das Parlament schicken zu können. Die stärksten Parteien bilden normalerweise die Regierung und können ihre Ideen durchsetzen. In Europa haben sich folgende Typen von Parteien herausgebildet: konservative oder christliche Parteien, sozialdemokratische Parteien, liberale oder freiheitliche Parteien, grüne (ökologische) Parteien, kommunistische Parteien und rechtsextreme, nationalistische Parteien.

Pass Der Pass (oder Reisepass) ist ein vom Staat ausgestelltes Dokument, mit dem man seine Identität nachweisen kann. Dieser Ausweis enthält die Geburtsdaten eines Menschen und sein Foto. Viele Länder verlangen bei der Einreise einen Reisepass.
Eine Passstraße ist eine Straße, die an der niedrigsten Stelle über einen Gebirgszug führt.

Pastor Pastoren sind Geistliche, die eine christliche (meist evangelische) Kirchengemeinde leiten. Das Wort „Pastor" ist lateinisch und bedeutet „Hirte".

Pate Pate oder Patin sind Zeugen, wenn ein Kind christlich getauft (oder später gefirmt oder konfirmiert) wird. Sie versprechen, sich für eine christliche Erziehung des Täuflings oder Firmlings einzusetzen.

Patent Ein Patent bestätigt einem Erfinder, dass nur er die patentierte Erfindung gemacht hat. Niemand außer ihm darf sie verwerten. Patentierte Erfindungen sind das geistige Eigentum des Erfinders. Wenn es keinen Patentschutz gäbe, dann würde es sich für keine Firma auszahlen, Geld in die Entwicklung von technischen Neuheiten zu stecken. Jeder könnte sie billig nachbauen lassen.

Penizillin Dieser Heilstoff tötet krankheitserregende ⇀ Bakterien und ist somit ein wichtiges Antibiotikum. Penizillin (oder Penicillin) wurde 1928 entdeckt. Es wird aus bestimmten Schimmelpilzen gewonnen.

Pfadfinder In deutschsprachigen Ländern gibt es seit 1919 Pfadfinder. Diese weltweite Kinder- und Jugendorganisation war drei Jahre zuvor von dem Engländer Baden-Powell (als Boy Scouts, später auch Girl Scouts) gegründet worden. Die Pfadfinder und Pfadfinderinnen lernen in Kursen, auf Lagern und bei Wettkämpfen, wie man sich in der Natur zurechtfindet. Sie üben die Zusammenarbeit in Gruppen und engagieren sich in wohltätigen Einrichtungen. Zum Pfadfinderleben gehört das Versprechen, jeden Tag eine gute Tat zu tun. In 114 Ländern der Welt gibt es insgesamt 22 Millionen Pfadfinder.

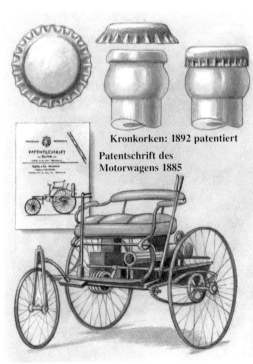

Kronkorken: 1892 patentiert

Patentschrift des Motorwagens 1885

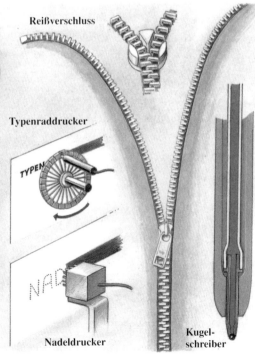

Reißverschluss

Typenraddrucker

Nadeldrucker

Kugelschreiber

Pferd

Pferd Schon vor 5.000 Jahren begannen die Menschen, die in Afrika, Asien und Europa beheimateten Wildpferde zu zähmen und als Haustiere für verschiedene Zwecke zu züchten. Kräftige Pferde (Kaltblüter) zogen Wagen und Pflüge, flinke Warmblüter dienten als Reitpferde. Nur die amerikanischen und australischen Ureinwohner bekamen Pferde erst gemeinsam mit den europäischen Eroberern zu Gesicht.

Pferde spielten bis zum Aufkommen von Motoren und Zugmaschinen eine wichtige Rolle in der Landwirtschaft, beim Transport von Gütern und im Kriegswesen. Die mittelalterlichen Ritter oder Kavaliere waren „Reiter", Krieger, die es sich leisten konnten, hoch zu Ross zu kämpfen. Die Eroberungszüge der asiatischen Reitervölker wären ohne Kavallerie (Reitertruppen) nicht möglich gewesen. Noch im Zweiten Weltkrieg wurden Millionen Pferde (vor allem als Zugtiere) eingesetzt. Mit Ausnahme edler Reitpferde war das Los der Pferde – wie anderer Nutztiere auch – immer erbärmlich. Vor 150 Jahren verboten in England die ersten Tierschutzgesetze, Pferde zu Tode zu schinden. Doch noch heute werden Reitpferde in der Dressur oft systematisch gequält, um sie zu immer besseren Leistungen anzustacheln. Für viele Menschen sind Pferde eine Art lebendes Sportgerät. Wenn die Tiere aber alt oder krank werden und ausgedient haben, landen sie beim Abdecker (Schlachter) und werden oft zu Hundefutter verarbeitet.

Ponys sind kleine Pferde. Das Falabellapony wird nur 75 Zentimeter hoch. Mit den Pferden sind die Esel eng verwandt. In vielen Gebieten sind Esel als Nutztiere beliebter als Pferde, weil sie ausdauernder und genügsamer sind. Maultiere sind eine Kreuzung aus Pferd und Esel.

Eohippus   Mesohippus   Meriohippus   Pliohippus   Equus

Kaltblüter   Vollblüter

Pony   Warmblüter

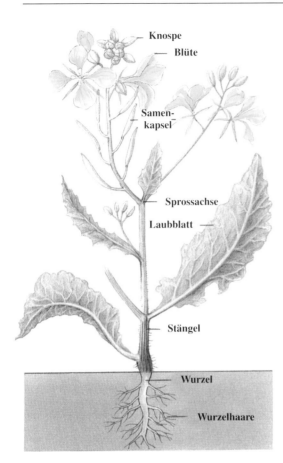

Knospe
— Blüte
Samen-
kapsel
Sprossachse
Laubblatt —
Stängel
Wurzel
Wurzelhaare

Pflanzen Genau wie Tiere (und Menschen) bestehen auch Pflanzen aus kleinsten Einheiten, den Zellen. Jede Zelle hat einen Zellkern, der ihre Funktion steuert. Viele Zellen zusammen ergeben ein Zellgewebe. Organismen wie die Pflanzen bestehen aus vielen verschiedenen Geweben, die spezielle Aufgaben zu erfüllen haben. Der große Unterschied zwischen Tieren und Pflanzen besteht darin, dass Pflanzen ihre Nahrung aus Licht, Luft und Wasser selbst erzeugen, während Tiere etwas fressen müssen. Pflanzen verwandeln das Gas Kohlendioxid der Luft und des Wassers mithilfe von Sonnenenergie in Zucker. Dieser Vorgang heißt Fotosynthese. Dabei wird die Sonnenenergie von einer Substanz namens Chlorophyll (das ist der grüne Farbstoff) in der Pflanze eingefangen. Als Abfallprodukt geben die Pflanzen das Gas Sauerstoff ab, das für Tiere und Menschen lebenswichtig ist.

Ein anderer wichtiger Unterschied zwischen Tieren und Pflanzen liegt darin, dass sich Tiere normalerweise fortbewegen und fliehen können. Tiere müssen sich ihre Nahrung suchen, und sie müssen vor dem Gefressenwerden davonlaufen, -kriechen, -schwimmen oder -fliegen können. Pflanzen müssen ihrer Nahrung nicht hinterherjagen. Licht, Luft und Wasser kommen von selbst. Pflanzen haben kein Nervensystem. Sie verspüren daher nicht, wie Tiere und Menschen, Schmerzen oder Todesangst. Schmerzempfindlichkeit wäre ein sinnloser Luxus für Pflanzen; sie können sich ohnehin nicht wehren oder davonlaufen.
Und noch etwas unterscheidet Pflanzen von Tieren: Pflanzen wachsen, solange sie leben. Die größten Lebewesen der Erde sind daher auch Pflanzen, nämlich die australischen Eukalyptusbäume, die bis zu 150 Meter hoch werden.

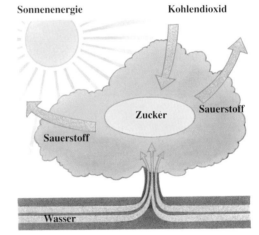

Sonnenenergie · Kohlendioxid · Zucker · Sauerstoff · Sauerstoff · Wasser

Phantasie Wer sich etwas ausdenken kann, was es in Wirklichkeit nicht (oder noch nicht) gibt, aber was vielleicht sein könnte, der hat Phantasie. Das ist die Gabe, eine Art eigene, innere Welt zu erzeugen. Schriftsteller brauchen viel Phantasie, wenn sie einen Roman schreiben. Kinder haben meistens mehr Phantasie als Erwachsene. Wenn jemand hohes Fieber hat oder Drogen nimmt, treten starke Phantasien auf. Oft kann man dann nicht mehr zwischen Phantasie und Wirklichkeit unterscheiden. Diese Art von Phantasie, die jemanden völlig gefangen nimmt, nennt man Halluzination oder Wahnvorstellung.

Pharao ~ Pyramide

Philosophie „Die Philosophie", sagte der berühmte Philosoph Immanuel Kant, „beginnt mit dem Staunen darüber, dass es überhaupt etwas gibt." Während sich die anderen Wissenschaften mit der Frage beschäftigen, woraus sich die Dinge der Welt zusammensetzen und wie sie funktionieren, denken die Philosophen über grundsätzlichere Fragen nach, die die Stellung des Menschen in der Welt betreffen. Es gibt viele philosophische Fachbereiche. Zum Beispiel lauten einige Fragen der Ethik (oder Moralphilosophie): Wie sollen wir uns anderen Lebewesen gegenüber verhalten? Warum ist es besser, Gutes zu tun als Schlechtes? Was ist die Aufgabe von uns Menschen in der Welt?

Platon
427–347 v. Chr.

Eine Frage aus der Erkenntnistheorie lautet: Woher wissen wir, dass zum Beispiel dieses Buch, in dem wir gerade lesen, „wirklich" ist? (Vielleicht träumen wir bloß, dass wir lesen!) Die ersten großen Philosophen lebten im ersten Jahrtausend vor unserer Zeit: in Indien Gotama (der Buddha), in China Konfuzius und Laotse und in Griechenland Sokrates, Platon und Aristoteles. Sie alle versuchten, über den Sinn der Welt und über ein menschenwürdiges Leben nachzudenken, ohne sich dabei auf die überlieferten Antworten der Religionen zu verlassen.

Sokrates
um 470–399 v. Chr.

Einer der wichtigsten modernen Philosophen war Immanuel Kant, der vor 200 Jahren lebte. Seine „Philosophie der Aufklärung" legte die Grundlagen für Demokratie und Menschenrechte. Kein Mensch, sagte Kant, dürfe einem anderen Menschen gehören oder irgendeinem höheren Zweck geopfert werden.

Aristoteles
384–322 v. Chr.

Heute muss die Philosophie über völlig neue Fragen nachdenken. Denn das technische Können der Menschheit wächst ständig, und wir müssen genau nachdenken, was wir damit alles tun dürfen. Zum Beispiel: Wenn wir den Müll unserer Atomkraftwerke eingraben, so müssen unsere Nachfahren noch während hunderten von Generationen die gefährlichen Lagerstätten bewachen. Dürfen wir ihnen das zumuten? Oder: Wir sind in der Lage,

Immanuel Kant
1724–1804 n. Chr.

die Erbanlagen von Lebewesen zu verändern. Dürfen wir künstliche Tierarten oder gar Menschenarten schaffen? Oder: Wir wissen, wie eng Tiere und Menschen biologisch miteinander verwandt sind und dass höhere Tiere Schmerzen und Todesangst ebenso empfinden können wie Menschen. Sind wir eigentlich im Recht, wenn wir Schweine oder Hühner millionenfach einsperren, quälen und abschlachten?

Phon   Lautstärke misst man in Phon. Ein Phonometer erfasst die Stärke des Straßenlärms, des Geräusches am Arbeitsplatz oder des Lärms einer Flugzeugturbine. In der Lautstärketabelle hat ein leises Blätterrauschen 10 Phon, eine Unterhaltung in Zimmerlautstärke 40 Phon und das Heulen einer Luftschutzsirene in 20 Metern Entfernung 130 Phon. Das ist zugleich die Lautstärke, bei der Schall Schmerzen verursacht.

Pinguin   Pinguine sind die wohl seltsamsten Vögel der Erde: Sie können nicht einmal flattern, kaum laufen, dafür aber ausgezeichnet schwimmen und tauchen. Im Wasser erreichen sie Geschwindigkeiten bis zu 40 Stundenkilometern – so viel wie ein menschlicher Kurzstreckenläufer. Pinguine leben in den kalten antarktischen Gebieten nahe dem Südpol. Ihre fellartigen Federn liegen eng an. Zum Schutz gegen die beißende Kälte haben sie eine dicke Fettschicht. Bei ihren Tauchfahrten erbeuten sie Fische und andere Wassertiere. Die jährlich ein bis zwei Eier werden von den Männchen ausgebrütet, die monatelang eng aneinander gerückt auf dem Festland stehen. Die Eier liegen dabei in Hautfalten zwischen den Füßen. Die größten Pinguine sind die über einen Meter großen Kaiserpinguine.

Felsenpinguin

Kaiserpinguin   **Humboldtpinguin**

Pipeline   Durch mächtige Rohrleitungen aus Beton und Stahl wird Erdöl von den Förderstellen zu den Raffinerien oder Ölhäfen gepumpt. Solche Pipelines (englisch für „Rohrlinie") führen tausende von Kilometern weit durch Wüsten, Wälder oder Meere. Die Transalpine Pipeline verbindet den Adriahafen von Triest, wo Öltanker eintreffen, mit den Raffinerien in Ingolstadt in Bayern.

Pirat   Auf den Weltmeeren treiben Piraten oder Seeräuber ihr Unwesen. Sie überfallen Handels- oder Passagierschiffe und bringen ihre Beute in versteckten Häfen in Sicherheit. Piraten wurden früher oft als Freibeuter von Krieg führenden Staaten angeheuert. Sie sollten Schiffe der feindlichen Nationen gefangen nehmen. Als Lohn erhielten sie einen Teil der Beute und freies Geleit. Auch der berühmteste deutsche Pirat, Klaus Störtebeker aus Wismar, stand in politischen Diensten. Auch heute noch gibt es Piraten. Mit ihren Schnellbooten überfallen sie langsame, unbewaffnete Handelsschiffe. Pro Jahr werden etwa 150 Schiffe von Piraten geentert.
Piratensender nennt man Radio- oder Fernsehstationen, die ohne Erlaubnis Sendungen auf das Festland ausstrahlen. Sie erhalten im Allgemeinen Werbeeinnahmen, zahlen aber keine Steuern.

Pol   Der Nordpol und der Südpol sind die nördlichsten beziehungsweise die südlichsten Punkte der Erdkugel. Sie sind die Endpunkte der (gedachten) Achse, um die sich die Erde dreht. Die Längengrade (Meridiane) der Erde enden an den Polen. Wer auf dem Südpol steht, der kann nur in eine Richtung laufen: nach Norden. Der geografische Nordpol (der nördlichste Punkt der Erde) und der magnetische Nordpol (der Punkt, auf den die Kompassnadel zeigt) sind nicht dasselbe. Der magnetische Pol ändert sich ständig, da auch das Magnetfeld der Erde nicht immer gleich bleibt. Den Winter eines polaren Gebietes nennt man auch die „Polarnacht". Sie dauert ein halbes Jahr. So lange nämlich geht die Sonne nicht auf. Das nächste halbe Jahr, am Polartag, geht sie nie unter. Wenn auf dem Südpol Polarnacht herrscht, ist auf dem Nordpol Polartag und umgekehrt. Das Gebiet um den Südpol ist von der Landmasse der Antarktis bedeckt. Dieser Kontinent ist teilweise kilometerdick von Eis bedeckt. Im Jahr 1911 erreichte der Norweger Roald Amundsen als erster Mensch den Südpol. Der Nordpol dagegen liegt unter Wasser. Er ist vom Packeis des Nordpolarmeeres bedeckt.

„Pluspol" und „Minuspol" nennt man die Anschlussstellen von elektrischen Schaltkreisen sowie die Aus- und Eintrittsstellen der Kraftlinien eines Magneten; das sind jene Stellen eines Magneten, die ein Stück Eisen am stärksten abstoßen oder anziehen.

Polizei   Die Polizei eines modernen Staates hat viele verschiedene Aufgaben: Sie sorgt für die Sicherheit der Bürger, bekämpft Verbrechen und klärt sie auf, sie ist verantwortlich dafür, dass der Straßenverkehr in geregelten Bahnen abläuft; sie sorgt dafür, dass die Bestimmungen des Jugendschutzes eingehalten werden, dass in Lokalen der Feuerschutz beachtet wird und vieles mehr. Spezialaufgaben haben die Wasserschutzpolizei, die Bergpolizei und die Eisenbahnpolizei. An den Staatsgrenzen kontrollieren Grenzpolizisten die Ausweise.

In Diktaturen fühlen sich der Staat und die Polizei berechtigt, in den Privatangelegenheiten der Bürger herumzuschnüffeln und ihnen vorzuschreiben, was sie zu tun und zu lassen hätten. In demokratischen Staaten müssen sich Polizisten stets an die Gesetze halten und die Freiheitsrechte der Bürger respektieren, auch wenn dies manchmal die Bekämpfung von Verbrechen erschwert. So darf niemand von der Polizei willkürlich festgenommen oder gar schikaniert werden.

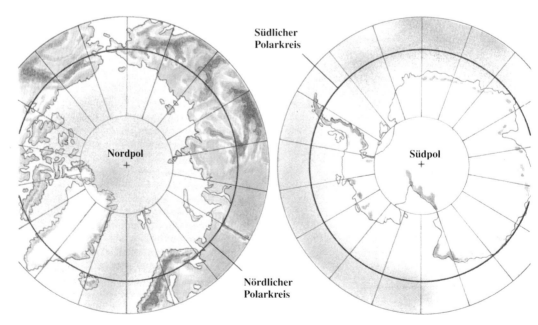

Südlicher Polarkreis

Nordpol +

Nördlicher Polarkreis

Südpol +

Post

Post Die Post ist heute eine Aktiengesellschaft, die auf der ganzen Welt Millionen von Briefen und Paketen befördert, die in kürzester Zeit bei ihrem Empfänger eintreffen. Postsparkassen und Postbanken arbeiten wie normale Banken. Seit dem 12. Jahrhundert gibt es in Europa ein Beförderungssystem für Briefe. Damals waren es private Unternehmer, die sich um die Post kümmerten und Reiter, in manchen Ländern auch Läufer, aussandten. 1874 wurde in Bern der Weltpostverein gegründet. Er regelt die Zusammenarbeit zwischen den Postdiensten aller Länder. Die Briefmarke (Frankierung) auf dem Brief ist das Zeichen dafür, dass die Beförderungsgebühr (das Porto) bezahlt worden ist. Ein frankierter (freigemachter) Brief landet zunächst im Briefkasten und dann spätestens am Abend im Postamt. Mitarbeiter der Post bringen ihn zum nächsten Briefzentrum. Dann werden die Briefe nach Zustellungsadressen (Länder, Städte, Regionen) grob sortiert. Die Postleitzahl erleichtert die richtige Zuordnung. Die meisten Briefe werden per LKW befördert. Post in andere Länder geht per Flugzeug ab. Nur Pakete werden nach Übersee noch mit dem Schiff transportiert. In den großen Briefzentren der Städte arbeiten Bedienstete die Nacht durch, um die Briefe der Region in Empfang zu nehmen und sie weiter nach Zustell-Postämtern zu sortieren und weiterzusenden. Hier werden alle ankommenden Briefe nach Straßen und Hausnummern sortiert. Dort übernehmen frühmorgens die Briefträger ihre Post und teilen sie weiter nach Straßen und Ortsteilen auf. Am Vormittag sollte, wenn alles geklappt hat, der Brief im Postkasten des Empfängers gelandet sein.

Presse Zeitungen und Zeitschriften gehören zur Presse. Presseerzeugnisse erscheinen regelmäßig: als Tageszeitungen täglich, als Wochenzeitschriften wöchentlich. Man spricht somit auch von der „Tages-" oder „Wochenpresse". Manche Magazine kommen nur alle Monate oder alle Vierteljahre heraus. Manchmal versteht man unter „Presse" nicht nur Zeitungen, sondern auch die anderen Medien (Fernsehen, Radio), die Nachrichten übermitteln. Auf einer Pressekonferenz stellen sich Politiker, Firmen oder andere Organisationen den Fragen der Journalisten. Die Presseagenturen sind Organisationen, die Nachrichten vor Ort sammeln und an die verschiedenen Medien gratis weiterleiten oder aber verkaufen. Die Pressefreiheit ist ein Grundrecht in demokratischen Staaten. Die Berichte von Medien dürfen nicht zensiert werden. Jeder Bürger darf seine Meinung frei veröffentlichen, solange er niemanden verleumdet oder zu Rassismus oder Terrorismus aufruft.

Um die Farbe auf Zeitungspapier zu drucken, braucht man Druck. Das Wort „Presse" kommt also von der Druckerpresse. Pressen sind immer Maschinen, die Druck erzeugen. Eine Ölpresse zum Beispiel quetscht Früchte und Samen unter Druck aus. In der Metallpresse werden Bleche und andere Teile in die gewünschte Form gepresst.

Pseudonym Viele Schriftsteller, Künstler und Showstars legen sich einen anderen Namen zu, unter dem sie schreiben oder auftreten. Oft klingt ihr eigentlicher Name nicht schön genug oder ist schwer auszusprechen. Auch manche Politiker legen sich solche Pseudonyme (Künstlernamen) zu. Das griechische Wort „Pseudonym" heißt eigentlich „gelogener Name".

Pyramide Die ägyptischen Pharaonen (Könige) des Alten und Mittleren Reiches Ägyptens (bis 1780 vor unserer Zeit) ließen sich als Grabanlagen die Pyramiden bauen. Pyramiden haben eine quadratische Grundfläche. Die vier Seitenflächen laufen zu einer Spitze zusammen. Tief im Inneren liegt die Grabkammer. Wie es die ägyptischen Baumeister geschafft haben, die riesigen Steinquader heranzuschaffen und geometrisch exakt aufzuschichten, ist immer noch nicht völlig geklärt. Auf jeden Fall müssen zehntausende Menschen jahrzehntelang schwer gearbeitet haben – wahrscheinlich Bauern in den jährlich wiederkehrenden Zeiten, in denen der Nil ihre Felder überflutet hatte. Die berühmteste und größte Pyramide ist die Cheopspyramide. Sie ist 147 Meter hoch. Die monumentalen Pyramiden der altamerikanischen Kulturen waren Tempelanlagen. Sie enthalten keine Gräber.

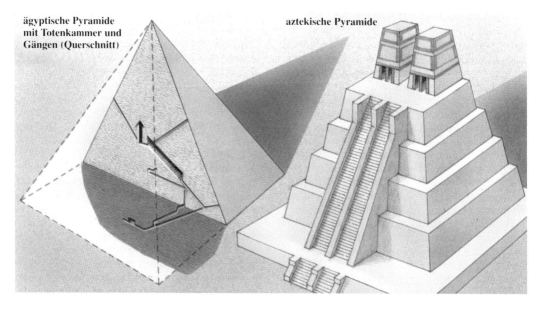

ägyptische Pyramide mit Totenkammer und Gängen (Querschnitt)

aztekische Pyramide

Quadrat   Q   Quiz

Quadrat Ein Viereck mit vier gleich langen Seiten und vier rechten Winkeln ist ein Quadrat. Die Seiten eines Quadratmeters sind einen Meter lang, die Seiten eines Quadratkilometers einen Kilometer.

Qualität Die Beschaffenheit und die Eigenschaften einer Sache ergeben ihre Qualität. Ein schmackhafter Apfel, ein hochklassiges Fußballspiel, ein langlebiges Fahrrad, eine gelungene Arbeit haben hohen Wert und damit hohe Qualität.

Quarantäne Menschen und Tiere werden unter Quarantäne gestellt, wenn bei ihnen der Verdacht besteht, sie könnten an einer ansteckenden Krankheit leiden. Sie werden einige Zeit lang von ihrer Umwelt getrennt. Zu den Zeiten der großen Pest- und Choleraepidemien durften Schiffe, die aus den Seuchengebieten kamen, nicht im Hafen anlegen. Sie mussten draußen ankern, bis man sicher war, dass die Besatzung gesund war. Erst nach 40 Tagen wurde die Sperre aufgehoben. (Das französische Wort „quarante" heißt vierzig.) Länder wie England und Irland haben strenge Einreisebestimmungen für Tiere.

Quartett Vier Musiker (Sänger oder Instrumentalmusiker), die zusammen musizieren, bilden ein Quartett. Musikstücke, die speziell für Quartette geschrieben wurden, nennt man ebenfalls ein Quartett. Beim Kartenspiel „Quartett" geht es darum, jeweils vier Karten mit gleichen Symbolen zu sammeln und abzulegen. Das Wort kommt vom lateinischen „quartus" – der Vierte.

Quecksilber Das silbrig glänzende, giftige Schwermetall wird schon bei Zimmertemperatur flüssig. In Thermometern zeigt die Höhe der Quecksilbersäule die Temperatur an. Quecksilber reagiert nämlich sehr stark auf Temperaturschwankungen. Bei Erwärmung dehnt es sich aus, und die Quecksilbersäule steigt.

Quelle Wo Grundwasser an die Erdoberfläche tritt, sprudelt eine Quelle. Sie ist der Ursprung eines Baches. Mehrere Bäche fließen zu einem Fluss zusammen, der später als Strom ins Meer mündet. Das Wasser von Heilquellen ist durch mineralhaltige Gesteinsschichten gesickert und hat heilkräftige Salze und Mineralien aufgenommen. Warme oder heiße Heilquellen nennt man „Thermalquellen". Hier wurde das Wasser im heißen, vulkanischen Erdinneren aufgeheizt. ~ Geysire sind Quellen, in denen heiße Gesteine das Grundwasser zum Kochen bringen und als heißen Wasserdampf ausblasen.

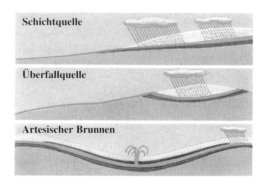

Schichtquelle

Überfallquelle

Artesischer Brunnen

Querulant Es gibt Menschen, die an allem und jedem etwas auszusetzen haben. Sie beschweren sich über jede Kleinigkeit, gehen keinem Streit aus dem Weg und berufen sich ständig auf ihre angeblichen Rechte. Solche Querulanten sind bei ihren Mitmenschen äußerst unbeliebt; aber das macht ihnen offensichtlich nicht sehr viel aus.

Quiz Ein Quiz ist ein Frage-und-Antwort-Spiel. Wer die richtige Antwort gibt, gewinnt. In einem Fernsehquiz leitet der Quizmaster (Quizmeister) das Spiel, bei dem zuweilen sehr hohe Geldbeträge gewonnen werden.

Rabatt Rabatt ist ein Preisnachlass. Wer Rabatt bekommt, der muss für die gekaufte Ware weniger bezahlen als den angeschriebenen Preis. Mengenrabatt bekommt, wer eine größere Menge von Waren einkauft. Treuerabatt gibt es manchmal für Kunden, die immer wieder bei derselben Firma kaufen. Bei großen Einkäufen (zum Beispiel bei Möbeln) kann man einen Sonderrabatt (Skonto) bekommen, wenn man sofort bezahlt und nicht erst nach Erhalt der Rechnung.

Rabbiner Ein Schriftgelehrter oder Geistlicher der jüdischen Religion ist ein Rabbiner oder Rabbi. Auch die Anhänger von Jesus Christus nannten ihren Herrn „Rabbi" – „mein Meister".

Rabe Raben sind große, kräftige, kluge ⇨ Vögel mit meist dunklen bis schwarzen Federn. Das Gerücht von den „schlechten Rabeneltern" ist pure Erfindung. Raben pflegen ihre Kleinen aufopfernd, füttern sie bis zur Erschöpfung, putzen ihnen das Nest aus und bringen sogar Wasser heran, um die Kleinen zu duschen. Rabenvögel sind Allesfresser. Zu ihnen gehören außer Raben und Krähen auch die Dohlen, Elstern und Häher.

Rad Das Rad ist die vielleicht wichtigste und genialste Erfindung der Menschheit. Das Rad hatte kein Vorbild in der Natur und war keine Weiterentwicklung eines anderen Gebrauchsgegenstandes. Der Erfinder hatte sich vor 5.000 Jahren etwas völlig Neues ausgedacht: Zunächst benutzte man ganze Baumstämme als Rollen, um schwere Lasten zu bewegen. Dann schnitt man einen Stamm in Scheiben. Jeweils zwei Scheiben verband man mit einer Achse (auch etwas Neues!). Karren auf Rädern ermöglichten plötzlich den schnellen Transport schwerer Lasten über Land. Krieger in Streitwagen verbreiteten unter ihren Feinden lähmendes Entsetzen. Die Hyksos, ein asiatisches Hirtenvolk, konnten das ansonsten weit überlegene nordägyptische Reich vor 3.600 Jahren nur deshalb überrennen, weil ihre Kämpfer auf Pferdewagen in die Schlacht fuhren – für die ägyptischen Soldaten ein gewaltiger Schock. Interessanterweise wurde das Rad nur einmal erfunden. Altamerikanische Kulturen (zum Beispiel die Maya) stellten zwar die kompliziertesten astronomischen und geometrischen Berechnungen an, erfanden ein eigenes Zahlensystem und bauten gewaltige Städte. Das Rad kannten sie jedoch nicht.

Rabenkrähe Nebelkrähe Elster

Saatkrähe

Kohlrabe Eichelhäher

Rad

rollende Baum-stämme

Scheibenrad aus Baum-stamm

Speichenräder

einfacher Karren

Streitwagen im 9. Jh. v. Chr.

Eisen-räder

Laufrad, Vorläufer des Fahrrads

luftbe-reiftes Rad

Automobil

Motorrad

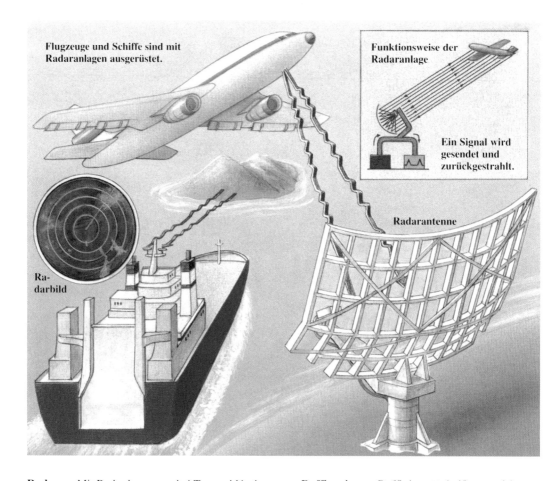

Flugzeuge und Schiffe sind mit Radaranlagen ausgerüstet.

Funktionsweise der Radaranlage

Ein Signal wird gesendet und zurückgestrahlt.

Radarantenne

Radarbild

Radar Mit Radar kann man bei Tag und Nacht weit entfernte Objekte aufspüren und ihren Weg verfolgen. Radargeräte auf Flughäfen beobachten den Flugweg der Maschinen. Auf Schiffen melden sie andere Schiffe oder gefährliche Hindernisse. Das Prinzip funktioniert so: Das Radargerät strahlt kurzwellige elektromagnetische Wellen (Funkwellen) aus. Wenn die ausgesandten Strahlen auf einen Gegenstand treffen, werden sie zurückgeworfen. Der Empfangsteil des Radargeräts macht das Funkecho auf dem Radarschirm sichtbar. Geschwindigkeit, Fahrtrichtung und Entfernung des Objektes können festgestellt werden. Das Wort „Radar" ist die Abkürzung von „Radio Detecting and Ranging" – Aufspüren und Orten durch Radiowellen.

Radio ⤳ Funk

Raffinerie „Raffinieren" heißt „verfeinern" oder „vervollkommnen". In einer Erdölraffinerie wird das dunkle ⤳ Erdöl in seine Bestandteile zerlegt und zu Produkten wie Benzin, Heizöl, Dieselöl oder Schmieröl verarbeitet. Auch Lebensmittel werden raffiniert. Rohzucker ist dunkel, raffinierter Zucker dagegen weiß.
Ein raffinierter Mensch geht besonders schlau und gerissen vor, um seine Ziele zu erreichen.

Rakete Raketen fliegen nach dem Rückstoßprinzip: Im Triebwerk wird hochexplosiver Treibstoff rasch verbrannt. Die heißen Gase werden als Strahl nach hinten ausgestoßen und treiben die Rakete voran. Die ersten Raketen waren die Feuerwerkskörper der Chinesen. Moderne Raketenwaffen können mehrere Sprengköpfe über tausende Kilometer weit tragen. Mithilfe von

Rakete

Rassismus

A B C D E F G H I J K L M N O P Q R S T U V W X Y Z

Raumraketen gelang es Flugkörpern, die irdische Atmosphäre zu verlassen und in den Weltraum vorzustoßen. Raketen tragen Satelliten und Raumschiffe ins All.

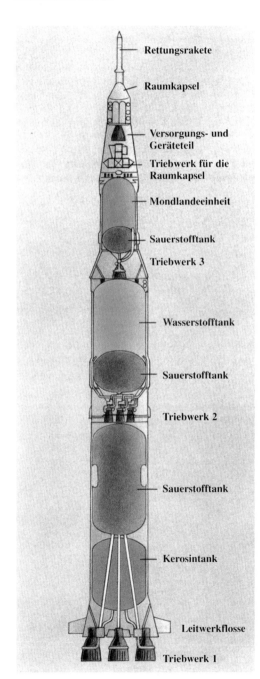

- Rettungsrakete
- Raumkapsel
- Versorgungs- und Geräteteil
- Triebwerk für die Raumkapsel
- Mondlandeeinheit
- Sauerstofftank
- Triebwerk 3
- Wasserstofftank
- Sauerstofftank
- Triebwerk 2
- Sauerstofftank
- Kerosintank
- Leitwerkflosse
- Triebwerk 1

Rasse   Afrikaner und Europäer, Asiaten und australische Aborigines, Pygmäen und Eskimos gehören verschiedenen Menschenrassen an. Sie unterscheiden sich voneinander durch Hautfarbe, Haarfarbe, Körpergröße, Kopfform, Augenstellung und andere körperliche Besonderheiten. Viele Wissenschaftler unterscheiden drei menschliche Grundrassen nach dem wohl deutlichsten Unterscheidungsmerkmal, der Hautfarbe. Dem europiden kaukasischen Typ gehören die meisten heute in Europa, Amerika und Australien lebenden Menschen an. Man nennt sie Weiße. Zum mongoliden Typus gehören die ostasiatischen Völker wie Chinesen und Mongolen, aber auch die amerikanischen Ureinwohner und die Eskimos. Ihre Augen erscheinen durch eine Hautfalte nahe der Nase mandelförmig oder schräg gestellt. Ihre Hautfarbe reicht von gelblich bis zu hellbraun – daher die Bezeichnung Gelbe. Ihr Haar ist schwarz und glatt. Menschen vom negriden Typus stammen aus Afrika, aus Australien und Neuguinea. Sie haben oft krauses Haar, braune Augen und eine Hautfarbe zwischen Hellbraun und Schwarz. Man nennt sie Schwarze oder Farbige.

Rassismus   Rassisten beurteilen den Wert eines Menschen nach seiner Zugehörigkeit zu einem bestimmten Volk oder einer bestimmten Rasse. Wer nicht zum eigenen Volk gehört, gilt unter Rassisten als minderwertig. Eine besonders schreckliche Form von Rassismus war der Nationalsozialismus. Von 1933 bis 1945 wollten die Machthaber mit brutaler Gewalt ein „rassenreines" Deutschland schaffen.

Ratte Mit den Mäusen, Hamstern und Eichhörnchen gehören auch Ratten zu der Gattung der ⇨ Nagetiere. Sie sind Allesfresser und leben in den Kanalisationen von Städten zu Millionen und ernähren sich von Abfällen. In den Ländern der Dritten Welt richten sie auch große Fressschäden in Lebensmittel-Lagerhäusern an. Außerdem übertragen sie für den Menschen gefährliche Krankheiten wie die Pest.

Ratten sind kluge Tiere, die sich leicht dressieren lassen. In Forschungslabors werden sie als spezielle Versuchstiere gezüchtet und bei Versuchen millionenfach getötet.

Raubtier Marder, Katzen, Walrosse, Seehunde, Bären und hundeartige Raubtiere (Schakale, Wölfe) machen Jagd auf andere Tiere und ernähren sich von ihrem Fleisch. Unter den ⇨ Säugetieren gibt es insgesamt etwa 250 Arten von Raubtieren. Sie haben ein scharfes Gebiss mit starken Reißzähnen und einen kurzen Darm. Raubfische sind zum Beispiel der Hai und der Hecht. Raub- und Greifvögel wie der Adler oder Uhu machen Jagd auf Bodenwild und andere Vögel. Die zoologische Bezeichnung für Raubtiere lautet „Beutegreifer". Räuber kommen in der ganzen Tierwelt vor. Es gibt Raubkäfer, Raubfliegen und sogar Raubwanzen.

Rauschgift ⇨ Drogen

Regenbogen Man kann oft nach einem Gewitter einen Regenbogen am Himmel sehen. Er entsteht, wenn die Sonne schon auf ein Gebiet scheint, in dem Regen fällt. Dann wird das weiße Sonnenlicht durch die unzähligen Regentropfen gebrochen und in die sechs Regenbogenfarben aufgespalten: Violett, Blau, Grün, Gelb, Orange und Rot.

Regenwurm Regenwürmer leben in der Erde. Sie fressen und verdauen abgestorbene Pflanzenreste und düngen damit den Boden. Außerdem lockern sie den Boden auf und durchlüften ihn mit ihren Gängen. Erde, die von Regenwürmern durchgearbeitet wurde, ist besonders fruchtbar. Im Winter ziehen sich Regenwürmer in tiefere Erdschichten zurück.

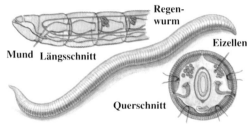

Regenzeit In den tropischen Ländern gibt es keine warmen und kalten Jahreszeiten wie bei uns, sondern nur regelmäßig wiederkehrende Regen- und Trockenzeiten.

Reh   Das Reh ist eine in Europa und Asien lebende Hirschart. Die Männchen (Rehböcke) tragen ein meist dreisprossiges Geweih. Rehe leben in Gruppen, nur alte Rehböcke sind manchmal Einzelgänger. Nach Meinung von Ökologen ist es schädlich, Rehe zu füttern. Dadurch vermehren sie sich zu rasch. In Jungwäldern richten die Rehe gewaltige Schäden an, wenn sie die Triebe von jungen Bäumen abbeißen.

Reh-bock

Reh-kitz

Ricke

Reich   Das Herrschaftsgebiet eines ⇨ Königs oder Kaisers oder eines Volkes nannte man früher ein Reich. Schweden zum Beispiel ist ein Königreich; Russland war früher ein Zarenreich (Kaiserreich); das Wort „Frankreich" bedeutet ursprünglich „Reich der Franken" (Franzosen). Die Nationalsozialisten nannten ihre Herrschaft das „Dritte Reich". Es sollte dem mittelalterlichen europäischen Kaiserreich und dem deutschen Kaiserreich nachfolgen.

Reis   Für ein Drittel der Menschheit, vor allem für Asiaten, ist Reis das Hauptnahrungsmittel. Diese Getreideart ist eine der ältesten Kulturpflanzen der Welt. Meist wird Reis in warmen Ländern auf Feldern angebaut, die unter Wasser stehen. Bergreis gedeiht auf trockenen Feldern. Ungeschälter Reis (brauner Reis oder Naturreis) enthält in den Randschichten und im Keim viele wichtige Vitamine und Spurenelemente. Er ist daher gesünder als der geschälte und polierte (weiße) Reis.

Religion   Die Anhänger der meisten Religionen (zum Beispiel des ⇨ Christentums und des ⇨ Islam) glauben an eine göttliche Kraft oder an Mächte, die die Welt geschaffen haben und das Geschehen bestimmen. Andere (wie die Buddhisten) glauben, dass die Menschen letztlich nur durch eigene Anstrengung glücklich werden können. In den Religionen der alten Völker (Römer, Griechen, Germanen) und vieler Naturvölker verehren die Menschen das Göttliche auch in Naturerscheinungen wie Bäumen und Tieren. In den verschiedenen Religionen suchen Menschen die Antwort auf die Rätsel ihres Daseins. Sie fragen: Warum bin ich auf der Welt? Gibt es ein Leben nach dem Tod? Woher kommt das Leiden in der Welt? Die Antworten der Religionen, ihre Gebote und Verbote bestimmen das Leben ganzer Völker und Zeitalter. Früher waren Religion und Politik untrennbar miteinander verbunden. Priester waren zugleich Politiker, und die Könige hielten sich für von Gott auserwählt. In modernen demokratischen Staaten sind Kirche und Staat voneinander getrennt, Religion ist die Privatsache der Bürger.

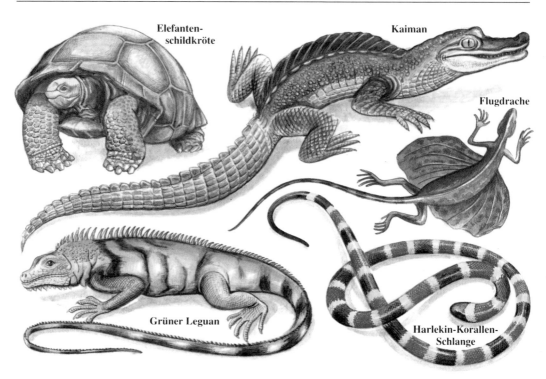

Elefanten-schildkröte

Kaiman

Flugdrache

Grüner Leguan

Harlekin-Korallen-Schlange

Reptilien Reptilien sind Kriechtiere. Ihr Körper ist mit Hornschuppen oder Knochenschilden bedeckt. Kriechtiere atmen, wie Säugetiere, durch Lungen. Sie legen jedoch, wie Vögel, Eier, die sie ausbrüten oder von der Sonne ausbrüten lassen. Anders als Säugetiere und Vögel können sie ihre Körpertemperatur nicht konstant halten. In der warmen Sonne sind sie warm und beweglich, in der Kälte kühlen sie aus und erstarren. (Schlangenbändiger machen sich das zu Nutze: Bevor sie mit Riesenschlangen auftreten, lassen sie die Tiere in Kühlkammern auskühlen. Das macht die Schlangen schwach und unbeholfen.) Es gibt etwa 5.000 Arten von Reptilien. Zu ihnen gehören ⇨ Eidechsen, ⇨ Schildkröten, ⇨ Krokodile und ⇨ Schlangen. Auch die ⇨ Dinosaurier waren Reptilien.

Republik Eine Republik ist ein demokratischer Staat, dessen Oberhaupt vom Volk oder vom Parlament gewählt wird. Deutschland, Österreich und die Schweiz sind Republiken. Schweden zum Beispiel ist zwar ⇨ Demokratie, aber keine Republik: Sein Staatsoberhaupt ist ein König.

Revolution In einer Revolution stürzt das Volk die alten Machthaber. Die Französische Revolution fegte vor rund 200 Jahren die unerträglich gewordene Herrschaft von König, Kirche und Adel mit Gewalt hinweg. Fortan sollten alle Bürger gleiche Rechte haben. Die Revolutionäre errichteten jedoch bald selbst eine Schreckensherrschaft. Ähnliches geschah bei der russischen Oktoberrevolution 1917, als die Kommunisten die Macht ergriffen. Erst die friedlichen Revolutionen im ehemaligen Ostblock in den Jahren 1989 und 1990 zeigten, dass große Umwälzungen auch ohne Blutvergießen und neue Diktatur möglich sind.

Rezept Die Vorschrift für ein Anwendungs- oder Herstellungsverfahren ist ein Rezept. Der Arzt stellt ein Rezept aus und weist damit den Apotheker an, bestimmte Medikamente an den Patienten abzugeben. Viele Arzneimittel sind rezeptpflichtig. Man kann sie nicht einfach kaufen, sondern muss sich zuvor vom Arzt das Rezept ausstellen lassen.
In einem Kochrezept steht, welche Zutaten man für ein Gericht braucht und wie man es zubereitet.

Rhein Der Rhein ist einer der wichtigsten Ströme Europas. Er entspringt im Kanton Graubünden in der Schweiz und mündet nach 1.320 Kilometern in den Niederlanden in die Nordsee. Damit ist er ein wichtiger Schifffahrtsweg – der einzige, der die Alpen mit der Nordsee verbindet. An seinen Ufern in der Schweiz, Frankreich, Deutschland und den Niederlanden liegen riesige Industriebetriebe. Für sie ist der Rhein nicht nur Transportweg, sondern auch ein Abwasserkanal.

Rind Die Rinder sind wiederkäuende ⇨ Huftiere mit dicken, nach außen gebogenen Hörnern. Seit tausenden von Jahren werden sie als Haustiere gehalten und gezüchtet. Weibliche Rinder dürfen meistens leben, solange sie Milch geben. Männliche Rinder werden entweder schon als Kälber für Kalbfleisch getötet oder erst nach ein oder zwei Jahren als Mastbullen (Stiere) oder Mastochsen. Ochsen sind männliche Rinder, denen man als Kälber die Hoden entfernt hat.

Hausrind

Watussirind   **Zebu**

Indischer Büffel   **Bison**

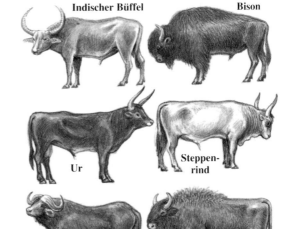

Ur   **Steppenrind**

Kaffernbüffel   **Wisent**

Riese In den ⇨ Märchen und ⇨ Sagen aller Völker treten Riesen auf, die den Menschen an Körpergröße und Kraft, nicht immer jedoch an Klugheit überlegen sind. Wirkliche Menschen mit Riesenwuchs können um die 2,50 Meter groß werden. Sie leiden an einer Fehlfunktion von Drüsen. In der Biologie bezeichnet man besonders große Tier- und Pflanzenarten als „Riesen". Es gibt zum Beispiel Riesengürteltiere, Riesenkäfer, Riesenkakteen, rote Riesenkängurus, Riesenmuscheln, Riesensalamander, Riesenschildkröten oder die Riesenschlangen. Andere Riesenformen wie etwa das Riesenfaultier (sieben Meter Länge) und der Riesenhirsch (drei Meter breite Schaufeln) sind dagegen schon lange ausgestorben.

A B C D E F G H I J K L M N O P Q R S T U V W X Y Z

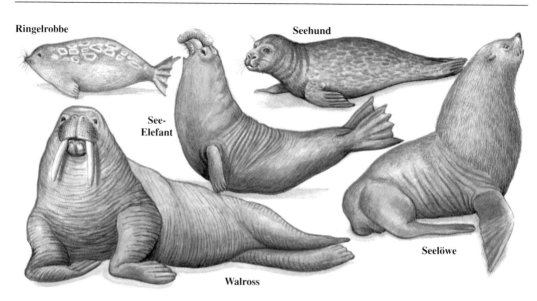

Ringelrobbe

See-Elefant

Seehund

Walross

Seelöwe

Robbe Robben sind ⇨ Säugetiere, deren Körper fast vollständig dem Leben im Meer angepasst ist. Ihre Vorder- und Hinterbeine haben sich im Laufe der Zeit zu Flossen umgebildet. Sie sind ausgezeichnete Schwimmer und Taucher und machen Jagd auf Fische und andere Meerestiere. Manche Robbenarten können hunderte Meter tief tauchen. Anders als Wale und Delfine kommen sie zur Fortpflanzung jedoch an Land. Zu den Robben gehören Seehunde, Walrosse, Seelöwen und See-Elefanten. Viele Robbenarten werden wegen ihres wertvollen Fells gejagt und sind deshalb – und wegen der Verschmutzung des Meerwassers – vom Aussterben bedroht. Robben leben vor allem in den kälteren Meeren, Seehunde kommen auch in den deutschen Küstengewässern vor. Ihre Jungen nennt man Heuler.

Rock and Roll Die Musikrichtung des Rock and Roll entwickelte sich in den 40er-Jahren aus der Blues- und Skiffle-Musik. Rock 'n' Roll war der musikalische Protest der weißen Jugendlichen gegen die spießige amerikanische Schlagermusik. Der harte und unkomplizierte Rhythmus und die wilden Tänze schockierten damals die Erwachsenen. Berühmte Rock-'n'-Roll-Stars waren Elvis Presley und Bill Haley. Die spätere Popmusik (der Beat der 60er-Jahre und die heutige Rock- und Hardrock-Musik) haben ihre Ursprünge im Rock 'n' Roll.

Rollfeld Die Start- und Lande-Bahnen auf Flughäfen heißen „Rollfelder". Sie sind betoniert und mehrere Kilometer lang. Größere Flughäfen, auf denen mehrere Flugzeuge gleichzeitig starten und landen, haben mehrere Rollfelder.

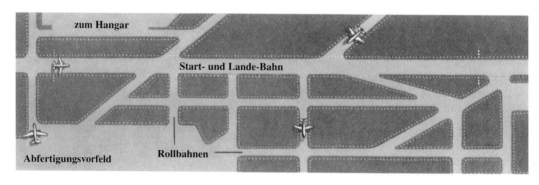

zum Hangar

Start- und Lande-Bahn

Abfertigungsvorfeld

Rollbahnen

Röntgen Im Jahr 1895 entdeckte der deutsche Physiker Wilhelm Conrad Röntgen, dass man mit besonders kurzwelligen elektromagnetischen Wellen feste Körper durchleuchten kann. Er nannte diese Strahlen „X-Strahlen" – wir kennen sie als „Röntgenstrahlen". Röntgenstrahlen dringen in das Körperinnere ein, werden aber von festeren Teilen (zum Beispiel Knochen) zurückgehalten. Auf Röntgenbildern kann man somit das Körperinnere sichtbar machen. Das erleichtert die Behandlung von vielen inneren Krankheiten, aber auch zum Beispiel von Knochenbrüchen, wesentlich. Allerdings sind Röntgenstrahlen auch gefährlich und können in hoher Dosis Krebs erzeugen.

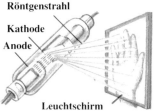

Röntgenstrahl
Kathode
Anode
Leuchtschirm

Ruine Ruinen sind die Reste zerstörter Bauwerke. Von den einst mächtigen Schlössern und Burgen des Mittelalters sind meist nur noch Ruinen erhalten. Nur die Grundmauern, und vielleicht Teile des Dachs, sind zu sehen. Diese Bauwerke sind durch Kriege und Erdbeben zerstört und nicht mehr aufgebaut worden. Manche Burgen wurden aber auch einfach aufgegeben, als sie durch die moderne Kriegstechnik nutzlos wurden. Einige der schönsten Burgruinen gibt es entlang des Rheins und der Donau.

Russland Russland ist das größte Land der Erde. Es erstreckt sich von Osteuropa über ganz Nordasien bis in den Fernen Osten. Mit seinen 17 Millionen Quadratkilometern ist es fast doppelt so groß wie Kanada und etwa 50-mal so groß wie Deutschland. Allerdings sind die ungeheuren Weiten Sibiriens fast unbewohnt. Die meisten der 140 Millionen Russen leben im europäischen Teil Russlands. Die Hauptstadt Moskau hat acht Millionen, die zweitwichtigste Stadt, St. Petersburg (früher Leningrad), vier Millionen Einwohner. In Russland leben in eigenen Siedlungsgebieten auch fast zwei Millionen Deutsche und Juden, aber auch viele kleinere asiatische Völker.

Bis zum Jahr 1991 war Russland die dominierende Macht in der ehemals kommunistischen Sowjetunion. Mit dem Zerfall des kommunistischen Vielvölkerstaates und dem Ende der Diktatur gewannen nach den anderen osteuropäischen Völkern auch die Bürger Russlands ihre Freiheit. Russland ist ein Industriestaat mit reichen Bodenschätzen (Kohle, Erdöl, Erdgas, Gold) vor allem in Sibirien. Doch wird das Land wirtschaftlich noch lange unter den Nachwirkungen der Diktatur der Kommunistischen Partei (von 1917 bis 1991) leiden.

A B C D E F G H I J K L M N O P Q R S T U V W X Y Z

Sabbat

Sahara

Sabbat Der Feiertag der jüdischen Religion ist der Sabbat. Er dauert von Freitagabend bis Samstagabend. Gläubige → Juden weigern sich, am Sabbat zu arbeiten oder zu reisen. Von Sabbat kommt unser Wort Samstag (Sonnabend).

Safari Safaris sind Expeditionen in die afrikanische Wildnis. Früher unternahmen weiße Wissenschaftler anstrengende und gefährliche Fußmärsche in die unerforschten Gebiete, um die Geografie oder die Tier- und Pflanzenwelt zu erkunden. Heute können Touristen Safaris buchen, bei denen sie in Geländewagen durch die Steppen und Savannen kutschiert werden. Manchen Safariteilnehmern macht es Spaß, vom Auto aus Tiere zu erschießen. Bei Fotosafaris geht es darum, Bilder von Wildtieren zu machen. Ein Safaripark ist ein riesiges, umzäuntes Gelände, in dem sich exotische Tiere wie Löwen, Elefanten oder Giraffen frei bewegen können. Die Besucher fahren mit dem Auto durch den Safaripark.

Safe In einem Safe (Panzerschrank) werden Geld, Schmuck, wichtige Dokumente oder andere wertvolle Dinge aufbewahrt. Raffinierte Sicherheitsschlösser verhindern ein Aufknacken. Das Wort „Safe" kommt aus dem Englischen und bedeutet „sicher".

Sage Sagen erzählen von Göttern und Helden, Teufeln, Drachen und wundersamen Geschehnissen aus alten Zeiten. Diese Erzählungen wurden mündlich überliefert, also weiter „gesagt" und erst später aufgeschrieben. Berühmte Sagenhelden sind zum Beispiel Herakles, Odysseus, Siegfried oder König Artus.

Sahara Die Sahara ist das größte Wüstengebiet der Erde. Sie bedeckt den Nordteil Afrikas auf einer Fläche von neun Millionen Quadratkilometern und ist damit ebenso groß wie ganz Europa; das Gebiet von Deutschland würde 25-mal in die Sahara passen. Die endlosen Flächen sind

zumeist mit Schotter und Felsbrocken übersät; nur einen kleinen Teil nimmt die Sandwüste mit den weiten Dünen ein. Die Temperaturen können zwischen 50 Grad am Tag und fast null Grad in der Nacht schwanken. In den Saharagebirgen fällt manchmal sogar Schnee. Sonst gibt es kaum Niederschläge. Wenn es aber einmal regnet, dann füllen sich die Trockentäler (Wadis) und werden für wenige Stunden zu reißenden Strömen. Die Samen, die die Trockenheit überdauert hatten, gehen auf und können die Sandwüste für kurze Zeit in einen endlosen Blumenteppich verwandeln.

In den ⇨ Oasen und in den Randgebieten der Sahara leben etwa 1,5 Millionen Menschen (vor allem Berber, Tuareg und Tubu). Sie bauen Datteln, Getreide und Südfrüchte an oder züchten Ziegen, Schafe, Pferde und Kamele. Dabei ziehen sie mit ihren Viehherden als Nomaden von Weideplatz zu Weideplatz.

Salto Beim Salto springen Artisten oder Sportler hoch in die Luft, drehen sich um die Querachse und landen wieder mit den Beinen voran auf dem Boden oder – beim Kunstspringen – im Wasser. Der Salto mortale ist ein Überschlag mit mehreren Umdrehungen in der Luft. „Salto mortale" ist italienisch und heißt „Todessprung".

Salz Salz ist eines der wichtigsten Gewürze, und zwar nicht nur, weil salzlose Kost fad schmeckt. Mit dem Salz nehmen wir lebenswichtige Elemente auf. Wir Menschen sind nämlich selbst ziemlich salzige Lebewesen. Unser Blut enthält Salz (ungefähr so viel wie Meerwasser), und mit dem Urin, mit Schweiß und mit Tränen scheiden wir Salz wieder aus. Normalerweise verstehen wir unter Salz das Kochsalz (Natriumchlorid, mit der chemischen Formel NaCl). Letztlich stammt alles Salz aus dem Meer. Die Mineralstoffe des Meerwassers (vor allem auch Kochsalz) bleiben zurück, wenn das Wasser verdunstet. Meersalz gewinnt man also, indem man seichte Wasserflächen (Salzgärten) gegen das Meer hin absperrt. Die Sonne trocknet das Wasser fort, und zurück bleibt Salz. Das Steinsalz, das in Bergwerken fern der Meere abgebaut wird, stammt aus ehemaligen Ozeanen, die vor vielen Millionen Jahren diese Gebiete bedeckt und nach ihrer Verdunstung das Salz zurückgelassen hatten. In manchen Gebieten vor allem Vorderasiens kommt Salz auch oberirdisch vor. In alten Zeiten war Salz ein überaus kostbarer Artikel, den sich nur reiche Leute in größeren Mengen leisten konnten. Daher wurde Salz bei vielen Völkern hoch geschätzt, vor allem als man entdeckte, dass man mit Salz Lebensmittel haltbar machen kann.

Für die Wirtschaft ist Kochsalz heute vor allem als chemischer Grundstoff wichtig. 95 Prozent des produzierten Salzes werden von der chemischen Industrie bei der Herstellung von Textilien, Papier und Kunststoff oder als Streusalz bei Straßenglätte verbraucht. Vom übrigen Zwanzigstel landet der größte Teil in der Lebensmittelindustrie, und nur ein winziger Teil kommt als Speisesalz auf den Tisch.

Samariter   Die Angehörigen des israelischen Volkes der Samariter wurden zu biblischen Zeiten von den Juden verachtet, die sich reinrassig und rechtgläubig dünkten. Die Bibel erzählt, wie Jesus jedoch ausgerechnet einen Samariter – und nicht einen Juden – als Vorbild für Hilfsbereitschaft und Barmherzigkeit hinstellte. Nach diesem barmherzigen Samariter nannten sich die im vergangenen Jahrhundert gegründeten Samaritervereine. Die Mitarbeiter dieser Rettungsorganisationen leisten erste Hilfe und Sanitätsdienste.

Samen   Bei der Vermehrung von Menschen, Tieren und Pflanzen spielen Samen eine wichtige Rolle. Der männliche Samen (Sperma) wird in den Geschlechtsdrüsen in den Hoden gebildet und enthält die Keimzellen. Wenn er auf ein weibliches Ei trifft, kann es zur Befruchtung und zur Zeugung eines Kindes kommen. Der Samen einer Pflanze ist der durch eine Hülle geschützte Keimling. Unter günstigen Bedingungen – ausreichend Feuchtigkeit und Wärme – kann er sich zur Pflanze entwickeln.

Samurai   Der Samurai war im alten Japan Angehöriger des Kriegsstandes. Er war als Ritter verpflichtet, sich nach bestimmten Lebensregeln zu richten. So wurden von ihm Treue gegenüber seinem Herrn, Waffentüchtigkeit, Todesmut, Selbstzucht und Güte gegenüber Schwachen gefordert. Die heldenhaften Tugenden der Samurai hatten großen Einfluss auf die gesamte Entwicklung der japanischen Nation.

Sanität   Das lateinische Fremdwort für alles, was mit Gesundheit zu tun hat. Das Sanitätswesen ist das öffentliche Gesundheitswesen. Sanitäter sind ausgebildete Krankenhelfer beim Militär und in Rettungsorganisationen. Toiletten und Bäder nennt man auch sanitäre Anlagen.

Satellit   Satelliten sind Himmelskörper, die einen Planeten umkreisen. Künstliche Satelliten werden mit Raketen in eine Umlaufbahn um die Erde geschossen. Wettersatelliten senden Funkbilder vom Wettergeschehen zur Erde. Nachrichtensatelliten strahlen Fernsehsendungen zur Erde.

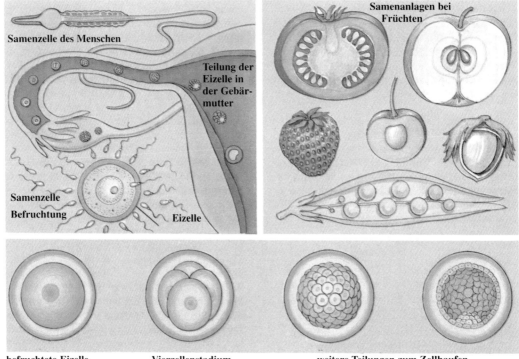

Samenzelle des Menschen

Teilung der Eizelle in der Gebärmutter

Samenzelle Befruchtung

Eizelle

Samenanlagen bei Früchten

befruchtete Eizelle   Vierzellenstadium   weitere Teilungen zum Zellhaufen

Satellitenumlaufbahnen

Weltraumteleskop

Forschungssatellit

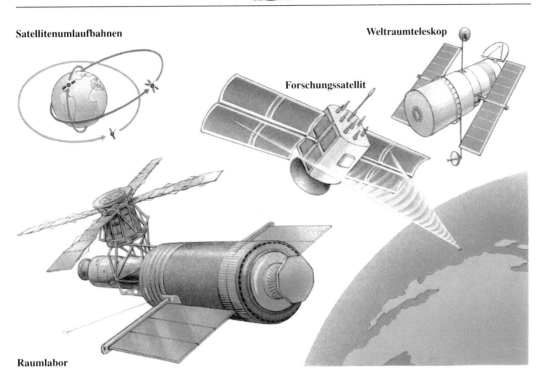

Raumlabor

An Bord befinden sich hoch empfindliche Kameras, die die Oberfläche der Erde in den unterschiedlichsten Spektralbereichen fotografieren.

Sauerstoff Sauerstoff ist ein farbloses, geruchloses und – trotz seines Namens – auch geschmackloses Gas. Etwa ein Fünftel der Atemluft besteht aus Sauerstoff, diesem für fast alle Lebewesen lebenswichtigen Element. Beim Atmen geht Sauerstoff in das Blut über, das den Sauerstoff in den ganzen Körper transportiert. Wassertiere entnehmen Sauerstoff dem Wasser. Wasser ist eine Verbindung der Elemente Wasserstoff und Sauerstoff mit der chemischen Formel H_2O. Es besteht zu neun Zehnteln aus Sauerstoff.
Der Anteil an Sauerstoff in der Atemluft ist in tiefen Lagen, zum Beispiel auf Meereshöhe, größer als in den Bergen. Bergsteiger in extremen Höhen brauchen Sauerstoffgeräte, um nicht in der dünnen Luft zu ersticken. Bei schweren Erkrankungen oder nach Unfällen bekommt der Patient eine Sauerstoffmaske und kann reinen Sauerstoff atmen.

Säugetiere Biologisch gesehen sind auch wir Menschen Säugetiere. Alle Säugetiere – von der Fledermaus bis zum Menschen, von der Zwergspitzmaus bis zum Elefanten – haben folgende wichtige Gemeinsamkeiten: Sie sind Warmblüter, das heißt, sie können die Körpertemperatur auf eine bestimmte gleich bleibende Temperatur einstellen und sind nicht (wie die Reptilien) von der Außentemperatur abhängig. Säugetiere bringen gewöhnlich lebende Junge auf die Welt und ernähren sie mit Milch aus Milchdrüsen. Sie haben normalerweise vier Gliedmaßen, die je nach Art als Füße, Greifhände, Flossen oder Flugorgane ausgebildet sind.
Es gibt etwa 4.200 Säugetierarten, die über die ganze Welt verbreitet sind und die sich an alle Klimazonen und Lebensräume angepasst haben. Eisbären leben in den Zonen des ewigen Eises, Wüstenspringmäuse in der lebensfeindlichen Hitze der Sahara. Yaks kommen im extrem hohen Himalajagebirge gut zurecht. Maulwürfe erblicken praktisch nie das Licht des Tages. Blauwale werden über 100 Tonnen schwer, Zwergspitzmäuse nur zwei Gramm.

Schach Das Schachspiel gilt als eines der ältesten und anspruchsvollsten Brettspiele. Sein Name kommt vom persischen Wort für Kaiser, Schah. Das Spielbrett hat 64 Felder. Jeder der beiden Spieler hat 16 Figuren zur Verfügung: König, Dame, zwei Springer, zwei Läufer, zwei Türme und acht Bauern. Mit ihnen versucht er, den gegnerischen König auszuschalten. Die weltbesten Schachspieler (Großmeister) sind hoch bezahlte Profis, die in Turnieren um Sieg und Prämien kämpfen. Viele Redensarten kommen vom Schachspiel, wie zum Beispiel „jemanden in Schach halten" (unter Kontrolle halten) oder „jemanden matt setzen" (besiegen).

Schaf Schafe wurden schon in vorgeschichtlicher Zeit als Haustiere gehalten. Sie stammen von Wildschafen ab, die als Herdentiere in Steppen und anderen kargen Gebieten der Erde zu Hause sind. Schafe sind Wiederkäuer und ⇀ Huftiere. Das Männchen heißt Schafbock oder Widder, das Jungtier Lamm. Ein Hammel ist ein kastrierter Schafbock. Ein Milchschaf liefert jährlich etwa 600 Liter Milch. Aus dem geschorenen Fell eines Wollschafs lassen sich pro Jahr sechs Kilogramm Schurwolle gewinnen. Die größten Schafherden der Welt mit vielen Millionen Tieren gibt es in Australien und Neuseeland. Die an der Küste grasenden Schafe halten das Gras kurz und verdichten mit ihren Hufen das Erdreich der Deiche.

Schakal Schakale sind hundeartige, gelblich grau gefärbte ⇀ Raubtiere der heißen Gebiete Südosteuropas, Asiens und Afrikas. Schakale jagen nachts, sind aber auch Aasfresser.

Schall Schall ist das, was wir hören können, wenn Luftteilchen durch eine Schallquelle in Schwingung gebracht werden und wenn diese Schwingungen auf unser Ohr treffen. Eine Schallquelle kann alles Mögliche sein: die Serie von Explosionen in einem Automotor, der Anschlag einer Klaviertaste, die Vibrationen von Stimmbändern in einem menschlichen Kehlkopf. Wir nehmen mit Ohr und Gehirn diesen Schall als Motorengeräusch, Musik oder als menschliche Stimme wahr. Wir können Schallwellen nur dann hören, wenn die Luftteilchen schneller als 16-mal

Heidschnucke

Dickhornschaf

Argali

Zackelschaf

Mufflon

Merinoschaf

Karakulschaf

und langsamer als 20.000-mal pro Sekunde schwingen. Was darunter (tiefere Töne) oder darüber (höhere Töne) liegt, nennt man „Infraschall" und „Ultraschall". Andere Lebewesen können durchaus auch Ultraschall wahrnehmen. Hundepfeifen zum Beispiel erzeugen so hohe Töne, dass sie von Hunden, nicht aber von Menschen gehört werden können. Fledermäuse und Delfine orientieren sich mit Ultraschall. Sie stoßen Töne im Ultraschallbereich aus und können durch das zurückkehrende Echo Hindernisse oder Beutetiere ausmachen.

In der Luft breitet sich der Schall mit einer Geschwindigkeit von etwa 1.200 Stundenkilometern aus. Wenn zwischen Blitz und Donner drei Sekunden vergangen sind, wenn also der Schall von der Schallquelle bis zum Ohr drei Sekunden braucht, ist das Gewitter 3,6 Kilometer weit entfernt. In anderen Stoffen läuft Schall schneller. Die Schallgeschwindigkeit im Wasser beträgt etwa 5.300 Stundenkilometer, in Stahl 18.000. Im luftleeren Raum kann sich Schall nicht ausbreiten. Der Mond und das Weltall sind totenstill.

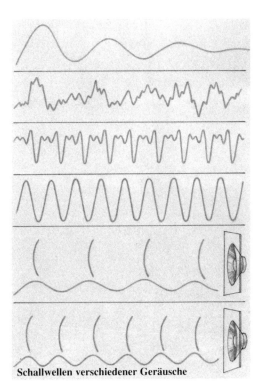

Schallwellen verschiedener Geräusche

Schamane   Die Priester und Heilkundigen mancher indianischer, zentralasiatischer und Eskimo-Völker glauben, mit überirdischen, göttlichen Mächten in Verbindung treten zu können. Schamanen müssen sich vor ihrem Wirken jahrelangen strengen Übungen unter Anleitung eines Lehrers unterziehen. Durch Fasten, Meditation und rituelle Tänze versetzen sie sich in einen Zustand, in dem, wie sie glauben, magische Kräfte zu wirken beginnen.

Schauspiel   Ein Theaterstück, welches von Schauspielern auf einer Bühne aufgeführt wird, ist ein Schauspiel. Das Fremdwort dafür ist ↝ Drama (Handlung). Es gibt verschiedene Arten von Schauspielen. Tragödien haben einen ernsten Inhalt. Komödien oder Lustspiele nehmen das Leben weniger tragisch. Die meisten Schauspieler haben ihren Beruf auf einer Schauspielschule erlernt.

Schiff   Schiffe waren die ersten Transportmittel der Menschheit. In den frühen Zivilisationen waren Wasserstraßen (Kanäle und Flüsse) wichtiger als Landstraßen. Wo immer möglich, lief der Handelsverkehr auf Flößen über Wasserwege oder in Ruder- und Segelschiffen über den Seeweg. Noch heute wird ein Großteil des internationalen Güterverkehrs mit Schiffen abgewickelt.

Das älteste Boot, von dem Reste erhalten blieben, ist ein 9.000 Jahre altes hölzernes Kanu. Als Einbaum bestand es aus einem ausgehöhlten Baumstamm. Die ersten Segelschiffe kennen wir von den Ägyptern, die mit ihnen den Nil befuhren. Die Länder Amerikas wurden zuerst durch die seefahrenden Spanier und Portugiesen erobert. Die erste große Zeit der internationalen Seefahrt lag jedoch im 18. und 19. Jahrhundert. Schnelle Segelschiffe (Klipper) erreichten bereits Geschwindigkeiten bis zu 40 Stundenkilometern. Die europäischen Seemächte wie England, Holland, Frankreich, Portugal und Spanien konnten nun ihre überseeischen Besitzungen (Kolonien) rücksichtslos ausplündern. Tausende schnelle Frachtschiffe pendelten zwischen Europa und den Kolonien und schafften Tabak, Tee, Kaffee und Kakao in die Mutterländer. Die ersten Dampfschiffe waren Schaufelraddampfer. Sie waren bei hohem Wellengang allerdings nicht seetüchtig. Erst durch die Erfindung

Einbaum

Papyrusboot

altägyptisches
Handelsschiff

römische Kriegsgaleere

Wikinger-
Langboot

Segelschiff zur
Zeit Kolumbus'

Baltimore-Klipper

Raddampfer

Dampfschiff

Schiff

der Schiffsschraube (1827) konnten Motorschiffe mit Dampfmaschinen und später mit Dieselmotoren auf hoher See eingesetzt werden.

Bis zur Mitte unseres Jahrhunderts war eine Reise nach Übersee selbstverständlich eine Schiffsreise. Manche der ehemaligen Linienschiffe dienen heute als Kreuzfahrtschiffe. Dagegen nehmen die Gütertransporte per Frachtschiff weiterhin zu. Heute werden mit 70.000 Schiffen etwa 4.000 Millionen Tonnen Güter per Schiff über die Weltmeere befördert: 20-mal so viel wie im Jahr 1950. Frachter transportieren Maschinen, Holz, Getreide, Erze und andere lose Güter. Immer mehr Waren werden in Container gepackt. Tankschiffe befördern Flüssigkeiten, hauptsächlich Rohöl. Die größten Öltanker sind 370 Meter lang. Fährschiffe transportieren regelmäßig Fahrgäste, Autos, Güter und sogar Eisenbahnzüge. Kriegsschiffe haben eine ebenso lange Tradition wie Handelsschiffe. Die ersten großen Seeschlachten gab es vor 2.500 Jahren im Mittelmeer zwischen der griechischen und persischen Kriegsflotte. Die Schiffe versuchten, einander zu rammen und so zu versenken. Im Mittelalter war die Kriegs- und Raubflotte der Wikinger eine ständige Bedrohung für das übrige Europa. Moderne Kriegsschiffe sind mit allen technischen Geräten und Waffen ausgerüstet.

Fahrgastschiff

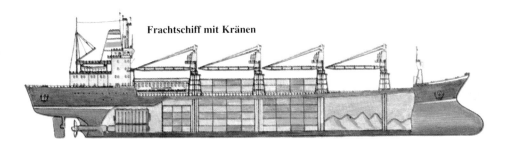

Frachtschiff mit Kränen

Containerschiff

Fähre

175

Schildbürger Die Einwohner des sagenhaften Städtchens Schilda machten alles verkehrt. Sie versuchten Licht in Säcken in ihr neues, versehentlich fensterloses Rathaus zu bringen oder Brennnesseln anzubauen, um Salz zu gewinnen. Das Volksbuch über die Schildbürger erschien erstmals vor 400 Jahren. Wenn jemand in bester Absicht etwas ganz und gar falsch macht, dann nennt man ihn einen Schildbürger; seine Taten sind Schildbürgerstreiche.

Schildkröte Schildkröten haben einen aus Horn und Knochen bestehenden Panzer, in den sie sich bei Gefahr vollständig zurückziehen können. Sie gehören wie Krokodile, Echsen und Schlangen zu den Kriechtieren. Als wechselwarme Tiere bevorzugen sie wärmere Länder. Sie legen Eier, die sie von der Sonne ausbrüten lassen. Manche Schildkrötenarten leben an Land und sind Pflanzenfresser. Wasserschildkröten sind geschickte Schwimmer. Sie jagen Fische und andere Wassertiere. Die größten Schildkröten, die Lederschildkröten, werden zwei Meter lang und eine halbe Tonne schwer. Suppenschildkröten haben ihren Namen von den Suppen, die man aus ihrem Fleisch kochen kann. Sie wurden im Dienste der Feinschmecker so lange gejagt, bis sie beinahe ausgestorben waren. Jetzt stehen sie unter Artenschutz.

Sumpfschildkröte

Landschildkröte

Suppenschildkröte

Schimpansen Jene Tiere, die uns Menschen biologisch am nächsten stehen, sind Schimpansen. Sie sind Menschenaffen und ähneln uns im Körperbau und im Verhalten mehr als jedes andere Lebewesen. Bei Intelligenztests erbringen sie Leistungen wie zwei- bis vierjährige Menschenkinder. Allerdings fehlt ihnen ein Kehlkopf, mit dem sie gesprochene Wörter hervorbringen könnten. Schimpansenforscher verständigen sich mit ihren Schützlingen daher in der Zeichensprache. In Freiheit leben die Schimpansen in Großfamilien in den Urwäldern Afrikas. Sie werden etwa 1,50 Meter groß und sind vorwiegend Pflanzenfresser.

Schlaf Im Schlafen finden Körper und Geist Erholung. Blutdruck, Herzschlag und Atmung verringern sich. Säuglinge schlafen ungefähr 14–16 Stunden täglich, Erwachsene etwa acht Stunden, alte Menschen fünf bis sechs Stunden. Länger dauernder Schlafentzug kann einen Menschen in kurzer Zeit völlig zerrütten. Unter den Tieren schlafen Igel am längsten, bis zu 18 Stunden täglich. Auch Raubkatzen und Gorillas fühlen sich sicher genug, um den größten Teil des Lebens schlafend zu verbringen. Giraffen hingegen bringen es täglich bloß auf einige Nickerchen von jeweils ein paar Minuten. Delfine schlafen mal mit der einen, mal mit der anderen Hälfte ihres Gehirns; sie schlafen also niemals vollständig ein.

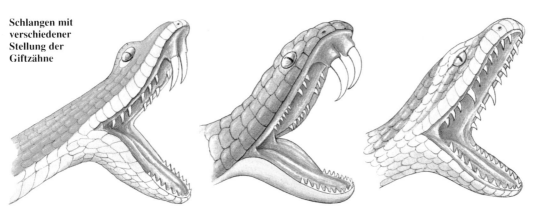

Schlangen mit verschiedener Stellung der Giftzähne

Schlange Von diesen fußlosen Kriechtieren gibt es etwa 3.000 Arten. Sie bewegen sich schlängelnd vorwärts. Schlangen verschlucken ihre Beutetiere in einem Stück. Sie leben in Ländern mit gemäßigtem und warmem Klima auf dem Boden, auf Bäumen und im Wasser. Schlangen häuten sich regelmäßig; das heißt, sie werfen ihre Oberhaut mit den Schuppen ab.

Riesenschlangen umschlingen das Beutetier und drücken so fest zu, dass es nicht mehr atmen kann. Die größten Riesenschlangen, die Anakondas, werden normalerweise um die acht Meter lang. Sie können ganze Schweine (und Menschen) verschlingen und dann monatelang fast regungslos verdauen. Giftschlangen töten ihr Opfer, indem sie ihm mit Giftzähnen Gift einspritzen. Die Giftzähne sind spitz und innen hohl wie Injektionsnadeln. Vipern und Klapperschlangen können ihre Giftzähne einklappen.

Zu den gefährlichsten Giftschlangen zählen folgende Arten: die ungeheuer reizbare amerikanische Texas-Klapperschlange; die bis zu vier Meter lange Schwarze Mamba aus Afrika, die immer gleich mehrere Male zubeißt; der australische Taipan, dessen Biss binnen zehn Minuten eine Kuh töten kann. Die in Asien vorkommende prächtige Königskobra (Brillenschlange) ist nicht ganz so gefährlich wie die Sandrasselotter, die als die gefährlichste Giftschlange Asiens gilt. Das meiste Gift hat die amerikanische Diamantklapperschlange. Ihr Biss könnte hundert Menschen töten. Die tropische Klapperschlange (Mexiko, Mittel- und Südamerika) produziert zwei verschiedene Gifte: ein normales Klapperschlangengift und ein spezielles Nervengift ähnlich dem Gift anderer Giftschlangen. Deshalb kann ihr Biss selbst dann tödlich sein, wenn sofort ein Serum bei der Hand ist.

Schluckimpfung Bei einer Schluckimpfung wird der Impfstoff gegen Kinderlähmung nicht in die Blutbahn injiziert (eingespritzt), sondern geschluckt.

Schmerz Schmerzen sind Alarmzeichen des Körpers. Irgendetwas ist nicht in Ordnung. Zahnschmerzen zeigen, dass ein Zahn krank ist. Bauchschmerzen können darauf hinweisen, dass wir etwas Falsches gegessen haben. Schmerzen im Knöchel sagen uns vielleicht, dass der Knöchel verstaucht ist und ruhen sollte. Manche Schmerzen können auf ernsthafte Krankheiten hindeuten. Schmerzsignale entstehen, wenn die Schmerzpunkte auf der Haut und im Körperinneren gereizt werden. Bei Narkose senden die Schmerzpunkte zwar auch Signale aus; wir nehmen sie jedoch nicht wahr.

Schmetterling Schmetterlinge sind ⇨ Insekten, die sich im Laufe ihres Lebens dreimal vollständig verändern. Aus dem Ei schlüpft die Raupe. Um die Raupe herum wächst eine feste Hülle – sie verpuppt sich. Aus der Puppe schlüpft schließlich der Schmetterling. Schmetterlinge saugen Blütensaft (Nektar) mit ihren Rüsseln auf. Ihr Geruchssinn sitzt in den Antennen, den hoch gestellten Fühlern. Die meisten Schmetterlinge haben zwei Flügelpaare. Auf ihnen liegen winzige farbige Schuppen, die sie wunderschön bunt färben. Schmetterlinge schwärmen meist am Abend und in der Nacht aus. Es gibt insgesamt 150.000 Arten.

1 Eier legendes Weibchen
2 Eierhäufchen
3 Jungraupen
4 Verpuppung der Mumien
5 Mumienpuppe

Vorderflügel

Hinterflügel

Großer Fuchs

Distelfalter

Admiral

Tagpfauenauge

Zitronenfalter

Trauermantel

Apollo

Schwarzfleckenbläuling

Wichtige Schmetterlingsfamilien sind: Motten, Spinner, Spanner, Schwärmer, Weißlinge und Eigentliche Tagfalter.

Schnee Schneeflocken sind Eiskristalle, die sich bei Temperaturen um null Grad in einer Regenwolke gebildet haben. Diese Kristalle sind vollkommen regelmäßig geformt; aber unter dem Mikroskop sieht jedes einzelne anders aus. Skifahrer haben am liebsten weichen, lockeren, kalten Pulverschnee. Harsch ist eine kurz aufgetaute und dann wieder gefrorene Schneeschicht, in die man leicht einbrechen kann. Pappschnee ist schwer und klebrig. Schnee ist zwar kalt, aber dennoch ein wunderbares Isoliermaterial. In richtig gebauten Schneehöhlen kann die menschliche Körperwärme das Erfrieren verhindern. Eskimos bauen sich aus festen Schneeziegeln Häuser (Iglus). In Polargebieten taut der Schnee niemals weg. Auch in Mitteleuropa gibt es Regionen des ewigen Schnees, in den Alpen oberhalb von 3.000 Höhenmetern.

Schreibmaschine Zu den wichtigsten Erfindungen der Neuzeit zählt die Schreibmaschine: Buchstaben müssen nicht mit der Hand – mehr oder weniger unleserlich – auf Papier gebracht werden, sondern werden durch Tastendruck über ein Farbband auf Papier getippt. Eine der ersten Schreibmaschinen baute Peter Mitterhofer 1866 noch in Handarbeit aus Holz. Wenig später gab es in Amerika bereits die ersten maschinell gefertigten Metallschreibmaschinen. Inzwischen sind die moderneren elektronischen Schreibmaschinen weitgehend durch die ↝ Computer ersetzt worden.

Schrift

Schrift Die Schrift ist ein System von Zeichen, mit dem wir festhalten können, was wir sagen. Menschliche Sprachen gibt es seit hunderttausenden von Jahren; und auch Tiere wie Delfine, Schimpansen oder Bienen können sich miteinander durch Laute oder Zeichen verständigen. Aber nur der moderne Mensch kann das, was er spricht, auch in Schriften übersetzen und aufbewahren.

Am Anfang der Schrift stand das Bild. Die Menschen zeichneten auf, was sie einander mitteilen wollten. Für bestimmte Wörter standen bestimmte Bilder. Die ⇨ Hieroglyphen (heilige Zeichen) der Ägypter zum Beispiel waren anfangs reine Bilderschriften, und auch die chinesische Schrift hat sich aus Bildern entwickelt. Jedes der 45.000 Schriftzeichen steht für ein bestimmtes Wort. Wer perfekt lesen kann, beherrscht sie alle. Später kam man auf den genialen Gedanken, nicht die Bedeutung von Wörtern aufzuzeichnen, sondern nur ihren Klang. Jeder Laut (oder eine Folge von Lauten) erhielt ein Schriftzeichen, einen Buchstaben. Unsere westeuropäische (lateinische) Schrift ist eine reine Lautschrift. Deshalb können wir auch Wörter lesen und aussprechen, deren Bedeutung wir nicht kennen. Wir müssen nur wissen, wie bestimmte Folgen von Buchstaben auszusprechen sind.

Wir haben es einfacher als die Chinesen und müssen nur die 26 Buchstaben des Alphabets kennen, um lesen und schreiben zu können. Jedes Wort ist aus diesen Schriftzeichen zusammengesetzt, aus denen sich unendlich viele Kombinationen ergeben. In Europa gibt es drei Schriftarten: die lateinische Schrift, die griechische Schrift, die kyrillische Schrift der Russen, Bulgaren und Serben. Alle diese Schriften werden von links nach rechts geschrieben. Die arabische und die hebräische Schrift laufen hingegen von rechts nach links.

Felszeichnung

ägyptisch

mesopotamisch

semitisch

altgriechisch

römisch

chinesisch

neugriechisch

kyrillisch

arabisch

hebräisch

Schule Wer in die Schule gehen kann, hat es gut. Hunderte Millionen Kinder in Afrika, Asien und Lateinamerika haben diese Chance nicht. Sie müssen für Hungerlöhne arbeiten oder sie lungern auf den Straßen herum. Sie werden später kaum Chancen auf einen vernünftigen Beruf haben.

Auch bei uns in Europa gibt es eine Schule für alle Kinder, also eine Volksschule, erst seit etwa 200 Jahren. Eltern müssen seitdem ihre Kinder in die Schule schicken. Zuvor war es ein besonderes Vorrecht der Kinder reicher Eltern gewesen, lesen, schreiben und rechnen zu lernen. Mädchen hatten noch weniger Chancen; selbst in reichen Familien wurden sie von ihren Müttern zu künftigen Hausfrauen erzogen. Gebildete Frauen waren in der Antike und im Mittelalter die Ausnahme. Immerhin boten mittelalterliche Klöster manchmal auch begabten Kindern aus armen Familien die Möglichkeit, zur Schule zu gehen. Heute darf und muss jedes Kind normalerweise vom 6. bis zum 15. Lebensjahr die Schule besuchen. Die wichtigsten Schularten in Deutschland sind Grundschule, Hauptschule, Realschule und Gymnasium. In der Gesamtschule sind alle Schularten vereint. Behinderte Kinder und Jugendliche (wie Blinde, Gehörlose, Körperbehinderte oder auch Lernbehinderte) können eine Sonderschule besuchen. Hier wird auf ihre Fähigkeiten und Behinderungen besonders Rücksicht genommen. Gleichzeitig gibt es aber für Behinderte immer öfter die Möglichkeit, mit Nicht-Behinderten eine Klasse zu besuchen.

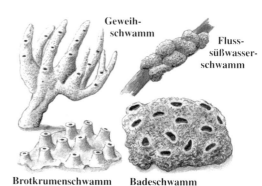

Geweih-schwamm

Fluss-süßwasser-schwamm

Brotkrumenschwamm Badeschwamm

Schwamm Schwämme sind Meerestiere. Sie sind sehr einfach gebaut und haben keine Organe, keine Sinneszellen und kein zentrales Nervensystem. Sie sitzen am Meeresgrund fest und ernähren sich von den im Wasser treibenden Kleinstlebewesen. Die Badeschwämme sind eine Unterart der Schwämme. Sie haben ein weiches, elastisches, saugfähiges Skelett.

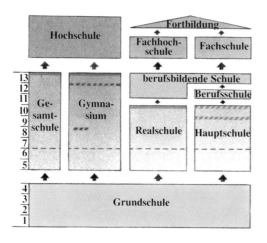

		Forthildung	
Hochschule		Fachhoch-schule	Fachschule
		berufsbildende Schule	
			Berufsschule
Ge-samt-schule	Gymna-sium	Realschule	Hauptschule
Grundschule			

Schwan Schwäne sind Entenvögel mit kräftigem Körper, kurzen Beinen mit Schwimmfüßen und einem langen Hals. Zu Wasser und in der Luft sind sie sehr elegant, an Land hingegen bewegen sie sich schwerfällig und unbeholfen. Fast alle Schwäne sind weiß; nur in Australien gibt es auch schwarze Schwäne. Junge Schwäne sind grau und unscheinbar – also „hässliche Entlein". Jäger berichten, dass verwundete Schwäne vor ihrem Tod melodiöse Klagelieder ausstoßen – den Schwanengesang.

Schwein Unsere Hausschweine stammen von den Wildschweinen ab. Während Rinder, Schafe, Ziegen und Hühner auch Milch, Wolle oder Eier liefern, werden Schweine nur aufgezogen, um sie später zu schlachten und ihr Fleisch zu essen. Leider werden sie dazu manchmal in enge Käfige eingesperrt und so lange gefüttert, bis sie ihr Schlachtgewicht erreicht haben. Das kurze Leben dieser intelligenten, geselligen, sensiblen Tiere besteht aus Isolationshaft. Tag für Tag werden in den Schlachthäusern der westlichen Welt rund eine Million Schweine geschlachtet.

Wildschweine

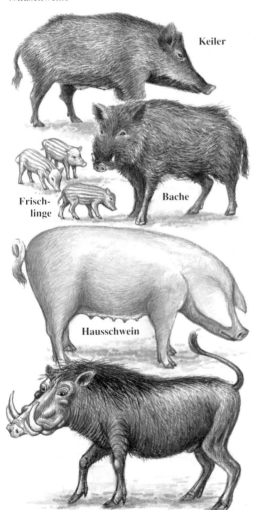

Keiler

Frisch-
linge

Bache

Hausschwein

Warzenschwein

Schweiß Mit dem Schweiß schwitzen wir Flüssigkeit (Wasser), Salz und Giftstoffe aus. Die Feuchtigkeit dringt durch die Poren an die Hautoberfläche. Dort verdunstet der Schweiß und kühlt damit die Haut. Deshalb reguliert das Schwitzen auch die Körpertemperatur. Wer bei Hitze tüchtig schwitzen kann, ist besser dran als jemand, dessen Haut trocken bleibt.

Schweiz Der offizielle Name dieses kleinen mitteleuropäischen Alpenlandes lautet Schweizerische Eidgenossenschaft. Mit etwa 41.000 Quadratkilometern ist die Schweiz halb so groß wie Österreich, hat jedoch fast ebenso viele Einwohner, nämlich 6,5 Millionen. Im Norden grenzt die Schweiz an Deutschland und Österreich, im Westen an Frankreich und im Süden an Italien. Die meisten Schweizer leben im Westteil des Landes zwischen dem Jura und den Alpen, zwischen Bodensee im Norden und Genfer See im Süden. Die Schweiz ist ein Gebirgsland. Fast drei Viertel des Landes liegen höher als 1.200 Meter über dem Meeresspiegel. Im Schweizer Hochalpenland liegen sieben Gipfel, die höher als 4.000 Meter sind. Der höchste Berg ist die Dufourspitze mit 4.634 Metern. Jeder siebte Einwohner der Schweiz ist ein Ausländer. Die Mehrheit der Schweizer Staatsbürger (fast 70 Prozent) sind Deutsch-Schweizer. Sie haben Deutsch als Muttersprache. Von hundert Schweizern haben außerdem achtzehn Französisch als Muttersprache, zwölf Italienisch und einer Rätoromanisch, eine mit dem Italienischen verwandte Sprache. Dies sind die vier Staatssprachen in der Schweiz.
Hauptstadt ist Bern mit 185.000 Einwohnern. Die größte Stadt, Zürich, hat 365.000 Einwohner. Genf ist ein internationaler Konferenzort. Hier hat das Internationale Rote Kreuz seinen Sitz. Die 23 Bundesländer heißen Kantone.
Die Schweiz ist eines der reichsten Länder der Welt. Sie ist ein beliebtes Urlaubsland und berühmt für ihre Uhren, Schokolade und Käse. Viele internationale Chemie- und Arzneiunternehmen haben hier ihren Sitz. Das schweizerische Bankgeheimnis gilt als das strengste der Welt. Die Banken dürfen keine Auskunft geben, wer wie viel Geld auf ihren Konten liegen hat. Deshalb ziehen es auch viele Waffenschieber, Drogenhändler,

A B C D E F G H I J K L M N O P Q R S T U V W X Y Z

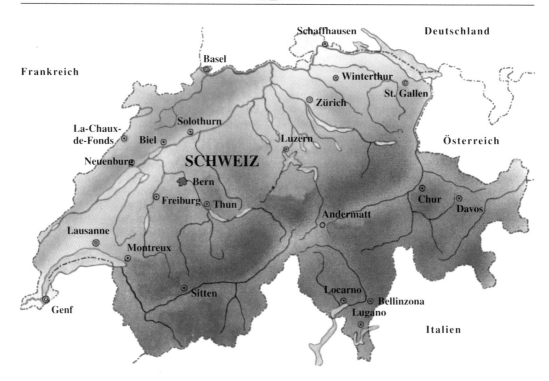

Mafiabosse und Diktatoren vor, ihre Milliarden sicher in der Schweiz zu horten.

Ihren Namen als „Eidgenossenschaft" verdankt die Schweiz dem Zusammenschluss der drei Gebiete Uri, Schwyz und Unterwalden im Jahr 1291. Ihre Vertreter schworen einen feierlichen Eid, die habsburgischen Landesherren zu vertreiben. Später schlossen sich immer mehr Kantone dieser Eidgenossenschaft an. Vor 200 Jahren erkannten die Großmächte die Neutralität der Schweiz an. Dem Land gelang es seither, sich aus allen Kriegen herauszuhalten.

Schwerkraft   Körper ziehen einander an, und je größer ihre Massen sind, desto stärker ist diese Schwerkraft. Weil wir auf der Erde mit ihrer riesigen Masse leben und weil somit die Erde diese Kraft ausübt, nennen wir sie auch Erdanziehungskraft. Die Schwerkraft, die dafür sorgt, dass Astronauten auf dem Mond stehen können und nicht davonfliegen, müsste man Mondanziehungskraft nennen. Wo die Schwerkraft aufgehoben ist – zum Beispiel in einem Raumschiff im Weltall –, herrscht Schwerelosigkeit.

Seele   Das unsichtbare Innerste eines Menschen, seine Gefühle, Gedanken und Empfindungen nennt man seine Seele. Das Fremdwort dafür lautet Psyche. Psychologie ist Seelenkunde, und Psychologen sind Menschen, die gelernt haben, seelische Zustände von Menschen zu erkennen und zu erklären. Viele Religionen lehren, dass sich beim Tod die Seele eines Menschen vom Körper trennt. Man glaubt, dass sie entweder als eine Art geistiges Wesen weiterlebt oder sich in der Seelenwanderung einen neuen Körper sucht.

Seepferdchen   Seepferdchen sind kleine, höchstens zwölf Zentimeter lange Fische, die recht sonderbar aussehen und eigenartige Lebensformen haben. Ihre Gestalt erinnert an ein Pferdchen mit Ringelschwanz. Mit diesem Schwanz klammern sie sich an Wasserpflanzen (Seetang) fest. Seepferdchen zählen zu den wenigen Tieren, bei denen die Männchen die Jungen zur Welt bringen. Das Weibchen legt die Eier in der Bauchtasche des Männchens ab, wo sie sich eine Zeit lang entwickeln. Nach dem Schlüpfen verlassen die jungen Seepferdchen von selbst den Beutel.

Seestern   Seesterne haben einen abgeflachten, sternförmigen, meist fünfarmigen Körper. Sie gehören mit den Seeigeln zu den Stachelhäutern. Sie können sich am Meeresgrund fortbewegen und fressen hauptsächlich Muscheln. Ihr Mund liegt an der Unterseite.

Seide   Seidenfäden sind eine Art Spinnfaden des Seidenspinners, eines Schmetterlings. Wenn sich die Raupe verpuppt, erzeugt sie eine kunstvolle Schutzhülle, den Kokon, aus einem einzigen, kilometerlangen, hauchdünnen Faden. Menschen töten die Schmetterlingspuppe mit Heißluft und rollen den Faden wieder ab. Mehrere dieser Spinnfäden werden zu einem festen Seidenfaden versponnen, den man dann wie einen Wollfaden verarbeiten kann. Seide stammt ursprünglich aus China.

Sekte   In allen Weltreligionen entwickelten sich im Lauf der Zeit verschiedene Gruppen, die die Lehren des Religionsgründers verschieden auslegen und oft eigene Lehren predigen. Solche Gruppen nennt man Sekten. Sie sind im Allgemeinen nicht Teil der Kirche. Christliche Sekten sind zum Beispiel die Zeugen Jehovas oder die Mormonen. Große Sekten mit langer Tradition wie Katholiken und Protestanten nennt man Kirchen.

Senior   Senioren sind alte Menschen. Das Wort bedeutet „älter". Wenn Heinz Müller einen Sohn namens Heinz Müller hat, dann kann sich der Vater Heinz Müller sen. (senior) nennen, der Sohn Heinz Müller jun. (junior), also der Jüngere.

Seuche   Manche Krankheiten sind sehr ansteckend und breiten sich daher rasch aus. Solche Seuchen sind zum Beispiel Pest, Cholera, Typhus und Pocken. Die schlimmsten Seuchen, die Europa jemals heimgesucht haben, waren die Pestepidemien. (⇨ „Epidemie" heißt „im ganzen Volk verbreitet".) Bei uns sind diese Seuchen durch Impfungen und hygienische Maßnahmen (zum Beispiel Trennung von Trinkwasser und Abwasser) so gut wie ausgerottet. Eine neue Art von Seuche ist AIDS. Wer AIDS hat, dem fehlen Abwehrstoffe. Er kann leicht an allen möglichen Krankheiten schwer erkranken.

Sex   Die Abkürzung für Sexualität. Dazu gehört alles, was mit körperlicher Liebe und mit Fortpflanzung zu tun hat. Ein Mensch, von dem man sagt, er habe Sex (oder er sei sexy), ist für andere sexuell anziehend.

Eier legendes Weibchen

Raupe

Seidenspinner

Kokon mit Puppe

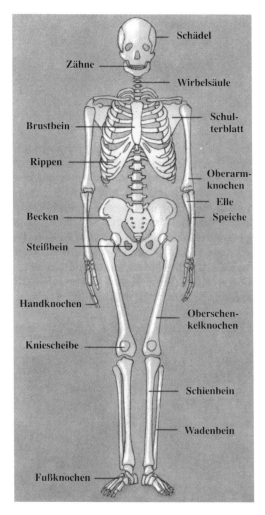

Skalp   Nordamerikanische ⁓ Indianer auf Kriegszügen skalpierten ihre toten Feinde. Sie schnitten ihnen den Skalp, die Kopfhaut mit Haaren, ab.

Skelett   Das Knochengerüst von Wirbeltieren heißt Skelett. Es stützt den Körper als inneres Gerüst und ist von Haut und Muskeln überzogen. Der Hauptträger des Skeletts ist die Wirbelsäule. Viele der rund 200 Knochen des menschlichen Skeletts sind durch Gelenke beweglich miteinander verbunden. Andere Lebewesen werden nicht von innen her durch ein Knochengerüst zusammengehalten, sondern durch ein Außenskelett aus Kalkplatten oder aus der hornähnlichen Substanz Chitin. Käfer haben so einen Chitinpanzer.

Schädel

Zähne

Wirbelsäule

Brustbein

Schulterblatt

Rippen

Oberarmknochen

Elle

Speiche

Becken

Steißbein

Handknochen

Oberschenkelknochen

Kniescheibe

Schienbein

Wadenbein

Fußknochen

Signal   Ein Zeichen mit einer festen Bedeutung ist ein Signal. Das rote Licht an einer Ampel signalisiert dem Verkehrsteilnehmer: Stopp! In der Schifffahrt übermittelt man durch Winken mit Signalflaggen bestimmte Anweisungen. Die Rauchsignale der Indianer und die Trommelsignale im afrikanischen Busch sind ebenfalls Mittel, um Nachrichten auf weite Entfernung zu übermitteln.

A
B
C
D
E
F
G
H
I
J
K
L
M
N
O
P
Q
R
S
T
U
V
W
X
Y
Z

Slalom

Skispringen

Abfahrtslauf

Skilanglauf

Skilauf   Skier wurden vor ungefähr 3.000 Jahren in Nordeuropa aus Schneeschuhen entwickelt. Diese breiten Schuhe verteilten das Körpergewicht auf eine größere Fläche. Man konnte über Schneeflächen gehen ohne einzusinken. Aus den Schuhen wurden im Laufe der Zeit schmale, lange Holzbretter. Sie hatten den Vorteil, dass man auf ihnen über Schnee – und vor allem bergab – rasch dahinrutschen konnte. In den Alpen lernte man Skier erst vor 100 Jahren kennen. Klassische Skisportarten sind Langlauf und Skispringen (nordische Wettbewerbe) sowie Abfahrtslauf, Riesenslalom und Slalom (alpine Wettbewerbe).

Skinhead   Skinheads (wörtlich: Hautköpfe) sind Jugendliche, die sich gern zu gewalttätigen Banden zusammentun. Ihr Erkennungszeichen sind die kahl geschorenen Köpfe und ihre kriegerische Kluft. Skinheads macht es einfach Spaß, andere Menschen zu terrorisieren. Viele von ihnen sind für nationalistische Parolen („Ausländer raus!", „Deutschland den Deutschen!") anfällig.

Sklave   Menschen ohne Rechte, die wie ein Gegenstand einem anderen Menschen gehören, sind Sklaven. Früher hielt man das für normal. Zum Beispiel argumentierte der große griechische Philosoph Aristoteles so: Barbaren (Nichtgriechen) können nicht vernünftig reden. Also können sie nicht vernünftig denken.

Daher sind sie die geborenen Sklaven, und sie haben kein Recht darauf, dass man ihre Interessen berücksichtigt. Praktisch alle Kulturen des Altertums waren Sklavengesellschaften. Man gewann Sklaven aus der armen Schicht der eigenen Bevölkerung, oder man versklavte Sträflinge und auch Kriegsgefangene. Der Herr konnte seine Sklaven nach Belieben behandeln. Diese unvorstellbar arrogante Einstellung hielt sich auch in westlichen Demokratien, zum Beispiel in den USA, bis ins vorige Jahrhundert. Sie ging Hand in Hand mit der rassistischen Vorstellung von Weißen, dass Menschen mit anderer Hautfarbe keine richtigen Menschen seien. So machten Sklavenhändler gute Geschäfte, die in Afrika auf Raubzüge gingen und ihre menschliche Ware nach Amerika verkauften. Hier mussten die Sklaven als billige Arbeitskräfte auf den Plantagen arbeiten. (Die meisten farbigen Amerikaner sind Nachkommen von Sklaven.)
Heute ist Sklavenhandel weltweit verboten. Dennoch herrscht in vielen Ländern immer noch offene oder versteckte Sklaverei. In manchen arabischen Ländern wie in Mauretanien gibt es regelrechte Sklavenmärkte. Anderswo, zum Beispiel im kommunistischen China, lebten 1991 vier Millionen Menschen als Sklaven der kommunistischen Partei in Arbeitslagern. In Indien haben sich 6,5 Millionen Menschen an reiche Landsleute verkauft und müssen nun ihr Leben lang Sklavenarbeit leisten.

Skorpion   Skorpione sind Spinnentiere mit einem langen Giftstachel am Schwanz. Sie können zehn Zentimeter lang werden. Ihr Gift kann für Menschen lebensgefährlich sein.

Slawe   Jeder zweite Europäer hat als Slawe eine slawische Sprache als Muttersprache. Zu den Slawen gehören die Russen, Weißrussen, Ukrainer, Tschechen, Slowaken, Polen, Slowenen, Kroaten, Serben, Bulgaren und Mazedonier. In Deutschland (in der Lausitz) lebt auch die kleine slawische Volksgruppe der Sorben.

Smog   ⇨ Abgase

Solar   Das Wort bezieht sich auf Dinge, die mit der Sonne (lateinisch: sol) zu tun haben. Solarenergie ist Sonnenenergie. Sie kann auf verschiedene Weise genutzt werden. In Sonnenkollektoren heizt die Sonne Badewasser auf. Solarkraftwerke bündeln die Sonnenenergie in riesigen Spiegeln und verdampfen Wasser; der überhitzte Wasserdampf treibt Turbinen an und erzeugt damit Strom. Solarzellen wandeln die mit dem Sonnenlicht eingestrahlte Energie direkt (ohne Umweg über eine Turbine) in elektrischen Strom um.

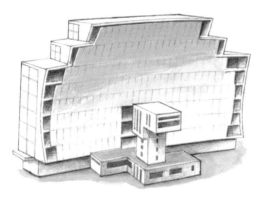

Sonne   Die Sonne ist ein glühender Gasball, um den wegen seiner ungeheuren Anziehungskraft (Schwerkraft) Planeten kreisen. Auch die Erde dreht sich in 150 Millionen Kilometer Entfernung in einer fast kreisförmigen Bahn um die Sonne. Diese hat einen Durchmesser von 1,32 Millionen Kilometern, 110-mal mehr als unsere Erde. Wenn wir uns die Erde als ein ein Millimeter großes Samenkorn vorstellen, dann wäre die Sonne eine elf Zentimeter dicke Orange. Sonne, Planeten und Monde bilden zusammen das Sonnensystem. Vom Weltraum aus gesehen ist unsere Sonne einer der etwa hundert Milliarden Sterne unserer Milchstraße.

Im Inneren der Sonne herrschen Temperaturen von etwa 15 Millionen Grad. Diese unvorstellbare Hitze wird durch einen atomaren Vorgang erreicht, den man „Kernfusion" nennt. Dabei verschmelzen Atomkerne des Elements Wasserstoff zu einem Atomkern des Elements Helium. Die Sonne ist daher kein Verbrennungsofen, sondern ein Atomkraftwerk. Jede Sekunde verliert die Sonne 700 Millionen Tonnen Wasserstoff und damit 4 Millionen Tonnen Gewicht. Dennoch reichen die Wasserstoffvorräte aus, um die Sonne noch viele Milliarden Jahre strahlen zu lassen.

Nur ein winziger Bruchteil der von der Sonne ausgestrahlten Energie (nämlich ein Zweimilliardstel) erreicht als Licht und Wärmestrahlung die Erde. Das reicht aus, um die Energie für alle natürlichen Lebensvorgänge zu liefern. Ohne Sonne könnten keine Pflanzen gedeihen und damit keine Tiere und Menschen leben. Und könnte man nur ein hundertstel Prozent der auf der Erde ankommenden Energie als nutzbare Energie (zum Beispiel zur Stromerzeugung) verwenden, wäre damit der Energiebedarf der Welt gedeckt.

Sonnenflecken sind Stellen auf der Sonnenoberfläche mit geringerer Temperatur. In ihrer Nähe kann man riesige Gasauswürfe, die Protuberanzen, beobachten. Diese Erscheinungen werden von Störungen im Magnetfeld verursacht und kehren regelmäßig wieder.

Bei einer Sonnenfinsternis schiebt sich der Mond zwischen Erde und Sonne und wirft seinen Schatten auf bestimmte Gebiete der Erde. Die Sonne verschwindet damit hinter dem Mond. Die nächste totale Sonnenfinsternis in Deutschland gibt es erst wieder im Jahr 2135.

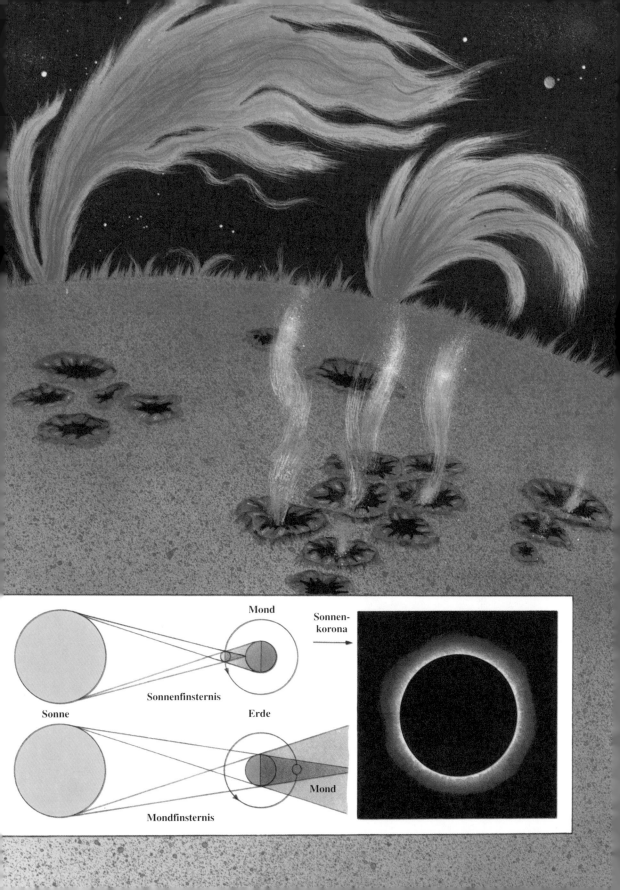

Mond

Sonnen-
korona

Sonne

Sonnenfinsternis

Erde

Mond

Mondfinsternis

sozial Wer sich auch um andere und nicht nur um sich selbst kümmert, handelt sozial. Menschen sind von Natur aus soziale Wesen. Wir sind von der Gemeinschaft abhängig. Deshalb setzen wir uns auch für sie ein. Wir müssen uns jedoch immer wieder anstrengen, dieses Gemeinschaftsgefühl nicht nur auf unsere Familie, auf unsere Gruppe oder unser Volk zu begrenzen.

Spaceshuttle Der Spaceshuttle ist ein weltraumtaugliches Transportflugzeug. Es kann von der Erde aus starten und auch wieder landen. Beim Start sitzt er „huckepack" auf einem Tank von 47 Metern Höhe, an dem noch zwei Feststoffraketen befestigt sind, die weiteren Schub für den Start liefern. Sie werden abgesprengt, wenn sie ausgebrannt sind, und kehren an Fallschirmen zur Erde zurück.

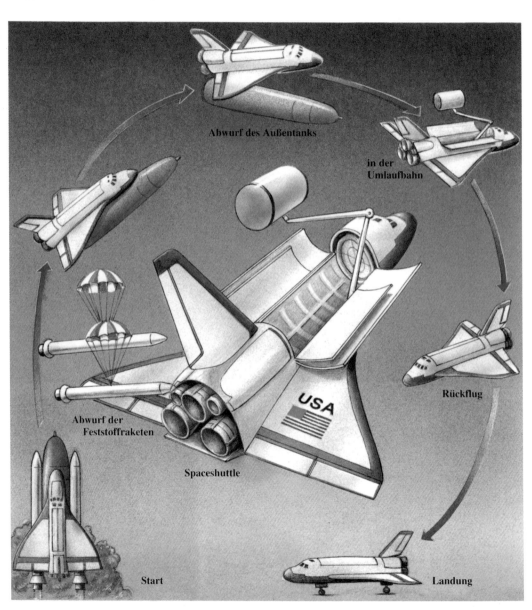

Abwurf des Außentanks

in der Umlaufbahn

Abwurf der Feststoffraketen

Rückflug

Spaceshuttle

USA

Start

Landung

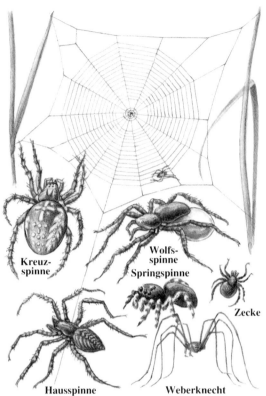

Kreuz-spinne

Wolfs-spinne

Springspinne

Zecke

Hausspinne

Weberknecht

Spinne Spinnen sind keine Insekten, sondern eine spezielle Art von Tieren. Sie haben acht Beine (Insekten haben meistens sechs Beine) und keine Flügel oder Fühler. Die echten Spinnen können aus Drüsen am Hinterleib Spinnfäden absondern, aus denen sie feine, kunstvolle Netze weben. Darin fangen sie ihre Beutetiere, vor allem kleine Insekten, und töten sie durch Gift. Der Biss der großen tropischen Vogelspinne ist auch für Menschen gefährlich. Manche Spinnenarten bauen kein Netz, sondern springen ihre Opfer an oder fangen sie in Fallgruben.

Spion Ein Geheimagent – oder Spion – verschafft seinen Auftraggebern geheime Informationen über militärische oder technische Einrichtungen des Gegners oder über dessen politische Pläne. Fast alle größeren Länder haben Geheimdienste, die in anderen Staaten Spionage betreiben. Aufgedeckten Spionen drohen härteste Strafen. Industriespione spähen Konkurrenzfirmen aus.

Sport In allen Völkern und Kulturen wurde und wird Sport getrieben – oft nur aus Freude am Wettkampf und an der körperlichen Leistung, manchmal aber auch in Verbindung mit Training für Jagd oder Krieg. Viele heutige Sportarten sind aus kriegerischem Drill entstanden: Speerwerfen, Bogenschießen oder auch Karate. Als Erfinder des modernen Sports mit festen Regeln gelten die Engländer des vorigen Jahrhunderts. Wer über Sport spricht, kommt deshalb auch ohne englische Fremdwörter nicht aus: Trainer, Foul, Fairness, kicken, stoppen, Boxer, Start, Spurt, kraulen, Rekord, Champion, Sprint – all diese Wörter kommen aus dem Englischen. Auch das Wort „Sport" ist eine Kurzform des englischen „disport", das so viel wie „Zerstreuung, Vergnügen" bedeutet.

Sprache Auf der Erde gibt es ungefähr

Stabhochsprung

Hochsprung

Weitsprung

Diskuswurf

Speerwurf

Sprache Auf der Erde gibt es ungefähr 3.000 verschiedene Sprachen. In Europa werden heute etwa 60 verschiedene Sprachen gesprochen. Ungefähr die Hälfte der Weltbevölkerung hat eine indogermanische Sprache als Muttersprache. Dazu gehören nicht nur die germanischen, romanischen und slawischen Sprachen, sondern auch Persisch, Hindi und Urdu (indische Sprachen) oder Singhalesisch (Sri Lanka). Die zweitgrößte Sprachgruppe (900 Millionen Sprecher) ist die tibetochinesische Gruppe. Es gibt insgesamt 20 große Sprachfamilien. Manche Sprachen, wie zum Beispiel Baskisch und Japanisch, sind mit überhaupt keiner anderen Sprache verwandt. Die größte Vielzahl unterschiedlicher Sprachen, nämlich fast tausend, gibt es in Australien und Neuguinea. Oft beherrschen nur ein paar hundert Menschen die Sprache ihres winzigen Volkes.

Staat Eine Gemeinschaft von Menschen, die in einem abgegrenzten Gebiet lebt, bildet einen Staat. Die Bürger eines demokratischen Staates (also die Staatsangehörigen) stellen selbst (durch Volksvertreter) die Regeln und Gesetze auf, nach denen sie leben wollen.

Stadt Verglichen mit den größten Städten der Welt sind unsere Großstädte klein. Berlin hat etwa drei Millionen Einwohner, Hamburg 1,7 Millionen, Wien 1,6 Millionen und Zürich 365.000 Einwohner. Dagegen leben im Großraum von Tokio etwa 19 Millionen Menschen. Die mexikanische Hauptstadt Mexico City, die größte Stadt der Welt, zählt sogar fast 25 Millionen Menschen.

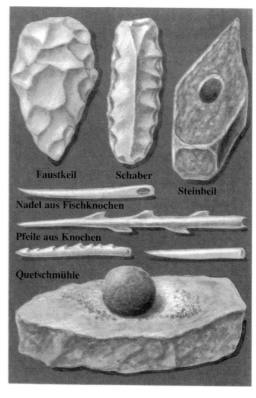

Faustkeil   Schaber   Steinbeil

Nadel aus Fischknochen

Pfeile aus Knochen

Quetschmühle

Steinzeit In der Steinzeit fertigten die Menschen ihre Waffen und Geräte aus Knochen und Stein. Erst vor etwa 6.000 Jahren (in Ägypten und Asien) und vor 4.000 Jahren (in Europa) lernten sie, Metall wie Bronze und Eisen zu bearbeiten. Damit ging die Steinzeit zu Ende. Sie wurde von der Bronze- und Eisenzeit abgelöst.

New York, Skyline von Manhattan

Steppe   Weite und baumlose Gebiete in den warmen, regenarmen Gebieten der Erde nennt man „Steppen". Sie sind mit Gräsern und Buschwerk bewachsen. Nur in der Nähe von Wasser findet man Bäume. In Nordamerika heißen die Steppen „Prärien", in Südamerika „Pampas", in Südafrika „Velt" und in Zentralafrika „Savannen". Auch in Zentraleuropa gibt es Steppenlandschaften wie die Puszta in Ungarn.

Stereo   Musik wird mit einer Stereoanlage so wiedergegeben, wie wir sie auch im Konzertsaal hören würden. Die Aufnahme erfolgt nämlich getrennt mit zwei oder mehreren Mikrofonen. Auch die Wiedergabe erfolgt über zwei Lautsprecher. Dadurch entsteht Raumklang. Wir hören die Geigen links, die Trompeten rechts und im Hintergrund die Bassgeigen. Bei einem Monogerät kommt hingegen alle Musik aus nur einem Lautsprecher.

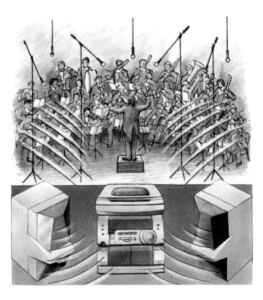

Stern   Himmelskörper, die von sich aus leuchten, sind Sterne. Der unserer Erde nächste Stern ist die ⇨ Sonne; der zweitnächste heißt Proxima Centauri und ist über vier Lichtjahre entfernt. Ohne Fernrohr sind am Nachthimmel etwa 5.000 Sterne sichtbar. Doch allein in unserer ⇨ Milchstraße (dem Sternensystem, dem unsere Sonne angehört) gibt es viele Milliarden Sterne; ein Lichtstrahl braucht bei einer Geschwindigkeit von 300.000 Kilometern in der Sekunde 100.000 Jahre, um von einem Ende der Milchstraße zum anderen zu gelangen. Und unsere Milchstraße ist wiederum nur eine von vielen Milliarden Galaxien.

Ein Stern entsteht, wenn sich gigantische Wolken von kosmischem Staub und Gas zusammenballen. Das Innere wird immer dichter. Der Druck nimmt zu, und damit steigt auch die Temperatur. Ab sechs Millionen Grad Hitze beginnt die Materie, sich in Energie zu verwandeln. Nach Milliarden Jahren ist der atomare Brennstoff verbraucht. Der Stern bläht sich auf millionenfache Größe zu einem roten Riesenstern auf und fällt später zu einem so genannten weißen Zwerg zusammen. Seine Materie ist dann so unvorstellbar dicht, dass ein Esslöffel davon 50 Millionen Tonnen wiegt.

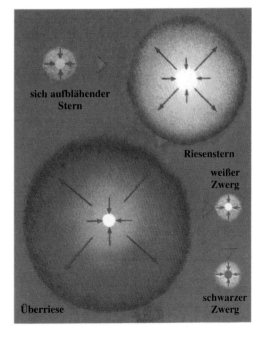

sich aufblähender Stern

Riesenstern

weißer Zwerg

Überriese

schwarzer Zwerg

A B C D E F G H I J K L M N O P Q R S T U V W X Y Z

Ob wir einen Stern mit bloßem Auge sehen können, hängt von seiner Entfernung, seiner Größe und seiner Leuchtkraft ab. Die einzelnen Sterne scheinen nur von der Erde aus auf einer Ebene zu liegen. In Wirklichkeit liegen sie oft hunderte von Lichtjahren hintereinander. In vielen alten Kulturen haben Astronomen und Astrologen versucht, die Sterne durch Sternbilder zu ordnen. Sie verbanden sie durch gedachte Linien und erkannten darin bestimmte Figuren. Großer und Kleiner Bär, Wassermann, Fische oder Jungfrau sind solche Sternbilder. Manche von ihnen sind als Tierkreiszeichen für die Astrologie wichtig.

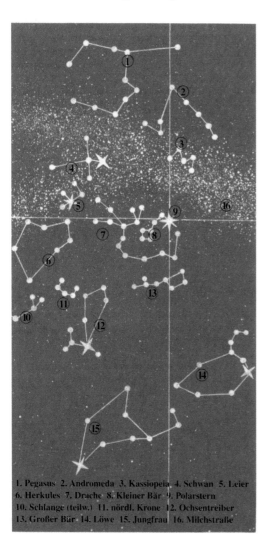

1. Pegasus 2. Andromeda 3. Kassiopeia 4. Schwan 5. Leier 6. Herkules 7. Drache 8. Kleiner Bär 9. Polarstern 10. Schlange (teilw.) 11. nördl. Krone 12. Ochsentreiber 13. Großer Bär 14. Löwe 15. Jungfrau 16. Milchstraße

Steuer Der Staat braucht Geld, um Beamte und Staatsangestellte zu bezahlen, um Schulen und Krankenhäuser zu bauen, und für viele andere Dinge, die allen Bürgern zugute kommen. Dieses Geld kommt von den Bürgern. Sie müssen einen Teil ihres Einkommens als Steuern an das Finanzamt abliefern. Bei allem, was er kauft, bezahlt der Kunde einen Teil des Kaufpreises an den Staat. Das ist die Mehrwertsteuer. Sie ist für alle gleich. Die Höhe der Lohn- und Einkommensteuer richtet sich danach, wie viel jemand verdient.

Stickstoff Ungefähr drei Viertel der Atemluft besteht aus dem geruchlosen Gas Stickstoff. Reiner Stickstoff erstickt Flammen, daher der Name. Das Element Stickstoff ist ein Hauptbestandteil der → Eiweiße, aus denen Lebewesen aufgebaut sind.

Storch Der etwa einen Meter große Schreitvogel nistet gern auf Dächern und Schornsteinen. Störche haben keine Stimmen, sondern machen sich durch lautes Klappern mit dem langen, roten Schnabel bemerkbar. Sie jagen Frösche, Eidechsen und Schlangen, die sie in Sümpfen und feuchten Wiesen finden. Den Winter verbringen die Störche in Afrika. Störche gelten als Glücksbringer. Früher erzählten Eltern ihren Kindern, dass sie der Storch gebracht habe.

Strauß Der Strauß ist mit einer Höhe von zweieinhalb Metern und einem Gewicht von 140 Kilogramm der größte aller heute lebenden ↝ Vögel. Er kann nicht fliegen, dafür umso schneller laufen. Auf der Flucht wird der große afrikanische Strauß über 50 Stundenkilometer schnell. Ein Straußenei ist 1,5 Kilogramm schwer. Kleinere Straußenvögel wie der Nandu, der Kasuar und der Emu leben in Südamerika, Neuguinea und Australien.

Streik Bei einem Streik verweigern die Arbeitnehmer eines Betriebes oder einer ganzen Berufsgruppe eine bestimmte Zeit lang die Arbeit. Damit wollen sie Lohnerhöhungen oder bessere Arbeitsbedingungen durchsetzen.
Streiks werden meistens von der Gewerkschaft organisiert. Bei wilden Streiks streiken die Mitarbeiter ohne Zustimmung der Gewerkschaft, bei einem Generalstreik (allgemeiner Streik) treten sämtliche Arbeitnehmer eines Landes in den Ausstand. In demokratischen Ländern haben Arbeitnehmer (mit Ausnahme von Beamten und Angestellten im öffentlichen Dienst) das Recht auf Streik. Wenn Menschen in den Hungerstreik treten, verweigern sie die Nahrung. Damit machen sie die Öffentlichkeit auf ein Unrecht aufmerksam.

Stress Wem die Arbeit trotz aller Bemühungen über den Kopf wächst oder wer mit seinen Aufgaben nicht zurande kommt, der steht unter Stress. Das englische Wort bedeutet „Überforderung, Überanstrengung". Dauerstress kann körperlich krank machen. Ganz ohne Stress kann ein Mensch jedoch nicht leben. Manchmal brauchen wir die Anspannung, um etwas leisten zu können. Bei manchen Spielen, im Sport oder mit spannenden Büchern oder Filmen setzen wir uns freiwillig unter Stress.

Symbol Solche Erkennungszeichen, die für eine Idee oder Sache stehen, nennen wir „Symbole". Das Kreuz ist zum Beispiel das Symbol für das Christentum. Aber auch die Buchstaben der Schrift sind eine Art Symbol: Sie stehen für bestimmte Laute.

System Die Ordnung, in der die einzelnen Teile eines Ganzen zueinander stehen, ist ihr System. Die Bücher einer Bibliothek stehen nicht wirr durcheinander, sondern sind systematisch geordnet. Ein Gesellschaftssystem ist die Ordnung, die zwischen einzelnen Menschen und Menschengruppen herrscht. Das Gegenteil von System ist Chaos, ein komplettes Durcheinander.

A B C D E F G H I J K L M N O P Q R S T U V W X Y Z

Tabak   # Tanne

Tabak Ursprünglich war die Tabakpflanze nur in Amerika heimisch. Die Indianer rauchten getrocknete Tabakblätter bei feierlichen Anlässen in der Pfeife. Die europäischen Eroberer merkten bald, dass Tabakrauch auch anregend wirkt. Das im Tabak enthaltene Nervengift Nikotin macht nämlich wach und stimuliert den Kreislauf. Bald verbreitete sich das Tabakrauchen über ganz Europa. Heute weiß man, dass das Rauchen Herzleiden und Krebserkrankungen hervorruft. Auch Nichtraucher, die sich als so genannte passive Raucher im selben Raum mit Rauchern aufhalten müssen, leben gefährlich. Tabak kann als Kautabak auch gekaut und als Schnupftabak in der Nase hochgezogen werden.

Tabu Themen, über die man nicht gerne spricht, sind tabu. Bis vor kurzem galt das Thema Sexualität als ein Tabu. Nur wenige Eltern wagten es, ihre Kinder vernünftig aufzuklären. Das hat sich zum Glück geändert. Doch es gibt auch andere Tabus. Zum Beispiel wollen die meisten Menschen nichts davon hören, welch unfassbare Leiden die Tiere in Labors, Hühnerfarmen und Schlachthäusern erdulden müssen. Das Thema ist tabu. Wer davon spricht, macht sich unbeliebt oder wird belächelt. Das Wort Tabu kommt ursprünglich aus der polynesischen Sprache. Dort bedeutet der Begriff das Verbot, bestimmte Gegenstände zu berühren, Namen auszusprechen oder Themen anzuschneiden.

Takt Wer Taktgefühl hat, der hat die natürliche Gabe, auf die Gefühle anderer Menschen Rücksicht zu nehmen. In der Musik bedeutet der Takt eines Stückes die Folge von betonten und unbetonten Noten.

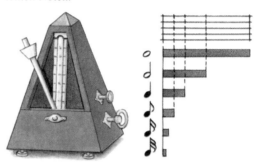

Talisman Manche Menschen glauben, dass ihnen ein bestimmter Gegenstand Glück bringt, solange sie ihn immer bei sich tragen. Das kann eine Hasenpfote sein, ein Kleeblatt, ein Stofftier oder ein Medaillon. Und wer fest an seinen Talisman glaubt, der fühlt sich in dessen Gegenwart tatsächlich sicherer und kann dadurch wirklich mehr Erfolg haben.

Tanne Tannen sind immergrüne Nadelbäume. Sie haben weichere und flachere Nadeln als Fichten.

Tarif Ein Tarif ist ein amtlich festgesetzter Preis. Für Fahrten mit der Eisenbahn oder dem Bus, für den Eintritt in Museen oder bei der Verzollung von Waren gelten bestimmte Tarife.

Tätowierung Beim Tätowieren werden Bilder oder Zeichen in die Haut eingeritzt und mit Farbe sichtbar gemacht. Tätowierungen kann man nur durch sehr schwere Operationen wieder entfernen. Bei Naturvölkern haben Tätowierungen oft magische Bedeutung.

Taube Über hundert Arten unserer Haustauben stammen von den wilden Felstauben ab. Bei vielen Völkern gelten Tauben als Symbole der Friedfertigkeit. Brieftauben haben einen besonders guten Orientierungssinn und finden, von überall her, über hunderte Kilometer in den heimatlichen Taubenschlag zurück. Auf diese Weise können sie kleine Briefröllchen nach Hause transportieren, die man an ihren Beinen befestigt hat. In vielen Städten sind verwilderte Haustauben zu einer echten Plage geworden. Ihr scharfer Mist zerstört nicht nur Häuser und Baudenkmäler. Tauben verbreiten auch gefährliche Krankheiten.

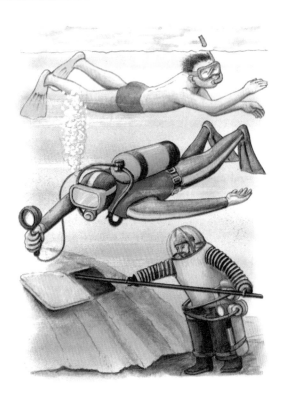

Türkentaube **Turteltaube**

Ringeltaube

Felsentaube

tauchen Ohne ein Atemgerät können Menschen kurze Zeit tauchen: Geübte oder Perlentaucher können es auf zwei Minuten bringen. Doch normalerweise zwingt uns die Atemnot bereits nach einer halben Minute zum Auftauchen. Mit einem Schnorchel kann man unbegrenzte Zeit unter Wasser bleiben – jedoch nur dicht an der Oberfläche. Für tiefere Tauchfahrten gibt es Pressluftgeräte (die eine Stunde oder länger Atemluft liefern), Taucheranzüge (gegen die Kälte im tiefen Wasser), Tauchmaske, Flossen und Tiefenmesser. Berufstaucher reparieren Schiffe und bergen Wracks. In Tiefen unter 50 Metern müssen Taucher gegen den Wasserdruck besonders geschützt sein. Sie brauchen einen Taucherhelm und werden durch lange Schläuche mit Atemluft versorgt. Tiefseetaucher arbeiten in gepanzerten Gehäusen. Die gefährliche Taucherkrankheit tritt dann auf, wenn ein Taucher zu schnell auftaucht. Der Körper kann den unterschiedlichen Druck nicht schnell genug ausgleichen. Im Blut bilden sich Gasbläschen, die die Adern verstopfen können.

Taufe

Technologie

Taufe   Bei der Taufe wird ein Mensch in eine christliche Kirche aufgenommen. Ursprünglich tauchte man dabei ganz in heiligem oder geweihtem Wasser unter, heute wird meist nur der Kopf des Täuflings mit Wasser benetzt. Bei den meisten christlichen Gemeinschaften ist es üblich, Kinder bald nach der Geburt zu taufen. In anderen Glaubensrichtungen gibt es die Erwachsenentaufe.

Tausendfüßer   Diese lichtscheuen Kleintiere sind über die ganze Erde verbreitet. Sie leben am Boden und ernähren sich überwiegend von Pflanzenresten. Manche Tausendfüßer haben jedoch auch Giftzangen und erbeuten andere Kleintiere. Kein Tausendfüßer hat jedoch wirklich tausend Füße. Die Art mit den meisten Füßen hat 680, die mit den wenigsten gar nur 18 Füße.

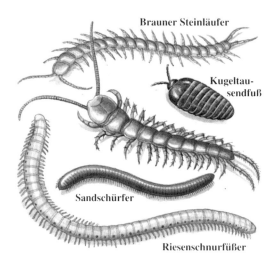

Brauner Steinläufer

Kugeltau-sendfuß

Sandschürfer

Riesenschnurfüßer

Technik   Mithilfe der Technik machen sich Menschen natürliche Kräfte und Stoffe zu Nutze. Die Technik des Motors nutzt die Kraft explosiver Stoffe, die Computertechnik nutzt die Eigenschaften elektrischen Stroms, die Technik von Windmühlen nutzt die Windkraft. Das griechische Wort „Technik" heißt eigentlich „Kunstfertigkeit". Technische Geräte waren schon die ersten Hebel und Kräne, mit denen man im Altertum zum Beispiel Tempel baute. Doch erst mit der Kraft von Maschinen und mit der Nutzung des elektrischen Stroms begann das Zeitalter der Technik, in dem wir heute leben.

Technologie   Eigentlich die Lehre von der Technik. Oft meint man mit Technologie aber fortgeschrittene Technik oder Hochtechnik (englisch: High Technology, Hightech). Dazu gehört zum Beispiel die Weltraumtechnik.

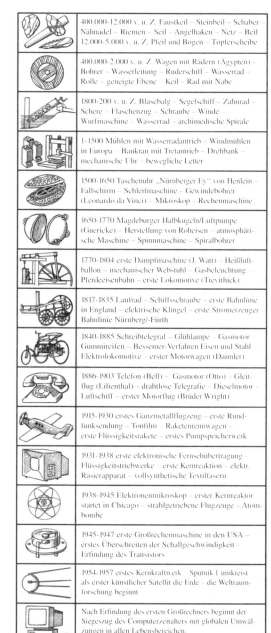

	400.000-12.000 v. u. Z. Faustkeil – Steinbeil – Schaber – Nähnadel – Riemen – Seil – Angelhaken – Netz – Beil 12.000-5.000 v. u. Z. Pfeil und Bogen – Töpferscheibe
	400.000-2.000 v. u. Z. Wagen mit Rädern (Ägypten) – Bohrer – Wasserleitung – Ruderschiff – Wasserrad – Rolle – geneigte Ebene – Keil – Rad mit Nabe
	1800-200 v. u. Z. Blasebalg – Segelschiff – Zahnrad – Schere – Flaschenzug – Schraube – Winde – Wurfmaschine – Wasserrad – archimedische Spirale
	1-1500 Mühlen mit Wasserradantrieb – Windmühlen in Europa – Baukran mit Tretantrieb – Drehbank – mechanische Uhr – bewegliche Letter
	1500-1650 Taschenuhr „Nürnberger Ey" von Henlein – Fallschirm – Schleifmaschine – Gewindebohrer (Leonardo da Vinci) – Mikroskop – Rechenmaschine
	1650-1770 Magdeburger Halbkugeln/Luftpumpe (Guericke) – Herstellung von Roheisen – atmosphärische Maschine – Spinnmaschine – Spiralbohrer
	1770-1804 erste Dampfmaschine (J. Watt) – Heißluftballon – mechanischer Webstuhl – Gasbeleuchtung – Pferdeeisenbahn – erste Lokomotive (Trevithick)
	1817-1835 Laufrad – Schiffsschraube – erste Bahnlinie in England – elektrische Klingel – erste Stromerzeuger – Bahnlinie Nürnberg/-Fürth
	1840-1885 Schreibtelegraf – Glühlampe – Gasmotor – Gummireifen – Bessemer-Verfahren Eisen und Stahl – Elektrolokomotive – erster Motorwagen (Daimler)
	1886-1903 Telefon (Bell) – Gasmotor (Otto) – Gleitflug (Lilienthal) – drahtlose Telegrafie – Dieselmotor – Luftschiff – erster Motorflug (Brüder Wright)
	1915-1930 erstes Ganzmetallflugzeug – erste Rundfunksendung – Tonfilm – Raketenrennwagen – erste Flüssigkeitsrakete – erstes Pumpspeicherwerk
	1931-1938 erste elektronische Fernsehübertragung – Flüssigkeitstriebwerke – erste Kernreaktion – elektr. Rasierapparat – vollsynthetische Textilfasern
	1938-1945 Elektronenmikroskop – erster Kernreaktor startet in Chicago – strahlgetriebene Flugzeuge – Atombombe
	1945-1947 erste Großrechenmaschine in den USA – erstes Überschreiten der Schallgeschwindigkeit – Erfindung des Transistors
	1954-1957 erstes Kernkraftwerk – Sputnik 1 umkreist als erster künstlicher Satellit die Erde – die Weltraumforschung beginnt
	Nach Erfindung des ersten Großrechners beginnt der Siegeszug des Computerzeitalters mit globalen Umwälzungen in allen Lebensbereichen.

Tee Durch Kochen oder Überbrühen von getrockneten Pflanzen gewinnt man Tee. Kräutertees schmecken nicht nur gut, sondern können auch bei manchen Krankheiten helfen. Schwarzer Tee – der eigentliche Tee – wird aus den Blättern des Teestrauchs zubereitet. Er enthält, wie Kaffee, Koffein und macht munter, kann aber auch, je nachdem, wie lange man ihn ziehen lässt, beruhigend wirken.

verschiedene Kräuter für Tee und Aufgüsse

Telefax Mit einem Telefaxgerät können Kopien von Briefen oder Bildern über das Telefonnetz verschickt werden. Das Gerät des Senders übersetzt die unzähligen hellen und dunklen Punkte, aus denen sich ein Bild zusammensetzt, in eine Folge von Tonsignalen. Diese Geräusche werden, wie ein normales Telefongespräch, über die Telefonleitung übertragen. Der Empfangsteil übersetzt die Töne in Bildpunkte zurück und druckt sofort eine Kopie des Bildes oder Briefes aus. Fax ist die Abkürzung von lateinisch „Facsimile", „Mach das Gleiche".

Telefon Was wir in die Sprechmuschel eines Telefons sprechen, wird sofort in eine Folge von elektrischen Signalen verwandelt. Diese Folge von Stromschwankungen rast mit Lichtgeschwindigkeit durch die Telefonleitungen und wird bei den Empfängern wieder in hörbare Schallwellen zurückverwandelt. Dieses Prinzip hat sich seit der Erfindung des Telefons durch Johann Philipp Reis im Jahr 1861 nicht verändert. Das erste im praktischen Leben verwendbare Telefon konstruierte der Amerikaner Alexander Graham Bell im Jahr 1875. Die Gespräche wurden zunächst im Fernmeldeamt per Hand vermittelt: Das „Fräulein vom Amt" stöpselte die gewünschten Teilnehmer zusammen. Heute wäre das völlig unmöglich. Wenn wir jemanden anrufen, wählen wir die Nummer, die durch computergesteuerte Automaten mit unserer Nummer zusammengeschaltet wird. Ferngespräche werden oft über Funk und Satelliten geführt.

Tempel Die Kirchen nichtchristlicher Religionen nennt man Tempel. Jüdische Tempel heißen „Synagogen", islamische Tempel „Moscheen".

Temperatur Kennen wir die Temperatur eines Stoffes, dann wissen wir, wie warm oder kalt er ist. Ein Gas, ein Körper oder eine Flüssigkeit ist umso wärmer, je schneller sich die Moleküle bewegen. Beim absoluten Nullpunkt (minus 273,16 Grad Celsius, 0 Grad Kelvin) befindet sich der Stoff in völliger Ruhe. Kälter geht es also nicht. Die Gradeinteilung nach Kelvin kennt keine Minusgrade. Bei uns ist die nach dem schwedischen Physiker Celsius benannte Einteilung nach Grad Celsius üblich. Celsius hatte die Temperaturunterschiede zwischen dem Gefrierpunkt von Wasser und dem Siedepunkt von Wasser in hundert Grad eingeteilt. Alle Temperaturen unter dem Gefrierpunkt sind Minusgrade, sämtliche Werte über null Grad sind Plusgrade. In englischsprachigen Ländern ist es üblich, Temperaturen in Grad Fahrenheit anzugeben. Der deutsche Physiker Fahrenheit hatte 1718 das erste Quecksilberthermometer zum exakten Messen von Temperaturen gebaut. Nach seiner Skala gefriert Wasser bei 32

Grad F (Fahrenheit) (gleich null Grad Celsius) und siedet bei 212 Grad F (gleich 100 Grad Celsius).

Fahrenheit-Skala

Celsius-Skala

Reaumur-Skala

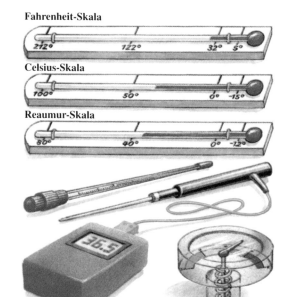

digitales Thermometer   **Bimetallthermometer**

Termiten Termiten sind ameisenartige ⮑ Insekten, die auf Wanderungen alles organische Material fressen, also auch Holzhäuser, Möbel, Schuhe und Kleider. Normalerweise leben sie in den steinharten Termitenburgen, die oft etliche Meter tief bis zum Grundwasser reichen. Diese Bauten errichten sie aus Speichel, Erde und Kot. Es gibt 2.000 Termitenarten. Termiten kommen nur in heißen Ländern vor und bilden Staaten wie unsere Ameisen und Bienen.

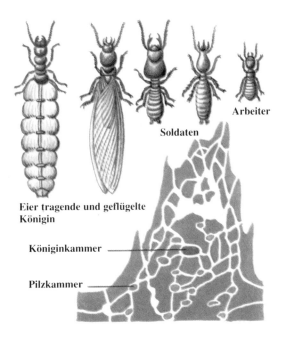

Arbeiter

Soldaten

Eier tragende und geflügelte Königin

Königinkammer

Pilzkammer

Terrarium In einem guten Terrarium werden die natürlichen Umweltbedingungen für Frösche, Kröten, Schildkröten, Eidechsen und Schlangen möglichst genau nachgebaut. Dazu gehören auch Pflanzen und Wasserstellen. Dann können im Terrarium Kriechtiere gehalten werden wie Fische im Aquarium.

Test In einem Test werden Fähigkeiten und Eigenschaften geprüft. Bei Materialtests will man schon im Labor herausfinden, ob die getesteten Baustoffe oder Werkstoffe später für bestimmte Vorhaben geeignet sind. Maschinen und Autos werden einem Dauertest unterzogen, bevor sie in Serie gebaut werden. In der Schule geben Tests Aufschluss über das Wissen der Schüler. Intelligenztests messen die Fähigkeit, bestimmte Aufgaben zu lösen. Bei einem Alkoholtest prüft die Polizei, ob ein Autofahrer zu viel Alkohol getrunken hat.

Theater Im Theater werden Schauspiele, Opern, Operetten und Ballettaufführungen gezeigt. Als Zuschauer sehen und hören wir nur die Schauspieler, Sänger, Musiker und Tänzer. Aber an einer Theateraufführung sind im Hintergrund, also hinter den Kulissen, noch viel mehr Menschen beteiligt.
Der Autor eines Schauspiels heißt „Dramatiker", derjenige, der die Musik verfasst, „Komponist". Ein „Choreograf" studiert mit Tänzern das Ballett ein. Der Regisseur führt Regie. Er sorgt für das Zusammenspiel der Schauspieler und Sänger; sie müssen seine Anweisungen befolgen. Der Dirigent leitet das Orchester. Der Souffleur ist der „Einsager". Er sitzt versteckt neben oder in einem Kasten vor der Bühne und hilft den Schauspielern weiter, wenn sie einmal ihren Text vergessen. Der Inspizient sorgt für die Zusammenarbeit hinter der Bühne. Er kümmert sich darum, dass die Schauspieler ihren Auftritt nicht verpassen, dass der Umbau der Bühne funktioniert und dass die Beleuchtung zur richtigen Zeit einsetzt. Der Bühnenbildner gestaltet die Bühne und die Beleuchtung. Kostümbildner entwerfen die Gewänder. Maskenbildner schminken die Schauspieler. Requisiteure kümmern sich darum, dass alle im Stück benötigten Gegenstände zur richtigen Zeit am richtigen Ort vorhanden sind.

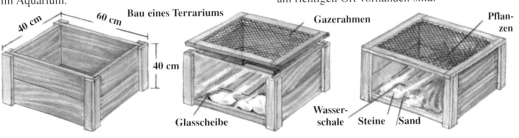

Bau eines Terrariums

40 cm 60 cm 40 cm

Gazerahmen Pflanzen

Glasscheibe

Wasserschale Steine Sand

A B C D E F G H I J K L M N O P Q R S T U V W X Y Z

Tibet   Das höchste Land der Welt liegt im Durchschnitt 4.000 Meter über dem Meer. Seit 1950 ist es von China besetzt. Das führte 1959 zu einem Aufstand, der von den Chinesen blutig niedergeschlagen wurde. Dem Dalai-Lama, dem religiösen Führer der Tibeter, gelang es jedoch, nach Indien zu fliehen. Seither kämpft er im Exil unermüdlich und mit friedlichen Mitteln darum, dass die Welt das Volk der Tibeter nicht vergisst. 1989 erhielt der Dalai-Lama den Friedensnobelpreis.

Tiergarten   In den Tiergärten (zoologischen Gärten) werden Tiere aus aller Welt in Käfigen und Gehegen gehalten und ausgestellt. Zoos wollen den Besuchern Unterhaltung und Informationen bieten, das Leben der Tiere erforschen und bedrohte Arten erhalten. In vielen modernen Tiergärten bemüht man sich, die Tiere artgerecht zu halten und ihre natürliche Umwelt nachzubilden. Aber natürlich sind alle Zoos in erster Linie zur Unterhaltung menschlicher Besucher gebaut. Die Leiden der gefangenen Tiere spielen eine kleinere Rolle. Deshalb fordern radikale Tierschützer, die Tiergärten für Schaulustige zu sperren. Für Züchtung und wissenschaftliche Forschung braucht man keine Zuschauer. Ein ehemaliger Tierfänger schreibt: „Nur wenige Tiergärten sind in irgendeiner Weise sinnvoll – außer man hält es für nützlich, die Gaffer zu amüsieren und den Tierschmugglern zu Reichtum zu verhelfen. Zoos haben keinen erzieherischen Wert. Was soll man lernen, wenn man einen kranken Panter im Käfig auf feuchtem Zementboden herumschleichen sieht, während Fernsehfilme uns die Tiere in ihrem natürlichen Lebensraum zeigen? Bevor die hoch empfindlichen Tiere schließlich im Käfig landen, müssen sie unvorstellbare Strapazen durchstehen."

Tierschutz   Fast alle Menschen sind sich heute darüber einig, dass man Tiere nicht unnötig quälen oder foltern darf. Denn auch höhere Tiere (Tiere mit einem komplizierten Nervensystem) fühlen Schmerzen und können leiden. Deshalb gibt es seit 150 Jahren Tierschutzgesetze, die eine unnötig rohe und grausame Behandlung von Tieren verbieten. Doch einen wirklichen Tierschutz gibt es nicht.

Heute werden zum Beispiel Tag für Tag ca. drei Millionen Rinder, Schweine und Schafe in den Schlachthöfen der westlichen Welt geschlachtet. Dazu kommen täglich Abermillionen Hühner. Nur wenige dieser Lebewesen haben zuvor ein artgerechtes Leben führen dürfen. Die meisten von ihnen sind von Geburt an als „Massentiere" in winzigen Todeszellen eingesperrt. Dort können sie sich kaum bewegen, damit sie schneller Fleisch ansetzen. Sie haben keinen natürlichen Kontakt zu anderen Tieren. Sobald sie ihr Schlachtgewicht erreicht haben, werden sie fabrikmäßig umgebracht. Allein auf dem Transport ins Schlachthaus sterben in Deutschland jährlich eine halbe Million Schweine unter erbärmlichen Umständen.

Traditionelle Tierschützer und Tierschutzvereine fordern dazu auf, Tiere möglichst schonend zu behandeln und sie zum Beispiel vor dem Töten zu betäuben. Die radikale moderne Tierrechtsbewegung (englisch: Animal Liberation – Tierbefreiung) dagegen kämpft gegen unser System der Ausbeutung von Tieren überhaupt. Sie fordert nicht Barmherzigkeit, sondern Gerechtigkeit für Tiere.

Natürlich unterscheiden sich Menschen von anderen höheren Lebewesen. Wir Menschen sind Tieren geistig überlegen. „Tiere", sagt der große Naturforscher Konrad Lorenz, „sind Gemütsmenschen mit sehr wenig Verstand." Aber gibt uns diese Überlegenheit auch das Recht, sie zu quälen und nach Belieben zu töten? Haben Lebewesen keine Rechte, wenn sie dumm und keine Menschen sind?

Tierversuche   In Deutschland werden jährlich zwischen sechs und 20 Millionen Versuchstiere (Mäuse, Ratten, Kaninchen, Hunde, Katzen) in Labors zu Tode gefoltert. Sie werden „verbraucht", um neue Kosmetika, Medikamente oder Waffen auszuprobieren. Jährlich verschwinden etwa 100.000 Hunde und Katzen von den Straßen und landen in den Labors.

Tierschützer und immer mehr Wissenschaftler fordern ein Verbot der Torturen. Ihrer Meinung nach sind Tierversuche sogar überflüssig, weil man heute die Tests auch in Computern simulieren oder an schmerzunempfindlichem Zellgewebe durchführen könnte. In der Medizin hat sich gezeigt, dass Tierversuche üble Folgen auch für Menschen haben können. Das Medikament Contergan zum Beispiel wurde im Tierversuch reichlich erprobt und galt deshalb als sicher. Trotzdem brachten zehntausende werdender Mütter, die Contergan einnahmen, behinderte Kinder zur Welt. Und in der Naturkosmetik gibt es genügend Schönheitsmittel, die ohne Tierversuche auskommen.

Tintenfisch   Tintenfische sind keine Fische, sondern ⇨ Weichtiere. Sie leben im Meer. Bei Gefahr stoßen sie eine schwarzbraune Flüssigkeit aus und fliehen im Schutze dieses Tintennebels. Kraken (Oktopoden) haben acht mit Saugnäpfen ausgestattete Fangarme, die pfeilförmigen Kalmare haben zehn Fangarme. Sie fressen andere Meerestiere und haben eine Art Düsenantrieb: Sie stoßen ruckartig Wasser aus und erzeugen damit einen Rückstoß, der sie vorwärts treibt. Die in der Tiefsee lebenden Riesenkraken sind wahre Ungeheuer. Sie haben 20 Meter lange Fangarme und tellergroße Augen.

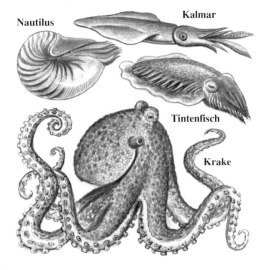

Nautilus

Kalmar

Tintenfisch

Krake

Tollwut Die Tollwut ist eine für Menschen und Tiere lebensgefährliche Krankheit. Das Tollwutvirus sitzt im Speichel tollwütiger Tiere. Wer mit einem tollwütigen Tier in Kontakt kommt oder gar gebissen wird, muss sofort zum Arzt. Tollwutkranke Wildtiere, zum Beispiel Rehe oder Füchse, sind anfangs sehr zutraulich. Sie nähern sich dem Menschen ohne Scheu und machen überhaupt keinen kranken Eindruck. Das macht sie so gefährlich.

Tomahawk Die traditionelle Kriegsaxt der nordamerikanischen ⇢ Indianer. Bei Friedensschluss wurde sie feierlich in die Erde eingegraben bis zum nächsten Krieg. Daher kommt unsere Redensart „das Kriegsbeil begraben".

Tonband Auf einem Tonband kann ⇢ Schall (Töne, Musik, Gespräche) aufgezeichnet werden. Das funktioniert so: Die Schallwellen werden über ein Mikrofon in elektromagnetische Schwingungen übersetzt. Diese Schwingungen bringen bei der Aufnahme die winzigen magnetischen Teilchen, mit denen ein Tonband beschichtet ist, in eine bestimmte Anordnung. Beim Abspielen liest der Tonkopf diese Magnetschrift und verwandelt sie ganz zurück in elektromagnetische Schwingungen. Und diese Schwingungen hören wir vom Lautsprecher wiederum als Töne, Musik oder Gespräche.

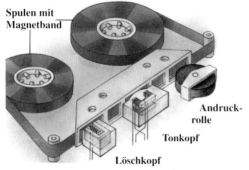

Spulen mit
Magnetband

Andruck-
rolle

Tonkopf

Löschkopf

Traktor Ein Traktor oder Trecker ist die Zugmaschine der Bauern. Traktoren haben keinen eigenen Laderaum, sondern ziehen Ladewagen oder landwirtschaftliche Geräte.

Trampolin Viel höhere Sprünge als vom Boden aus kann man auf dem stark federnden Sprungtuch eines Trampolins machen.

Tränen Die Tränendrüsen am oberen Rand der Augenhöhlen sondern ständig eine salzige Flüssigkeit ab, die das empfindliche Auge feucht hält. Wenn wir weinen, erzeugen die Tränendrüsen mehr Tränenflüssigkeit als sonst, und die Tränen kullern aus den Augen.

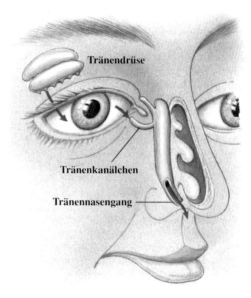

Tränendrüse

Tränenkanälchen

Tränennasengang

Transfusion Bei einer Bluttransfusion wird das ⇢ Blut von Blutspendern auf einen Menschen übertragen, der bei einem Unfall oder bei einer Operation zu viel eigenes Blut verloren hat. Jedes Krankenhaus hat für Notfälle einen Vorrat von so genannten Blutkonserven.

Transplantation Die Verpflanzung eines gesunden Organs (wie Niere oder Herz) aus der Leiche eines eben verstorbenen Menschen oder von einem lebenden Spender auf einen anderen Menschen nennt man „Transplantation". Der Patient kann mit dem fremden Organ weiterleben.

Traum   Auch wenn wir schlafen, arbeitet unser Nervensystem weiter. Das Gehirn erzeugt Bilder, Töne und Geschichten, die wir im Traum für wirklich halten und die uns völlig gefangen nehmen. Aus bösen Träumen – den Albträumen – können wir schreiend erwachen. Manchmal spielen unsere Träume die Erlebnisse des Tages noch einmal durch. Oft kommen auch Ängste und Gefühle zum Vorschein, die wir am hellen Tag gar nicht kennen. Jeder Mensch träumt; doch nicht jeder kann sich an seine Träume erinnern. In manchen Kulturen glauben die Menschen, dass Gott oder die Götter Träume benutzen, um den Menschen Botschaften zu schicken. Traumdeuter sind hoch angesehen. Aber auch manche modernen Psychologen versuchen, die Träume von Menschen zu enträtseln und damit den Träumer besser zu verstehen.

Treibhauseffekt   Der Treibhauseffekt entsteht durch Abgase von Industrie und Autos und durch das Verbrennen von Kohle und Erdöl. ⇝ Klima

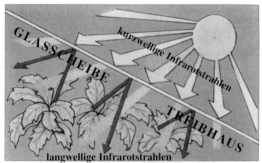

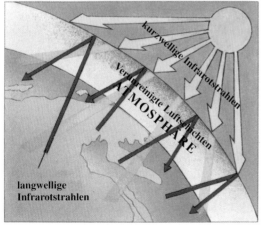

Tropen   Die Gebiete zu beiden Seiten des Äquators nennt man „Tropen". Sie ziehen sich rund um den Erdball und umfassen Teile von Afrika, Amerika, Asien und Australien. Das tropische Klima ist feucht und heiß; zu Mittag treffen die Sonnenstrahlen an jedem Tag des Jahres senkrecht auf die Erde. Tag und Nacht sind immer gleich lang. Es gibt keine lange Dämmerung wie bei uns. Nach Sonnenuntergang herrscht Finsternis. Nahe dem Äquator gibt es täglich heftige Regengüsse. Hier wächst der tropische Regenwald mit seiner üppigen Pflanzen- und Tierwelt. Weiter nördlich und südlich geht der Wald in die (außer in den Regenzeiten) heiß-trockene Steppe über.

Tundra   In diesen riesigen baumlosen Gebieten nördlich der Baumgrenze wachsen nur besonders widerstandsfähige Moose, Flechten und Zwergsträucher. Weite Teile Sibiriens sind von Tundra bedeckt.

Vortrieb mit Bohrwagen   Sprengung

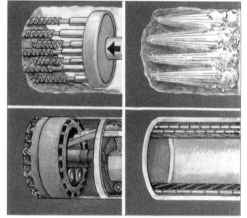

Vortrieb mit Bohrschild   Straßentunnel

Tunnel   Tunnels sind unterirdische Bauwerke, die Wege für Eisenbahnen, Autos und Fußgänger, aber auch für große Trinkwassermengen abkürzen. Tunnels führen meist unter Bergen durch oder unterqueren Flüsse und Meere. Der längste Bergtunnel der Welt ist der Simplon-Eisenbahntunnel in der Schweiz mit fast 20 Kilometern Länge. Über 50 Kilometer lang ist hingegen der Eisenbahntunnel, der unter dem Meeresboden die beiden japanischen Inseln Honshu und Hokkaido verbindet. Er wurde 1988 eröffnet und kostete 13 Milliarden Mark. Mit dem Eisenbahntunnel unter dem Ärmelkanal wurde erstmals eine Landverbindung zwischen England und dem europäischen Kontinent geschaffen.

Turbine   Wasserturbinen funktionieren ähnlich wie unsere alten Mühlenräder. Der Druck des Wassers treibt die Schaufelräder der Turbine an und versetzt sie in Drehung. Moderne Hochleistungsturbinen sind natürlich ungleich komplizierter und wirkungsvoller als Mühlenräder. Sie treiben einen Generator an, der Strom erzeugt. In Wärmekraftwerken treibt hoch erhitzter Wasserdampf die Turbine an. Gasturbinen sind komplizierte Motoren, die Flugzeuge und Lokomotiven antreiben.

Dampfturbine

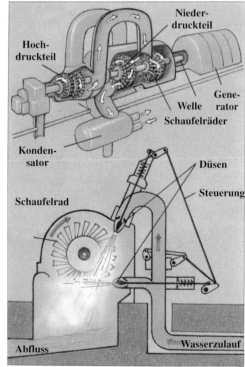

Wasserturbine

U-Bahn

Ufo

U-Bahn U-Bahn ist die Abkürzung für „Untergrundbahn". In fast allen großen Städten hat man die Trassen der Straßenbahnen in Tunnels unter die Erde verlegt. Die U-Bahnen sind daher vom übrigen Stadtverkehr getrennt und können rasch und fahrplanmäßig fahren. U-Bahnen haben jedoch auch Nachteile gegenüber Straßenbahnen. Die unterirdischen Stationen sind schwer zu überwachen. Deshalb können sich hier leicht Drogenhändler oder Randalierer einnisten. Außerdem sind die komplizierten Systeme von Gängen und Rolltreppen für ältere Menschen oft schwer zu bewältigen.

Die größte U-Bahn der Welt ist die New Yorker U-Bahn mit einem Streckennetz von 1.200 Kilometern. Das ist 24-mal das Streckennetz der Münchner U-Bahn. Die Moskauer U-Bahn ist mit 200 Kilometern ziemlich kurz, befördert jedoch täglich 5,5 Millionen Menschen – die New Yorker U-Bahn nur vier Millionen.

U-Boot Unterseeboote sind meistens reine Kriegsgeräte. Sie können sich feindlichen Schiffen unter Wasser unerkannt nähern und ihre Torpedos (Unterwassergeschosse mit Sprengladungen) abfeuern. Wenn sie tauchen wollen, lassen sie Wasser in die Tauchtanks einfließen. Zum Auftauchen werden die Tanks wieder leer gepumpt. Viele U-Boote der Atommächte dienen als Abschussrampen für Atomraketen. Sie sind beweglich und auch für Satelliten unsichtbar. Nur wenige U-Boote dienen als Tiefseeforschungsschiffe friedlichen Zwecken.

Ufo Ufo ist die Abkürzung für „Unidentifiziertes (oder Unbekanntes) Flugobjekt". Gemeint sind hierbei rätselhafte Himmelserscheinungen oder Flugkörper, über deren Herkunft keine Klarheit besteht. Immer wieder tauchen Berichte über solche unheimlichen Begegnungen auf. Die Ufos oder „Fliegenden Untertassen" werden zumeist als scheibenförmige Raumfahrzeuge beschrieben.

Viele Leute meinen, dass es sich dabei wirklich um die Gefährte außerirdischer Lebewesen handelt.

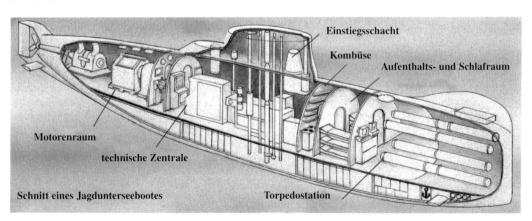

Einstiegsschacht

Kombüse

Aufenthalts- und Schlafraum

Motorenraum

technische Zentrale

Schnitt eines Jagdunterseebootes

Torpedostation

Uhr   Uhren messen die Zeit und zeigen sie an. Es ist jedoch weitaus schwieriger, die Zeit zu messen als zum Beispiel eine Entfernung. Strecken lassen sich mit anderen Strecken vergleichen, etwa mit der Elle oder mit dem Fuß. Die Zeit lässt sich jedoch mit nichts anderem vergleichen. Um sie in Stücke zu unterteilen, braucht man als Maß einen Vorgang, der vollkommen gleichmäßig abläuft. Zum Beispiel den Lauf der Sonne oder das Rieseln von Sand oder Wasser.

Die ersten Uhren waren Sonnenuhren. Man steckt einen Stab in die Erde; der Schatten des Stabes wandert im Lauf des Tages als Zeiger über die Markierungen. Bei Sanduhren und bei Wasseruhren läuft eine gleich bleibende Menge Sand oder Wasser durch eine enge Öffnung in einen Behälter mit Markierungen.

Im Mittelalter kamen Räderuhren auf, in denen ein Räderwerk Zeiger bewegte. Bei der Pendeluhr „zerhackt" das Pendel die Zeit in gleichmäßige Stücke und lässt den Zeiger – tick-tack – vorrücken. In modernen Uhren tickt nichts mehr. Den

verschiedene Uhren

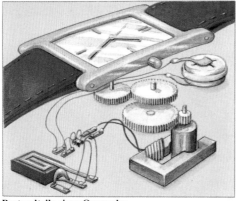

Bestandteile einer Quarzuhr

Takt geben die unvorstellbar gleichmäßigen Schwingungen in elektrisch beeinflussten Quarz-Kristallen an. Atomuhren, die sich nach den Schwingungen von Atomen richten, gehen in hunderttausenden Jahren eine Sekunde vor oder nach.

Umweltschutz   Die Welt, in der wir leben, ist die Umwelt. Wir Menschen sind Teil dieser Umwelt und können nicht ohne sie existieren. Wir brauchen sauberes Wasser, unverseuchte Luft, einwandfreie Lebensmittel – und wir brauchen auch Grün für die Augen und Ruhe für die Ohren. Eigentlich sollte jeder Mensch im eigenen Interesse daran denken, die Erde als Ort zu erhalten, in dem man sich wohl fühlen kann. Aber Menschen sind keine besonders verantwortungsbewussten Lebewesen. Ob wir erst durch Schaden klug werden?

Noch vor wenigen Jahren wurden die Warnungen der Umweltschützer und Ökologen verlacht. Heute weiß jeder, woher die Gefahren für Erde, Wasser und Luft drohen: aus den Müllbergen, aus den Abgasen von Autos und Fabriken, aus den Gülleseen der Tierfabriken, aus den Pflanzenvernichtungsmitteln unserer Agrarindustrie, aus Atomkraftwerken und Lagern für radioaktive Abfälle, aus Spraydosen mit Fluorchlorkohlenwasserstoffen und aus unzähligen anderen Dingen. Eine radikale Umweltpolitik mit vielen scharfen Verboten und Kontrollen könnte einiges wieder gutmachen. Alle weitblickenden Politiker sind sich einig, dass unsere Industriegesellschaft ökologisch umgebaut werden muss. Aber Umweltgesetze allein reichen nicht aus. Wir Bürger müssen gleichzeitig unseren ganzen verschwenderischen Lebensstil ändern. Jeder Einzelne von uns kann mit kleinen Schritten anfangen. Denn unsere Marktwirtschaft reagiert sehr schnell. Was nicht gekauft wird, wird auch nicht mehr hergestellt.

Um die Umwelt zu schützen, muss man kein Held sein wie die mutigen Umweltschützer, die in spektakulären Aktionen immer wieder Umweltverbrechen aufdecken und verhindern. Die Arbeit von Umweltorganisationen wie Greenpeace, Robin Wood, BUND, Friends of the Earth ist wichtig, weil Zeitungen und Fernsehen darüber berichten und die Politiker unter Druck setzen. Aber entscheidend ist, wie wir uns selbst verhalten.

Universität   Für viele Berufe braucht man ein abgeschlossenes Studium an einer Universität oder Hochschule, zum Beispiel als Ärztin, Rechtsanwältin, Architektin, Verlagslektorin und so weiter. Die Lehrer an Hochschulen heißen „Professoren" oder „Dozenten". Auf Universitäten haben die Studenten viel mehr Freiheiten als Schüler in Schulen. Sie können sich selbst ihre Professoren und Vorlesungen (Unterrichtsstunden) aus dem Angebot auswählen. Universitäten bilden nicht nur Studenten aus, sondern betreiben auch selbst wissenschaftliche Forschung.

Uran   Uran ist ein sehr hartes, weißes Schwermetall. Seine Atomkerne zerfallen ständig und senden radioaktive Strahlen aus. Das Element Uran ist ein Grundstoff zur Erzeugung von Atombomben und Brennstäben für Atomkraftwerke.

Urin   Urin oder Harn ist eine Art Abwasser des Körpers. Urin wird in den Nieren gefiltert und in der Blase gesammelt. Beim Wasserlassen scheiden wir mit dem Urin Salze, Gifte und andere Stoffe aus, die der Körper nicht verwerten kann.

Urkunde   Ein amtliches Dokument ist eine Urkunde. In der Geburtsurkunde wird festgehalten, wann und wo jemand geboren wurde. Auch wichtige Rechtsgeschäfte (zum Beispiel ein Hauskauf) werden beurkundet. Urkundenfälschung wird bestraft.

Urtierchen   Urtierchen sind ganz einfach gebaute, winzige Lebewesen, die nur aus einer einzigen Zelle bestehen. Sie leben zumeist im Wasser und vermehren sich durch Teilung. Die Urtierchen gibt es bereits seit den Anfängen des Lebens auf der Erde – daher kommt auch ihr Name.

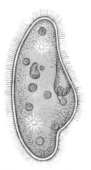

Amöbe

Pantoffeltierchen   **Wimperntierchen**

Urwald   Noch im Mittelalter war der größte Teil Mitteleuropas von undurchdringlichen, von Menschen unberührten Urwäldern bedeckt. Ein Eichhörnchen hätte vom Mittelmeer bis zur Nordsee von Baum zu Baum wandern können, ohne jemals den Boden zu berühren. Heute sind bei uns die Urwälder – bis auf kleine Reste in Nationalparks – verschwunden. Ein ähnliches Schicksal droht heute den riesigen Urwaldgebieten im südamerikanischen Amazonasbecken. Dort wird im tropischen Regenwald jährlich eine Fläche so groß wie Österreich abgeholzt.

Vakuum · Vegetation

Vakuum Im luftleeren Raum (zum Beispiel im Weltraum) herrscht Vakuum. Auf der Erde kann man ein Vakuum erzeugen, indem man Luft aus einem festen Gefäß herauspumpt.

Vampir Vampire sind sagenhafte Horrorgestalten, die angeblich nachts aus ihren Gräbern steigen und Schlafenden das Blut aussaugen. Der Glaube an Vampire stammt aus den Balkanländern. Der berühmteste aller Vampire, der transsylvanische (siebenbürgische) Graf Dracula, ist eine Romanfigur aus dem gleichnamigen Buch des Briten Bram Stoker.
Echte Vampire gibt es dagegen in Südamerika. Die Vampirfledermaus fliegt tatsächlich nachts auf der Suche nach schlafenden Warmblütern (Tieren und auch Menschen) aus. Sie ritzt die Haut mit ihren spitzen Zähnen und leckt das austretende Blut auf. Die Vampirfledermäuse sind für den Menschen in erster Linie deshalb so gefährlich, weil sie Krankheiten übertragen können.

Hufeisen-fledermaus

Vatikanstadt Mit nur siebenhundert Einwohnern und einer Fläche von weniger als einem Quadratkilometer ist die Vatikanstadt (der Kirchenstaat) der kleinste Staat der Welt. Er liegt mitten in der Stadt Rom. Staatsoberhaupt ist der Papst, das Oberhaupt der römisch-katholischen Kirche. Zentrum dieses winzigen Landes ist der Vatikan, der Palast des Papstes.

Vegetarier Vegetarier essen kein Fleisch. Viele von ihnen tun dies aus gesundheitlichen Gründen. Wer kein Fleisch isst, lebt im Durchschnitt länger und wird seltener krank als ein Fleischesser. Ethischen Vegetariern geht es dagegen um das Wohl der Tiere. Sie sind Tierfreunde und halten es für falsch, ihre Freunde einzusperren und umzubringen, um sie dann aufzuessen.
In Deutschland gibt es etwa drei Millionen Vegetarier. Das sind etwa vier Prozent der Bevölkerung. In Amerika und England ist der Vegetarismus als „gewaltfreie Form" der Ernährung viel populärer als bei uns. Eine von dem berühmten Musiker Paul McCartney angeführte große Kampagne für die Rechte der Tiere steht unter dem Motto „Meat Is Murder" – „Fleisch ist Mord".

Vegetation Der gesamte Pflanzenwuchs eines Gebietes ist seine Vegetation. Jede Landschaftsform und jedes Klima hat eigene Vegetationsformen, die sich an die jeweiligen Verhältnisse während der Jahrtausende optimal angepasst haben.

Vene ⇨ Ader

Verbrennungsmotor Kraftfahrzeuge werden von Verbrennungsmotoren angetrieben. In den Zylindern verbrennt ein Luft-Benzin-Gemisch explosionsartig und setzt den Kolben in Bewegung. Man nennt diesen Motorentyp auch „Explosionsmotor". Das Motorengeräusch rührt von vielen kleinen kontrollierten Explosionen her. Andere Motorentypen sind die ⇨ Dampfmaschine oder der Elektromotor.

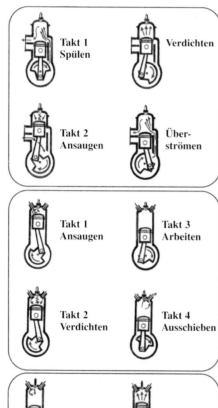

ZWEITAKTMOTOR

Takt 1
Spülen

Verdichten

Takt 2
Ansaugen

Über-
strömen

VIERTAKTMOTOR

Takt 1
Ansaugen

Takt 3
Arbeiten

Takt 2
Verdichten

Takt 4
Ausschieben

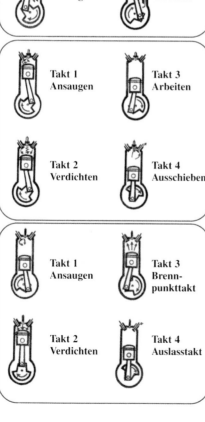

DIESELMOTOR

Takt 1
Ansaugen

Takt 3
Brenn-
punkttakt

Takt 2
Verdichten

Takt 4
Auslasstakt

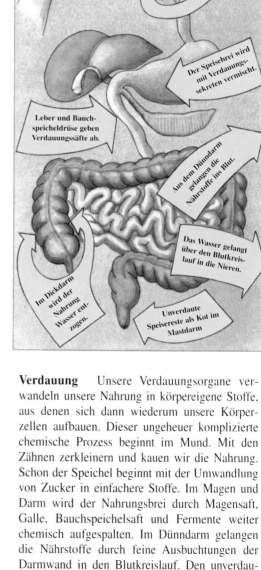

Die Speise wird zermahlen und mit Speichel vermischt.

Der Speisebrei gelangt in den Magen.

Der Speisebrei wird mit Verdauungssekreten vermischt.

Leber und Bauchspeicheldrüse geben Verdauungssäfte ab.

Aus dem Dünndarm gelangen die Nährstoffe ins Blut.

Das Wasser gelangt über den Blutkreislauf in die Nieren.

Im Dickdarm wird der Nahrung Wasser entzogen.

Unverdaute Speisereste als Kot im Mastdarm

Verdauung Unsere Verdauungsorgane verwandeln unsere Nahrung in körpereigene Stoffe, aus denen sich dann wiederum unsere Körperzellen aufbauen. Dieser ungeheuer komplizierte chemische Prozess beginnt im Mund. Mit den Zähnen zerkleinern und kauen wir die Nahrung. Schon der Speichel beginnt mit der Umwandlung von Zucker in einfachere Stoffe. Im Magen und Darm wird der Nahrungsbrei durch Magensaft, Galle, Bauchspeichelsaft und Fermente weiter chemisch aufgespalten. Im Dünndarm gelangen die Nährstoffe durch feine Ausbuchtungen der Darmwand in den Blutkreislauf. Den unverdaulichen Rest scheiden wir durch den After aus.

Verdunstung

V

Vereinte Nationen

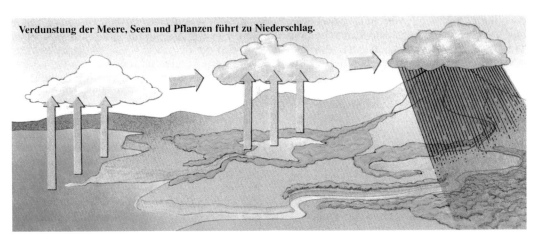

Verdunstung der Meere, Seen und Pflanzen führt zu Niederschlag.

Verdunstung Eine Flüssigkeit verdunstet, wenn sie vom flüssigen in den gasförmigen Zustand übergeht. Je wärmer sie ist, desto schneller verdunstet sie.

Wasser zum Beispiel kann sich bei Temperaturen über 100 Grad Celsius überhaupt nicht mehr im flüssigen Zustand halten. Es siedet und verwandelt sich dabei in Wasserdampf. Auch bei niedrigeren Temperaturen verdunstet ständig Wasser, das meiste natürlich über den Wasserflächen der warmen Meere. Der Wasserdunst verwandelt sich in Wolken. Auch Pflanzen geben über ihre Blätter ständig Feuchtigkeit an die Luft ab. Die verdunstete Flüssigkeit wird durch die Wurzeln der Erde entnommen. Deshalb muss Pflanzenerde immer feucht genug sein.

Verein Menschen, die ein gemeinsames Ziel verfolgen, können einen Verein gründen und ihn amtlich eintragen lassen. Die Satzung des Vereines enthält die Regeln und Bestimmungen der Vereinsgemeinschaft.

Die Vereinsmitglieder wählen den Vereinsvorstand, der für die Arbeit des Vereines verantwortlich ist. Die Regeln und die amtliche Eintragung sind sehr wichtig. Denn wer Geld und Arbeit in seinen Verein steckt, will auch mitbestimmen, was im Verein geschieht. Es gibt alle möglichen Vereine: vom Kleingartenverein bis zum Technischen Überwachungsverein (TÜV), vom Autofahrerverein bis zum Tierschutzverein. Gemeinnützig sind Vereine, die für das Wohl von Menschen und Tieren arbeiten.

Vereinte Nationen In den Vereinten Nationen – abgekürzt UNO (United Nations Organization) – sind fast alle Länder der Erde vertreten. In der Charta der Vereinten Nationen sind die Grundlagen der Arbeiten dieser Organisation festgelegt. Die Botschafter der Mitgliedsstaaten kommen zusammen, um internationale Probleme zu besprechen und, wenn möglich, Beschlüsse zu fassen, die den Frieden in der Welt sichern sollen. Die UNO kann auf Länder, die gegen das Völkerrecht verstoßen, wirtschaftlichen Druck ausüben. Sie empfiehlt dann den übrigen Mitgliedsstaaten, die wirtschaftlichen Kontakte zu solchen Ländern abzubrechen.

Im Jahr 1991 billigten die Vereinten Nationen sogar den Krieg einiger westlicher und arabischer Staaten gegen den Irak, der Kuwait überfallen hatte. Die Friedenstruppen der UNO (man nennt sie wegen ihrer Uniform auch Blauhelme) sind hingegen nur leicht bewaffnet. Ihre Aufgabe ist es, in Krisengebieten den Waffenstillstand zu überwachen.

Die UNO hat außerdem zahlreiche Sonderorganisationen. Die UNESCO kümmert sich zum Beispiel um Fragen der Erziehung, Wissenschaft und Kultur. Die UNICEF ist das Kinderhilfswerk der UNO. Diese Organisation versucht den hunderten Millionen Kindern in aller Welt zu helfen, die ihre Eltern in Kriegen verloren haben oder die als Sklavenarbeiter ausgebeutet werden. Mit verschiedenen Programmen trägt UNICEF außerdem dazu bei, die Lebensbedingungen der ärmsten Kinder zu verbessern.

Vererbung   Welche Eigenschaften ein Lebewesen hat und wie es aussieht, wird zu einem großen Teil durch seine Erbanlagen (Gene) bestimmt. Diese Erbanlagen sind in den Chromosomen, einem Teil des Zellkerns, festgelegt und stammen je zur Hälfte von Vater und Mutter. Die Nachkommen sehen daher ihren Vorfahren immer ähnlich. Auch charakterliche Anlagen können vererbt werden. Ob ein Mensch aber die gleichen Verhaltensweisen entwickelt wie seine Vorfahren, hängt stark von seiner Erziehung und von der Umgebung ab, in der er aufwächst. Vor allem aber können Menschen auch sich selbst erziehen und ihren eigenen Charakter formen. Deshalb sind wir für unsere Taten selbst verantwortlich. Tiere dagegen müssen tun, was ihnen ihre Erbanlagen diktieren. In der Tierzucht werden Vererbungsregeln benutzt, um im Laufe von Generationen Tiere mit bestimmten körperlichen und psychischen Eigenschaften zu züchten. Tiere, bei denen die gewünschten Merkmale besonders deutlich hervortreten, werden miteinander gepaart. Auf diese Weise entstanden zum Beispiel die vielen verschiedenen Hunderassen. In der Gentechnik werden die Erbanlagen von Lebewesen künstlich verändert.

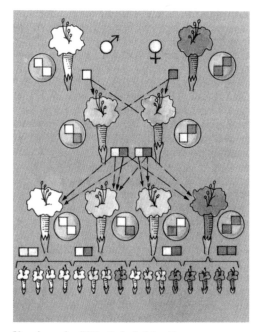

Vererbung der Blütenfarbe bei der Kreuzung

Verfassung   In der Verfassung eines Staates sind die Grundregeln für das Zusammenleben der Bürger festgelegt. Alle Gesetze, die das Parlament beschließt, und alle amtlichen Bestimmungen müssen mit der Verfassung im Einklang stehen. Zum Beispiel garantiert die Verfassung eines demokratischen Staates, dass kein Bürger wegen seines religiösen Glaubens, seiner politischen Einstellung, wegen seines Geschlechts oder seiner Hautfarbe benachteiligt werden darf. Ein Gesetz, das Nichtchristen oder Mitglieder einer bestimmten Partei oder Frauen oder Farbige benachteiligen würde, wäre verfassungswidrig. Über die Einhaltung der Verfassung wacht der Verfassungsgerichtshof. In Deutschland heißt die Verfassung „Grundgesetz".

Verkehr   Zum Verkehr gehören alle Menschen und Fahrzeuge, die sich an Land auf Straßen oder Schienen, auf Wasser oder in der Luft bewegen. Fußgänger und Radfahrer, Autos, Züge und U-Bahnen, Schiffe und Flugzeuge sind Verkehrsteilnehmer. Verkehrsregeln sichern überall den Ablauf des Verkehrs.

Versicherung   Versicherungen zahlen Geld, wenn etwas passiert. Wer mit einer Versicherungsgesellschaft einen Vertrag hat und regelmäßig seine Prämien (Versicherungsbeiträge) einzahlt, der ist vor finanziellen Schäden gesichert. Wer zum Beispiel eine Feuerversicherung abschließt, der ist keineswegs vor einem Brand sicher. Aber die Versicherung ersetzt ihm den Schaden am Haus. Die Krankenversicherung zahlt bei Krankheit die Kosten für Krankenhaus und Arzt. Bei einer Lebensversicherung bekommen die Angehörigen beim Tod des Versicherten Geld. Haftpflichtversicherungen bezahlen für die Schäden, die der Versicherte anrichtet. Für fast alle Bereiche des Lebens gibt es Versicherungen. Krankenkassen und Rentenkassen sind staatliche Pflichtversicherungen.

Vertrag   Ein Vertrag ist eine feste Vereinbarung, die von den Vertragspartnern akzeptiert wird. Es gibt zum Beispiel Mietverträge, Kaufverträge oder Arbeitsverträge. Wer einen Vertrag unterschreibt, muss ihn auch einhalten und kann notfalls dazu durch ein Gerichtsurteil gezwungen werden.

Video   Videofilme sind nicht auf einem normalen Film, sondern auf magnetisierten Kunststoffbändern gespeichert. So wie ein Tonband Töne aufnimmt, so nimmt ein Videoband Bilder auf. („Video" ist das lateinische Wort für „ich sehe".) Mit einer Videokamera kann man selbst Aufnahmen machen und im Videorekorder (Videogerät) abspielen. Oder man zeichnet einen Fernsehfilm im Rekorder auf ein Videoband auf und spielt ihn irgendwann später über den Fernseher ab. Videospiele sind Computerspiele, die über den Fernsehbildschirm laufen.

Virus   Viele ansteckende Krankheiten wie Masern, Schnupfen, Grippe oder Kinderlähmung werden durch Viren verursacht. Das sind winzig kleine Teilchen, die nur unter dem Elektronenmikroskop sichtbar werden. Dennoch sind sie sehr kompliziert gebaut. Sie dringen in die Zellen von Lebewesen ein und vermehren sich mit deren Hilfe. Dabei richten sie in den Wirtszellen Schäden an. Gegen viele Viruserkrankungen kann man sich impfen lassen.

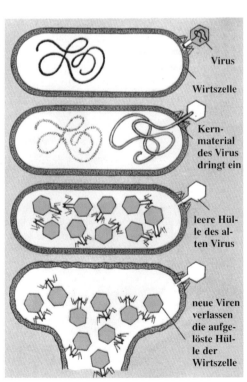

Virus

Wirtszelle

Kernmaterial des Virus dringt ein

leere Hülle des alten Virus

neue Viren verlassen die aufgelöste Hülle der Wirtszelle

Visum   Ein Visum ist ein besonderer Vermerk im Pass, der zur Einreise in ein bestimmtes Land berechtigt. Es wird von den entsprechenden Botschaften ausgestellt.

Vitamine   Vitamine sind lebensnotwendige Stoffe für Menschen und viele Tiere. Sie sind selbst keine Nährstoffe, sorgen aber dafür, dass die körperlichen Funktionen richtig ablaufen. Manche Vitamine kann unser Körper nicht selbst herstellen; wir müssen sie über die Nahrung aufnehmen. Die verschiedenen Vitaminarten werden mit Buchstaben gekennzeichnet: Vitamin A, B, C, D und so weiter. Obst, Gemüse, Getreide, Nüsse und Hülsenfrüchte enthalten viele Vitamine.

Vögel   Vögel sind die einzigen Tiere, die Federn haben. Alle Vögel haben einen Schnabel und zwei Beine; die vorderen Gliedmaßen sind zu Flügeln umgebildet. Doch längst nicht alle Vögel können fliegen. ⇨ Pinguine haben sich zu vorzüglichen Tauchern entwickelt und verwenden ihre Flügel als Flossen. Laufvögel wie die Strauße hingegen können so schnell laufen wie Rennpferde. Mit ihren Flügeln fangen sie freilich noch viel weniger an als unsere Haushühner, die zumindest noch auf niedrige Dächer flattern können. Flugfähige Vögel haben einen besonders leichten Körperbau. Ihre Knochen sind hohl, und ihnen fehlen schwere Körperteile wie Zähne und Harnblase. Auch ihr Gefieder ist ungemein leicht – viel leichter, als ein Pelzkleid je sein könnte. Selbst die riesigen Kondore mit über drei Metern Flügelspannweite werden höchstens elf Kilogramm schwer. Der allerschwerste Vogel, der noch fliegen kann, ist der Höckerschwan mit 20 Kilogramm Gewicht. Er ist 10.000-mal so schwer wie der leichteste Kolibri, der zwei Gramm auf die Waage bringt. Der beste Segler der Tierwelt ist der Albatros, der fast sein ganzes Leben in den Lüften verbringt. Er schläft sogar im Flug. Der schnellste Flieger unter den Vögeln ist der Wanderfalke. Im Sturzflug erreicht er über 300 Stundenkilometer – das ist ein Viertel der Schallgeschwindigkeit. „Normale" Vögel auf Langstreckenflügen fliegen mit Geschwindigkeiten zwischen 40 und 80 Stundenkilometern. Insgesamt sind etwa 7.000 Vogelarten bekannt, von denen 240 Arten ganz oder einen Teil des Jahres bei uns leben. Zugvögel wie Störche und Schwalben überwintern in warmen Erdteilen und legen jährlich viele tausend Kilometer zurück. Vogelkundler (Ornithologen) haben noch immer nicht herausgefunden, wie ihr nahezu unfehlbares Orientierungssystem funktioniert. Die bei uns überwinternden Vögel heißen „Standvögel".

Volk Menschen mit gemeinsamer Sprache, gemeinsamer Geschichte, Abstammung und Kultur bilden ein Volk. Sie müssen dabei nicht der gleichen Rasse oder Hautfarbe angehören. Zum Volk der Vereinigten Staaten von Amerika gehören zum Beispiel Menschen mit europäischen, afrikanischen und asiatischen Vorfahren.

EINHEIMISCHE VÖGEL

Haussperling — Kohlmeise — Zaunkönig — Dompfaff — Stieglitz — Kreuzschnabel — Nachtigall — Felsenkleiber — Rotkehlchen — Singdrossel — Gartengrasmücke

EXOTISCHE VÖGEL

Blauer Paradiesvogel — Zebrafink — Frauenlori — Kolibri — Riesentukan — Andenklippenvogel — Laubnektarvogel

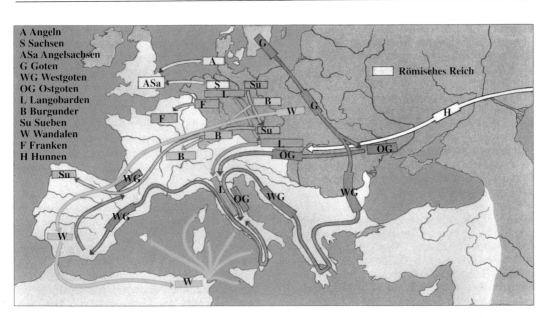

A Angeln
S Sachsen
ASa Angelsachsen
G Goten
WG Westgoten
OG Ostgoten
L Langobarden
B Burgunder
Su Sueben
W Wandalen
F Franken
H Hunnen

Römisches Reich

Völkerwanderung   Zu allen Zeiten haben Völker und Volksstämme ihre Siedlungsgebiete verlassen und haben sich auf Wanderschaft in neue Länder und Kontinente begeben. So sind nach Amerika während der letzten Eiszeit asiatische Völker eingewandert. Vor 1.500 Jahren zerfiel das römische Weltreich, als germanische Völker (Goten, Wandalen, Langobarden) aus dem Norden und Osten nach Süd- und Westeuropa einwanderten. Diese europäische Völkerwanderung dauerte hunderte Jahre lang und schuf die Grundlagen für die Kultur des europäischen Mittelalters. Auch heute gibt es Völkerwanderungen, zum Beispiel die der Russland-Deutschen und der Rumänien-Deutschen nach Deutschland.

Vulkan   Im Inneren unserer scheinbar so festen und stabilen Erde sind gewaltige Kräfte am Werk. Ströme von glühend heißem, flüssigem Gestein wälzen sich in gewaltigen Strömen durch den Bauch der Erde. Darüber spannt sich die mehr oder weniger feste Erdkruste. Sie ist im Verhältnis zum Erdinneren dünner als eine Eierschale im Verhältnis zum Ei. Und auch diese Kruste ist nicht fest gefügt. Sie besteht aus den 60 bis 100 Kilometer dicken Platten der Kontinente. Diese Schollen treiben mit der unendlich langsamen Geschwindigkeit von ein bis zwei Zentimetern pro Jahr auf dem glühend-flüssigen Untergrund. Wo sie aufeinander treffen oder auseinander treiben, kann die Erdkruste dem ungeheuren Druck aus dem Erdinneren nicht widerstehen. Glühendes Magma presst sich durch den Vulkanschlot hoch und gelangt in „Feuer speienden Bergen", in Vulkanen, als Lava an die Erdoberfläche.

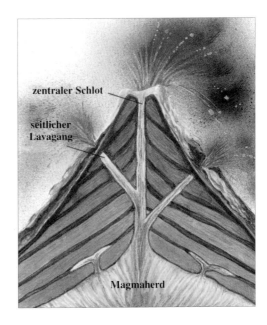

zentraler Schlot

seitlicher
Lavagang

Magmaherd

Wahlen

Wal

Wahlen Bei den Wahlen können sich die Bürger demokratischer Staaten aussuchen, welcher Politiker und welche Partei ihre Interessen im Parlament und in der Regierung vertreten soll. Demokratische Wahlen sind frei und geheim, das heißt, niemand darf gezwungen werden, eine bestimmte Partei zu wählen, und es gibt auch keine Möglichkeit herauszufinden, wer welche Partei gewählt hat – außer der Wahlberechtigte sagt es freiwillig. Jede abgegebene Stimme zählt gleich viel.

Wal Wale sehen aus wie Fische und leben wie Fische im Wasser. Deshalb nannte man sie früher auch „Walfische". Tatsächlich aber sind Wale (und die zu den Waltieren gehörenden Delfine) ⇨ Säugetiere. Sie bringen lebende Junge zur Welt, die sie unter Wasser mit Muttermilch aufziehen, und sie müssen zum Luftholen auftauchen. Wale und Delfine gehören zu den intelligentesten Tieren der

Erde. Sie verständigen sich untereinander in eigenen Sprachen, die offensichtlich so kompliziert sind, dass sie von Menschen noch nicht entschlüsselt werden konnten. Manche Forscher glauben, dass Wale, ähnlich wie Menschen, sogar ein Bewusstsein ihrer selbst entwickeln und daher echte Persönlichkeiten sind. Die mächtigen Blauwale sind die größten Tiere, die jemals auf der Erde gelebt haben. Sie werden 30 Meter lang und über 100 Tonnen schwer.

Dennoch werden Wale unbarmherzig gejagt, getötet oder für Delfinshows eingesperrt und zu Kunststücken gezwungen. Walfänger bringen die größeren Wale mit Sprenggranaten um. Aus ihren Leichen gewinnt man unter anderem Fett (Waltran), Grundstoffe für Parfüms und Hundefutter. Die kleineren Delfinarten ertrinken zu hunderttausenden in den Schleppnetzen der Fischereiflotten. Die meisten Walarten sind heute vom Aussterben bedroht.

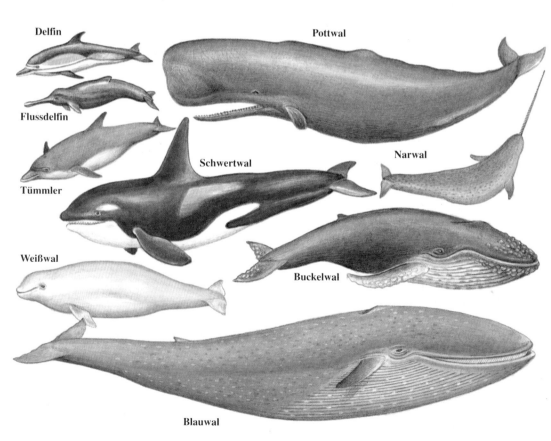

Delfin

Pottwal

Flussdelfin

Narwal

Tümmler

Schwertwal

Weißwal

Buckelwal

Blauwal

Wald   Wälder wachsen überall auf der Erde, wo genug Regen fällt – also überall, außer in polaren Gebieten, Wüsten und Savannen. Knapp ein Drittel der Landfläche unserer Erde ist von Wäldern bedeckt. Der tropische Wald heißt „Regenwald". Im äußersten Norden Europas, Asiens und Amerikas gedeihen die reinen Nadelwälder der Taiga. Der natürliche Wald der gemäßigten Zonen ist ein Mischwald aus verschiedenen Arten von Nadel- und Laubbäumen. In Mischwäldern bilden Pflanzen und Tiere eine natürliche Lebensgemeinschaft. Hier wachsen auch Beeren, Farne, Moose und Pilze; und hier leben Dachse und Füchse, Rehe, Hirsche und Wildschweine, Igel, Spitzmäuse und unzählige Vogelarten vom Waldkauz bis zum Specht.

Wälder liefern den wichtigen Rohstoff Holz vor allem für die Papierindustrie. Sie sind Lebensräume, deren Qualität durch den Baumbestand bestimmt wird. Reine Fichtenwälder (Monokulturen) lassen sich besser bewirtschaften als Mischwälder. Monokulturen sind jedoch für Schädlinge anfälliger und bieten weit weniger Tieren Lebensraum.

Waldorfschule   Waldorfschulen sind Privatschulen, wo nach anthroposophischen Ideen unterrichtet wird. Die Anthroposophie ist eine religiös-philosophische Lehre. Es gibt in Waldorfschulen mehr Musik, Bewegung, Malerei und Handwerk als in öffentlichen Schulen; kein Schüler muss sitzen bleiben, wenn er in einem bestimmten Fach nicht mitkommt.

Waldsterben   Fast die Hälfte der mitteleuropäischen Wälder ist krank oder bereits abgestorben. Schuld an diesem verheerenden Waldsterben ist der so genannte saure Regen, der durch die Auto- und Industrieabgase in der Luft entsteht. Das Waldsterben gefährdet auch das Grundwasser. Im Gebirge wächst durch das Absterben der Schutzwälder (Bannwälder) die Lawinengefahr.

intakter Mischwald

abgestorbener Wald

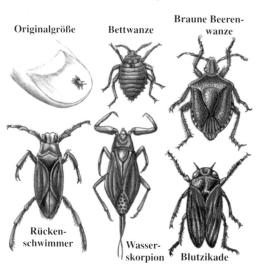

Originalgröße   Bettwanze   Braune Beeren-
wanze

Rücken-
schwimmer   Wasser-
skorpion   Blutzikade

Wanze Wanzen sind flügellose Insekten, die mit scharfen Mundwerkzeugen Blut oder Pflanzensäfte saugen. Blut saugende Wanzen (wie die Bettwanze) warten in ihren Verstecken auf die Nacht und machen sich dann über ihre schlafenden Opfer her. Wanzenbisse sind ziemlich schmerzhaft, und Wanzen waren früher eine große Plage. Die schön gefärbte Feuerwanze ist ein Pflanzenfresser.

Auch versteckte Mikrofone, mit denen man Gespräche belauschen kann, nennt man „Wanzen".

Wasser Drei Viertel der Erdoberfläche sind mit Wasser bedeckt. Pflanzen bestehen zu neun Zehnteln aus Wasser, Menschen zu zwei Dritteln. Ohne Wasser gibt es kein Leben, wie wir es kennen.

Chemisch gesehen ist Wasser eine Verbindung der Gase ⇨ Wasserstoff und ⇨ Sauerstoff. Die Formel lautet H_2O. Doch chemisch reines Wasser kommt in der Natur nirgendwo vor. Immer ist es mit Mineralstoffen und Spuren anderer Elemente versetzt. Deshalb schmeckt Wasser auch überall etwas anders. Mineralwasser, das wir in Flaschen abgefüllt kaufen können, hat besonders viele Mineralstoffe.

Flüsse und Ströme transportieren alles Wasser, das nicht gleich wieder verdunstet oder in der Erde versickert, in die Meere. Dort verdunstet es und verwandelt sich in Wasserdampf. Die Wolken tragen das Wasser wieder auf das Land, wo es als Niederschlag (Regen, Schnee, Hagel) zurück auf die Erde fällt. Ein Teil fließt sofort wieder dem Meer zu. Ein anderer Teil versickert durch Schichten von Erde, Kies oder wasserdurchlässigem Gestein. Wenn es auf undurchlässige Schichten stößt, sammelt sich das Wasser als Grundwasser.

Unser Trinkwasser kommt aus der Erde, wo es als Grundwasser zumeist aus Tiefbrunnen hochgepumpt wird. Früher konnte man aus jeder Quelle

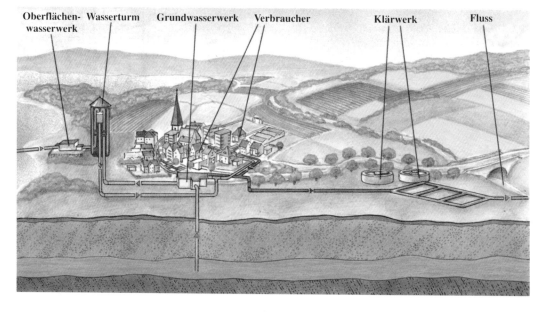

Oberflächen-   Wasserturm   Grundwasserwerk   Verbraucher   Klärwerk   Fluss
wasserwerk

trinken. Heute ist das Grundwasser auch in bäuerlichen Gebieten durch die Gülle und die Pflanzengifte vergiftet. Es muss im Wasserwerk erst gereinigt und aufbereitet werden, bevor es in die Haushalte kommt. Oder man schafft das Trinkwasser in gigantischen Rohrleitungen über weite Strecken aus Trinkwasserschutzgebieten heran, wo Industrie und normale Landwirtschaft verboten sind. Wo das Grundwasser nicht reicht, werden Flüsse und Seen angezapft.

Die Menschen in den Industrieländern sind gewaltige Wasserverschwender. Bei uns verbraucht ein Mensch täglich im Durchschnitt 200 Liter kostbares Trinkwasser; nur drei Liter davon trinken wir oder brauchen wir zum Kochen. Der Rest geht als Badewasser, Waschwasser oder Wasser für die Klospülung wieder in den Kanal – zusammen mit dem Abwasser der Industrie. Noch viel mehr Wasser verbraucht die Industrie.

Wasserstoff Das Gas Wasserstoff ist geruchlos und das leichteste aller Elemente. Wasserstoff lässt sich leicht aus ⇨ Wasser gewinnen. Viele Energieexperten glauben, dass Wasserstoff als umweltfreundlicher und unerschöpflicher Brennstoff eines Tages die Umweltverschmutzer Erdöl und Kohle ablösen könnte. Schon heute sind Autos in Erprobung, die statt mit Benzin mit Wasserstoff fahren.

Watt Der Küstenstreifen an der Nordsee, der nur bei Flut von Wasser bedeckt ist, heißt „Watt" oder „Wattenmeer". Bei Ebbe kann man auf dem Meeresboden wandern. Das Watt und seine Tierwelt stehen unter Naturschutz.

Das Watt oder Kilowatt als technisches Maß für Leistung kommt vom Namen des Erfinders der ⇨ Dampfmaschine, James Watt.

Hainschnirkelschnecke

Ackerschnecke

rote und schwarze Wegschnecke

Weinbergschnecke

Posthornschnecke

Schlammschnecke

Papierboot

Sandklaffmuschel

Weichtiere Weichtiere, auch wirbellose Tiere, haben keine Knochen, sondern einen weichen, oft schleimigen Körper. Einige Weichtiere, wie Schnecken und Muscheln, haben ein festes Gehäuse aus Kalk. Zu den Weichtieren gehören auch die ⇨ Tintenfische.

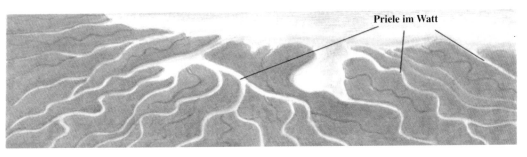

Priele im Watt

Weihnacht Zu Weihnachten feiern Christen die Geburt ihres Religionsstifters Jesus von Nazareth. Das Datum des Weihnachtsfestes in den westlichen Kirchen, der 25. Dezember, geht auf das heidnische Mittwinternachtsfest der Germanen zurück.

Wein Die Weinpflanze kam schon mit den alten Römern in die mitteleuropäischen Weinbaugebiete wie an den Rhein und die Mosel oder in das niederösterreichische Weinviertel. Der meiste Wein wird jedoch in Frankreich, Italien und Spanien gekeltert. Nach der Weinlese werden die Trauben zerquetscht und ausgepresst. Der Traubensaft (Most) beginnt in großen Fässern zu gären. Dabei verwandeln Hefepilze den Traubenzucker in Alkohol. Es gibt unzählige Geschmacksrichtungen. Weinkenner sind in der Lage, aus dem Geschmack eines Weines seine Herkunft und sogar den Jahrgang (Erntejahr) zu bestimmen.

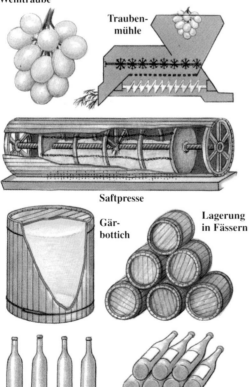

Weintraube

Trauben-mühle

Saftpresse

Gär-bottich

Lagerung in Fässern

Abfüllung

Weinflaschen

Weizen Weizen ist eine der wichtigsten Getreidepflanzen der Welt. Früher konnten sich nur reiche Leute das aus Weizenmehl gebackene Weißbrot leisten; die Armen aßen Roggenbrot. In südlichen Ländern gibt es heute fast nur helles Weizenbrot zu kaufen. Weizenmehl braucht man auch für Nudeln und Kuchen.

Weltall Das Weltall (Universum oder Kosmos) umfasst alles, was es gibt. Wir Menschen und die Zellen, aus denen wir bestehen, gehören ebenso zum Universum wie unsere Erde, wie unser Sonnensystem und all die unzähligen Galaxien und Sternhaufen – und natürlich auch der Raum dazwischen.

Die meisten Wissenschaftler glauben, dass das Universum vor etwa 15 Milliarden Jahren in einer gewaltigen Explosion entstanden ist. Die zuvor in einem einzigen, unendlich schweren und heißen Punkt konzentrierte Materie und Energie des Universums soll dabei all das aus sich herausgeschleudert haben, was wir heute als Weltall kennen. Und diese Explosion ist noch nicht zu Ende. Immer noch fliegen die einzelnen Teile auseinander. Man hat berechnet, dass der Urknall in 65 Milliarden Jahren zum Stillstand gekommen sein wird; dann könnte das Universum wieder in sich zusammenfallen. Andere Astrophysiker meinen jedoch, dass das Weltall ständig aus sich heraus neu entsteht. Es dehnt sich zwar ständig aus, doch in seinem Zentrum entstehen immer neue Galaxien. Und dann gibt es noch die Ansicht, dass „unser" Weltall nur eines von unzähligen Universen in einem unbegreiflichen „Superraum" ist. Unser Sonnensystem liegt in einem abgelegenen Nebenarm unserer Galaxie, die aus 200 Milliarden Sonnen besteht. Die Erde dreht sich um die Sonne, und die Sonne dreht sich um den Mittelpunkt der Milchstraße. Sie braucht dafür 230 Millionen Jahre. Und selbst unsere Galaxie ist nur eines von

Sonne

unser Sonnensystem

die Planeten maßstabsgetreu:

Merkur Erde

Venus

Mars Jupiter

Saturn

Uranus Neptun Pluto

unsere Galaxie

unser Sonnensystem

Milliarden Sternsystemen. Und zwischen all den Himmelskörpern liegt unendlich weiter leerer Raum. Würde man alle Materie des Universums gleichmäßig verteilen, so käme man auf ein einziges Atom pro Kubikmeter.

Aber wie groß ist das Universum insgesamt? Der große Physiker Albert ⇨ Einstein berechnete einen Durchmesser von etwa 150 Milliarden Lichtjahren. Das Weltall ist also nicht unendlich groß. Andererseits hat es aber auch keine Grenzen. Es ist, wie Einstein sagte, „in sich gekrümmt". Ein Raumschiff, das mit Lichtgeschwindigkeit in irgendeiner Richtung immer geradeaus fliegen würde, käme nach 150 Milliarden Jahren genau dort an, von wo es gestartet wäre. Auch bei einer Reise immer geradeaus rund um die Erde kommt man ja zum Startpunkt zurück.

Wespe   Wie Bienen und Ameisen bilden auch die Wespen Staaten und leben in Nestern zusammen. Wespen sind auffällig schwarzgelb gemustert. Ihr Stich ist ziemlich schmerzhaft. Die größten Wespen sind die drei Zentimeter langen Hornissen. Sie sind harmlos, solange sie sich nicht angegriffen fühlen.

Erderkundungssatellit

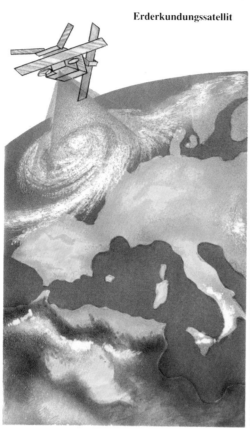

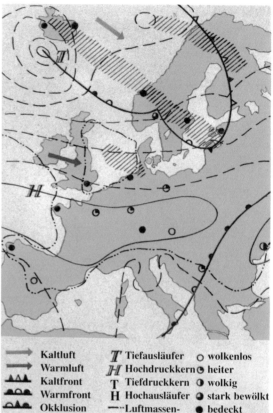

→ Kaltluft	**T** Tiefausläufer	○ wolkenlos
→ Warmluft	**H** Hochdruckkern	◖ heiter
▲▲▲ Kaltfront	**T** Tiefdruckkern	◑ wolkig
●●● Warmfront	**H** Hochausläufer	◕ stark bewölkt
▲●▲ Okklusion	--- Luftmassen-grenze	● bedeckt

Wetter   Zum Wetter gehören die natürlichen Erscheinungen, die sich in der Lufthülle der Erde abspielen: Sonnenstrahlung, Temperatur, Luftdruck und Luftfeuchtigkeit, Bewölkung, Niederschläge wie Regen, Schnee und Hagel, Wind und Nebel. Fachleute auf dem Gebiet der Wetterkunde heißen „Meteorologen". Sie erforschen, wie die Wettererscheinungen zu Stande kommen, und sie werten Informationen über die aktuelle Wetterlage vor Ort und in entfernten Gebieten aus. Diese Daten werden von Wetterstationen auf der ganzen Welt und von Wettersatelliten gesammelt. Die Wetterkarte zeigt die Entwicklung des Wetters an, zum Beispiel, in welche Richtung sich ein Tiefdruckgebiet bewegt und wann es welchen Gebieten Wolken und Regen bringen wird. Diese Vorhersagen heißen „Wetterprognosen". Immerhin liegt das deutsche Wetteramt mit seinen Voraussagen für die kommenden 24 Stunden in neun von zehn Fällen richtig.

Wiederkäuer   Rinder, Schafe, Ziegen, Hirsche und Giraffen sind Wiederkäuer. Diese Tiere haben einen aus vier Kammern aufgebauten Magen. In den ersten beiden Kammern (Pansen und Netzmagen) wird die grob zerkaute (pflanzliche) Nahrung vorverdaut. In der Ruhezeit würgen Wiederkäuer den Speisebrei hoch und kauen ihn noch einmal gründlich durch, bevor sie ihn endgültig in den Blättermagen und Labmagen wegschlucken.

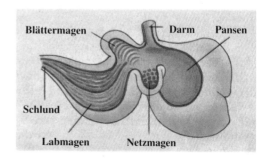

Blättermagen — Darm — Pansen
Schlund
Labmagen — Netzmagen

222

Wikinger ··· Wolf

Wikinger Die Wikinger oder Normannen waren ein mittelalterliches Seefahrervolk. Von ihrer skandinavischen Heimat aus befuhren sie mit ihren Drachenschiffen alle europäischen Meere. Um das Jahr 1000 landeten sie sogar an der nordamerikanischen Küste. Die Wikinger waren für ihre brutalen Raubzüge entlang der Küsten berüchtigt. Später wurden sie sesshaft und siedelten sich in England und Nordfrankreich an.

Windpocken Windpocken sind eine ansteckende Krankheit, die vor allem Kinder befällt. Auf der Haut bilden sich rote Flecken und dann juckende Pusteln. Im Gegensatz zu echten Pocken sind Windpocken ungefährlich.

Windsurfen Windsurfer segeln stehend auf einem leichten Brett und halten sich dabei am Segel fest. Für Schwimmer können Windsurfer zur Plage werden, wenn sie bei starkem Wind mit hoher Geschwindigkeit über das ufernahe Wasser flitzen. Vor allem aber stören sie oft Wasservögel in ihren Brutgebieten im Schilfgürtel von Seen. Windsurfer sollten daher immer möglichst rasch auf das offene Wasser hinaussegeln.

Winterschlaf Säugetiere im Winterschlaf haben einen langsameren Herzschlag und atmen sehr flach. Ihre Körpertemperatur kann bis nahe an den Gefrierpunkt fallen. In diesem Zustand schlafen sie Wochen und Monate in ihren Verstecken. Sie leben dabei vom Körperfett, das sie sich im Herbst angefressen haben. Die Winterschläfer sind zum Beispiel Dachs, Bär, Igel, Murmeltier, Hamster, Haselmaus und Siebenschläfer.

Wolf In süd- und osteuropäischen Gebirgsgegenden gibt es noch heute Wölfe. Bei uns sind diese hundeartigen ⇨ Raubtiere seit etwa 100 Jahren ausgerottet. Wölfe jagen in Rudeln. In äußerster Not greifen Wolfsrudel auch Menschen an. Der Wolf ist der Vater aller Haushunderassen.

223

Federwolken   Schichtwolken   Amboss

Schäfchenwolken   Haufenwolken   Schauer- oder Gewitterwolken

Wolken   Warme Luft kann mehr Feuchtigkeit (Wasserdampf) enthalten als kalte Luft. Wenn sich feuchte Luft zum Beispiel in der Nähe eines kalten Fensters abkühlt, verwandelt sich der in ihr enthaltene Wasserdampf in Wassertröpfchen, die Scheibe beschlägt. Wenn aber warme, feuchte Luftmassen hoch über der Erde mit kalter Luft zusammenstoßen und abkühlen, dann wird der zuvor unsichtbare Dampf zu einer Wolke von kleinsten Wassertröpfchen. Sobald die Tröpfchen in der Wolke zu schwer werden, beginnt es zu regnen. Aus den Wolken fällt Wasser oder, bei Kälte, Schnee. Die luftigen Federwolken in etwa zehn Kilometern Höhe bestehen aus Eiskristallen. Schäfchenwolken stehen zwischen neun und vier Kilometern hoch am Himmel, Regenwolken etwa zwei Kilometer.

Wolle   Aus den Haaren von ⇨ Schafen, Kaschmirziegen, ⇨ Kamelen und ⇨ Lamas gewinnt man Wolle. Die Tiere werden geschoren und ihre Haare dann zu Fäden versponnen. ⇨ Baumwolle stammt von den Samenfäden der Baumwollfrucht.

Wurm   Alle Würmer haben keine Gliedmaßen und, anders als Schlangen, auch kein Skelett. Sie leben zumeist im Erdboden oder als Schmarotzer in anderen Tieren – wie zum Beispiel der meterlange Bandwurm, der sich auch im Darm von Menschen einnisten kann. Andere Würmer, wie die weißen Madenwürmer, werden nur wenige Millimeter groß. ⇨ Regenwürmer sind besonders nützliche Tiere. Sie lockern den Boden und verbessern die Erde.

Wurzeln   Fast alle Pflanzen haben Wurzeln, die Pflanze nimmt damit Feuchtigkeit und Nährstoffe aus der Erde auf. Die Wurzeln der Eiche stecken gerade und tief in der Erde, während sich die Wurzeln von Flachwurzlern (wie der Fichte) dicht unter der Oberfläche ausbreiten. Manche Wurzeln sind essbar, zum Beispiel Möhren oder die Wurzelknollen der Kartoffelpflanze. Der Efeu hat Haftwurzeln, die sich an Bäumen oder Mauern festhalten.

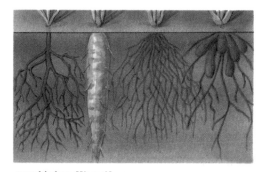

verschiedene Wurzelformen

Wüste   Etwa ein Siebtel der Landfläche der Erde ist Wüste. Hier regnet es so selten, dass nur ganz wenige, besonders angepasste Pflanzen und Tiere wie Kakteen oder Wüstenspringmäuse gedeihen können. Nicht alle Wüsten sind kalt und sandig. Es gibt auch Fels- und Steinwüsten. Die asiatische Wüste Gobi ist im Sommer heiß, im Winter bitterkalt. Die größte Wüste der Welt ist die Sahara in Nordafrika, die trockenste Wüste die Atacama-Wüste in Südamerika. Dort hat es schon mehrere hundert Jahre lang nicht geregnet.

Xanthippe

Zahn

Xanthippe Xanthippe hieß die Frau des griechischen Philosophen Sokrates. Sie soll angeblich besonders zänkisch und herrisch gewesen sein. Nach ihr nennt man noch heute eine streitsüchtige und zickige Frau eine „Xanthippe".

Yoga Das indische Wort für „Selbstdisziplin". Yoga ist ein uraltes System von psychologischen und körperlichen Übungen. Dazu gehören auch Meditation und die Verpflichtung, keinem Lebewesen etwas zu Leide zu tun. Yoga soll den Menschen helfen, zu einer friedlichen, gelassenen und freundlichen Lebenseinstellung zu gelangen. Es heißt, dass der Yogi am Ende seines Weges alle Gier und allen Hass verloren hat. Bei uns im Westen kennt man meist nur die Körperübungen des Yoga als eine Art von Gymnastik.

Zahl Wenn man eine Menge von Dingen zählt, entsteht eine Zahl. Das Zeichen, mit dem wir eine Zahl niederschreiben, ist die Ziffer. Unsere Ziffern stammen von den Arabern; die Null ist eine Erfindung der Inder. Die alten Römer kannten diese seltsame Zahl Null nicht, die für sich selbst nichts bedeutet, aber den Wert der nebenstehenden Zahlen bestimmt.
In unserem Dezimalsystem haben wir zehn Zahlen (von null bis neun). Die Grundlage unseres Zahlensystems ist die Zehn (lateinisch „decem"). Es gibt auch alte Zählweisen auf der Grundlage der Zahl Sechs. Reste davon sind im Dutzend (2 mal 6), in der Einteilung der Zeit (2 mal 12 Stunden sind ein Tag, 60 Sekunden sind eine Minute) und beim Messen von Winkeln in Grad erhalten.

Zahn Die Natur schenkt uns Menschen zweimal im Leben Zähne. Zuerst bekommen wir das Milchgebiss, das im Alter von etwa sechs Jahren ausfällt. Dann wächst das bleibende Gebiss nach. Wenn wir im Alter auch diese Zähne verlieren, hilft nur noch ein künstliches, „drittes" Gebiss, damit wir richtig essen und kauen können. Andere Lebewesen sind besser dran. ⇨ Elefanten zum Beispiel bekommen im Laufe ihres Lebens sechs Zahngarnituren. Bei ⇨ Nagetieren wachsen die Nagezähne ununterbrochen weiter und müssen ständig abgeschliffen werden.
Das vollständige menschliche Gebiss besteht aus 32 Zähnen, nämlich den acht Schneidezähnen, den vier Eckzähnen und den 20 Backenzähnen. Die hintersten vier Backenzähne nennt man auch „Weisheitszähne". Alle Zähne bestehen aus Zahnbein und stecken mit den Wurzeln im Kieferknochen. Im Wurzelkanal und in der Zahnhöhle liegen Nerven und Blutgefäße. Bis zur Krone sind Zähne mit Zahnfleisch bedeckt. Die Zahnkrone ist mit äußerst hartem Zahnschmelz umhüllt. Wenn der Schmelz durch Bakterien zerstört ist, kann sich die Zahnerkrankung Karies festsetzen und bis zur Wurzel weiterwühlen. Löcher müssen daher vom Zahnarzt sofort verschlossen (plombiert) werden.

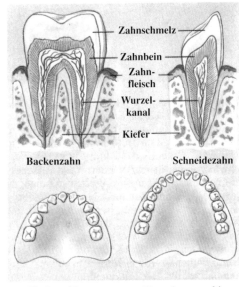

Backenzahn   Schneidezahn

Zahnschmelz
Zahnbein
Zahn-fleisch
Wurzel-kanal
Kiefer

Kindergebiss   Erwachsenengebiss

Zahnrad Zahnräder übertragen Bewegungen in einer Maschine. Jedes Zahnrad hat Erhebungen (Zähne) und Lücken. In die Lücken greifen die Zähne eines zweiten Zahnrades. Drehen wir nun an einem Zahnrad, muss sich das zweite mitdrehen. Beim Fahrrad ist das große Zahnrad bei den Pedalen durch die Kette mit dem Zahnrad am Hinterrad verbunden.

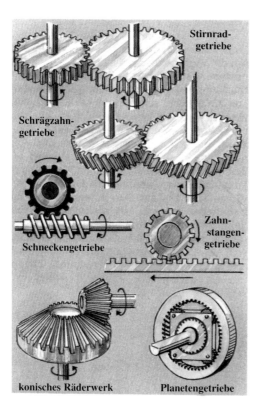

Stirnrad-getriebe

Schrägzahn-getriebe

Schneckengetriebe

Zahn-stangen-getriebe

konisches Räderwerk Planetengetriebe

Zauberei Unsere moderne Welt kennt Zauberei fast nur noch als Showveranstaltung: Professionelle Zauberer (Illusionisten) zaubern Kaninchen aus dem Hut, lassen Menschen in der Luft schweben oder Dinge einfach so verschwinden. Natürlich ist überall ein raffinierter Trick dabei. Für unsere Vorfahren hingegen waren Magie und Zauberei jahrtausendelang ein Bestandteil der Welt, in der sie lebten. Sie waren davon überzeugt, dass übernatürliche Kräfte überall am Werk sind. Hexen, Hexenmeister und Zauberer konnten sich dieser Kräfte bedienen. Bei vielen Naturvölkern sind magische Praktiken Teil der Religion.

Zebra Das gestreifte Wildpferd der afrikanischen Steppen heißt „Zebra". Von der Zeichnung seines Felles kommt der Name des Zebrastreifens. Das ist ein Schutzweg für Fußgänger über Autostraßen.

Zecke Zecken sind Blut saugende Spinnentiere. Sie lauern im Unterholz oder in Wiesen, in manchen Städten auch in Häusern, und klettern auf Menschen und Tiere. Dann bohren sie sich in die Haut und saugen Blut. Dabei schwillt ihr blutgefüllter Hautsack auf Erbsengröße an. Zecken darf man nicht abreißen, weil sonst ihr Vorderteil in der Haut stecken bleibt. Am besten dreht man sie mit einer speziellen Zeckenzange heraus (gegen den Uhrzeigersinn). In manchen Gegenden übertragen Zecken den Erreger der gefährlichen Hirnhautentzündung. Man sollte sich gegen diese Folge von Zeckenbissen impfen lassen.

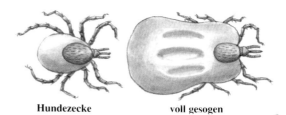

Hundezecke **voll gesogen**

Zeichentrickfilm ⇨ Film

Zeitlupe Eine optische Lupe vergrößert ein Bild. Zeitlupe verlängert die Zeit, in der ein Filmstück abläuft. Dazu muss man nur die einzelnen Bilder eines Films langsamer abspielen, als sie ursprünglich aufgenommen wurden. Nun kann man zum Beispiel ganz genau sehen, ob der Fußballspieler den Ball wirklich mit dem Kopf ins Tor bugsiert hat oder verbotenerweise doch mit der Hand. Das Gegenteil von Zeitlupe ist Zeitraffer. Im Zeitraffer braucht beispielsweise eine Blüte nicht eine Stunde, um sich zu öffnen, sondern zehn Sekunden.

Zeitung Zeitungen erscheinen täglich als Tageszeitungen oder wöchentlich als Wochenblätter. Sie berichten über wichtige Ereignisse, kündigen Veranstaltungen an und drucken Inserate (Werbeanzeigen) ab. Lokalzeitungen bringen vor allem Berichte aus der näheren Umgebung. Große, überregionale Zeitungen werden im ganzen Land gelesen. Die Journalisten in den Zeitungsredaktionen heißen „Redakteure". Sie entscheiden in der täglichen Redaktionskonferenz, welche Themen in der Zeitung behandelt werden sollen, sie bearbeiten die eingegangenen Berichte und schreiben Kommentare. Die Informationen erhalten die Zeitungsredaktionen von Nachrichtendiensten, von Reportern und von Berichterstattern (Korrespondenten). Die internationalen Nachrichtendienste (Pressedienste) bieten ihre Meldungen vielen Zeitungen gleichzeitig an. Reporter sind Journalisten, die für ihre Zeitung vor Ort recherchieren (Geschehnisse auskundschaften) und darüber Reportagen verfassen.

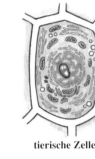

pflanzliche Zelle   **tierische Zelle**

Zelle Die kleinsten lebensfähigen Bauteile eines Lebewesens nennt man Zellen. Die allereinfachsten Lebewesen wie Bakterien oder Amöben bestehen aus nur einer Zelle; Menschen aus vielen Milliarden Zellen. Jede Zelle hat einen Zellkern, in dem die Erbinformationen gespeichert sind, das Zellplasma (der eigentliche Zellkörper) und die Zellhaut oder Membran. Zellen vermehren sich durch Teilung. Sie nehmen durch die Zellhaut Nährstoffe auf, schöpfen daraus Energie, bauen Eiweißstoffe auf und geben andere Stoffe wieder ab. Sie regeln die vielfältigen Funktionen des Körpers. Die Erbinformationen bilden eine Art Programm für das Wachstum. In jedem Zellkern liegt der Bauplan für das ganze Individuum, dem die Zelle angehört. Der Plan legt die Gestalt und die Aufgabe jeder Zelle und ihrer Nachkommen fest, und er bestimmt, wie sich welche Zellen zu vermehren haben.

Zement Zement ist der Grundstoff für Beton und besteht aus Kalk, Ton und Gips. Vermischt man dieses Gesteinsmehl mit Kies, Sand und Wasser zu einem Brei, wird daraus nach wenigen Stunden Beton.

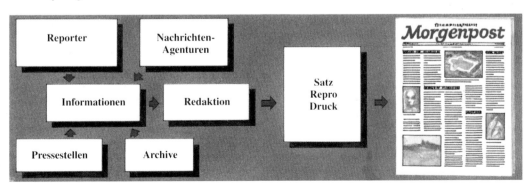

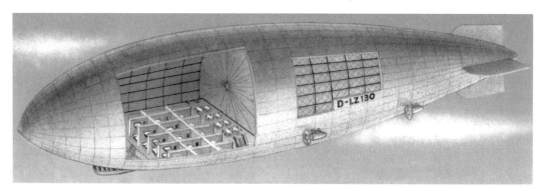

Blick ins Innere eines Zeppelins

Zeppelin Der deutsche Ingenieur Ferdinand Graf Zeppelin konstruierte um das Jahr 1900 das erste Luftschiff. Daher der Name Zeppelin für ein lenkbares, mit Motoren angetriebenes Luftschiff, dessen riesiger Ballonkörper mit Gas gefüllt ist. Der Auftrieb hebt den Zeppelin mitsamt den Motoren, Propellern und der Gondel für Piloten und Fahrgäste in die Luft. 1938 wurde die Luftschifffahrt mit Zeppelinen eingestellt, nachdem das Luftschiff „Hindenburg" explodiert war.

Zigeuner Ein vermutlich ursprünglich aus Indien stammendes Volk, das auf der ganzen Welt verstreut lebt. Das Wort „Zigeuner" sollte man lieber vermeiden, man spricht von „Sinti" und „Roma". Die Sinti sind vor mehr als 600 Jahren von Indien nach Deutschland eingewandert; die Roma (das Wort „Rom" bedeutet in der Sprache der Roma „Mensch") folgten in Wellen ab etwa dem Jahr 1860. Selbst als Staatsbürger europäischer Staaten haben es Sinti und Roma mit ihren eigenen Sprachen und Gebräuchen oft schwer, von der Bevölkerung akzeptiert zu werden. Unter den Nationalsozialisten wurden sie grausam verfolgt. Früher waren Sinti und Roma häufig nicht sesshaft, nur im Winter lebten sie in festen Quartieren. Heute haben die meisten in Deutschland lebenden Sinti und Roma einen festen Wohnsitz.

Zins Wenn Frau Meier ihr Geld auf einer Bank deponiert, bekommt sie dafür einen bestimmten Geldbetrag, den man die „Zinsen" nennt. Zinsen sind also eine Art Leihgebühr für Geld. Dieses Geld verleiht die Bank nun an jemanden weiter, zum Beispiel an Herrn Müller, der sich auf Kredit ein neues Auto kaufen möchte. Natürlich sind die Zinsen, die Herr Müller der Bank bezahlen muss, höher als die Zinsen, die Frau Meier von der Bank bekommt. Von diesem Unterschied können die Banken recht gut leben.

Zirkus Im Zirkus zeigen Artisten, Zauberer, Akrobaten, Clowns und Tierdompteure ihre Künste. Die Zuschauer sitzen in einem großen Zelt rund um die Arena oder Manege. Ein Zirkus bleibt meist nur kurze Zeit an einem Ort. Dann geht die Reise weiter in die nächste Stadt. Zirkusleute wohnen in Wohnwagen. Nur im Winter beziehen sie feste Quartiere. Ein Zirkus ist ein großes Unternehmen mit Geschäftsführung, Büros, Werbeabteilung, Arbeitern und natürlich den Zirkuskünstlern.
So lustig und spannend die Tierdressuren für die Zuschauer sein mögen, für die Tiere selbst bedeuten sie lebenslanges Eingesperrtsein. Zirkuselefanten werden als Babys in freier Wildbahn eingefangen und mitunter so lange geprügelt, bis sie sich nicht mehr wehren. Dann folgt im Zirkus die Dressur durch den Dompteur – manchmal auch mit Peitsche und Eisenhaken. Kein Elefant macht freiwillig einen Kopfstand, wenn er nicht vorher gepeinigt wird. Sein Gewicht drückt mit einer halben Tonne oder mehr auf seinen Nacken. Die meisten Elefanten sterben vorzeitig an Krankheiten oder an Kummer und werden durch frisch gefangenen Nachwuchs ersetzt. Tierschützer fordern daher ein Verbot von Tierdressuren. Ein Zirkus ist auch ohne abgerichtete Tiere aufregend, bunt und lustig.

Zivilisation   Das Wort „zivil" bedeutet „bürgerlich". Zivilisten sind Menschen, die keine Soldaten sind. Eine Zivilisation ist ein Zusammenschluss von Menschen, die bestimmte „zivilisierte" Regeln beachten. Große Zivilisationen der Menschheitsgeschichte nennt man auch „Kulturen" – zum Beispiel die römische Zivilisation oder die chinesischen und japanischen Zivilisationen. Als wilde und unzivilisierte Völker hat man früher hingegen alle Naturvölker betrachtet, die über keine Schrift verfügten. Erst wenn sie christlich getauft waren, lesen und schreiben konnten und nach den Regeln der weißen Kolonialherren lebten, hielt man sie für zivilisiert.

Zoll   Wer Waren von einem Staat in einen anderen bringt, muss dafür Zoll zahlen. Das ist eine Art Steuer auf die Einfuhr von Gütern. Früher war der Zoll eine wichtige Geldquelle für die einzelnen Länder. Man schützte außerdem die eigene Industrie gegen ausländische Konkurrenz, denn die Zollabgaben erhöhten den Verkaufspreis der aus dem Ausland stammenden Waren. Sie wurden dadurch ebenso teuer wie die inländischen Waren. Heute bemüht man sich weltweit, die Zollschranken abzubauen. Im europäischen Wirtschaftsraum der westeuropäischen Länder gibt es seit 1992 praktisch keine Zollschranken mehr.

Zoo   ⇨ Tiergarten

Zucker   Zucker ist eine chemische Verbindung von Kohlenstoff, Wasserstoff und Sauerstoff. Zucker löst sich im Wasser und schmeckt süß. Man gewinnt ihn aus Früchten (zum Beispiel Traubenzucker), aus Zuckerrohr und Zuckerrüben. Rohzucker ist braun und enthält wertvolle Mineralstoffe, die später beim Raffinieren (Reinigen und Bleichen) verloren gehen.

Zugvögel   Zahlreiche Vögel, wie Kraniche, Störche, Schwalben, ziehen im Herbst nach Süden in wärmere Länder. Dort überwintern sie und kehren im Frühjahr wieder in unsere Gegenden zurück. Man nennt sie „Zugvögel".

Zwiebel   Manche Pflanzen speichern in ihrem unterirdischen Teil, in ihrer Zwiebel, Nährstoffe. Dazu gehören Blumen wie Krokus, Tulpe und Narzisse, andererseits Gemüse wie die vielen Laucharten, etwa Porree und Knoblauch. Das für unsere Küche wichtigste Zwiebelgewächs ist die Küchenzwiebel.

Zwillinge   Zwei Kinder, die zur gleichen Zeit im Bauch der Mutter wachsen, werden Zwillinge. Sie kommen kurz hintereinander zur Welt. Eineiige Zwillinge sehen einander zum Verwechseln ähnlich und haben immer das gleiche Geschlecht. Sie haben sich aus einer einzigen mütterlichen Eizelle entwickelt. Zweieiige Zwillinge sehen sich so ähnlich wie andere Geschwister auch. Viel seltener als Zwillinge kommen Drillinge oder gar Vierlinge zur Welt.

Zylinder   Ein röhrenförmiger, hohler Körper ist ein Zylinder. Im Zylinder eines Automotors bewegt sich der Kolben auf und ab.
Zylinderhüte sind hoch, steif und haben eine kleine Krempe. Man trägt sie heute höchstens noch bei feierlichen Anlässen.

Register

Register

Register

Register